SAINT-JUST

DU MÊME AUTEUR

Saint-Just, son milieu, sa jeunesse et l'influence de sa formation sur sa pensée et son action politiques. Thèse pour le doctorat d'État, 1984.

BERNARD VINOT

SAINT-JUST

« Ni rire, ni pleurer, ni maudire : comprendre. »
PAULSEN

FAYARD

A Françoise et François

CHAPITRE PREMIER

La beauté de la jeunesse

> *La légende ne naît pas de la beauté de Saint-Just, mais la beauté naît de la légende. Pour que sa tête devienne celle de l'archange de la guillotine, il faut que le bourreau la ramasse.*
>
> MALRAUX

Rarement l'aspect physique aura autant compté pour un homme d'État. L'histoire s'est emparée de son image d'archange et, depuis, toutes les sensibilités pétrissent cette beauté hermaphrodite, au gré des fantaisies ou des intérêts.

Elle convient à ses admirateurs. Pourquoi seraient-ils gênés par les allures féminines d'un héros dont Lamartine écrit qu'il chargeait à la tête des escadrons républicains et se jetait dans la mêlée avec l'insouciance d'un jeune hussard ? Serait-il interdit d'être beau quand on est brave ? Elle convient aussi à ses détracteurs. Laid, ils l'auraient comparé au diable, beau, ils peuvent le présenter comme l'incarnation d'une ruse du Malin et ne manquent jamais de souligner la redoutable efficacité du vice quand il est associé à la grâce.

Alors, Saint-Just était-il vraiment beau ?

Les témoignages des contemporains ne s'accordent pas toujours. Sa sœur Louise évoquait pour ses petits-enfants sa « grande beauté », tandis que son ami de jeunesse, le

Soissonnais Lejeune, parle seulement de sa « physionomie honnête ». Son collègue Levasseur de la Sarthe le dit « faible de corps », alors que Camille Desmoulins insiste sur sa raideur : « On voit dans sa démarche et son maintien qu'il regarde sa tête comme la pierre angulaire de la République et qu'il la porte sur ses épaules avec respect comme un saint sacrement. » Enfin, le Conventionnel Paganel fait un portrait plus fouillé : « Une taille moyenne, un corps sain, des proportions qui exprimaient la force, une grosse tête, les cheveux épais, le teint bilieux, des yeux vifs et petits, le regard dédaigneux, des traits réguliers et la physionomie austère, la voix forte, mais voilée, une teinte générale d'anxiété, le sombre accent de la préoccupation et de la défiance, une froideur extrême dans le ton et dans les manières, tel nous parut Saint-Just, non encore âgé de trente ans. »

En dehors de la tradition familiale, tous ces souvenirs ne sont pas très convaincants. D'autres ont été recueillis plus tard auprès des survivants de la Révolution. Ainsi Mignet : « Il avait un visage régulier, à grands traits, d'une expression forte et mélancolique ; un œil pénétrant et fixe, des cheveux noirs plats et longs » ; Lamartine lui aussi insiste sur « ses cheveux tombant des deux côtés sur son cou, sur ses épaules ». Si Erckmann-Chatrian le voient « petit et blond, très beau de figure et généralement bien habillé, mais raide et orgueilleux », Lamartine le montre « immobile à la tribune, froid comme une idée, (...) le calme de la conviction absolue répandu sur ses traits presque féminins, comparé au Saint-Jean du messie du peuple par ses admirateurs ». Mais c'est Michelet, visiblement influencé par cette description, qui le campera durablement en accusateur du roi : « Sans ses yeux bleus fixes et durs, ses sourcils fortement barrés, Saint-Just eût pu passer pour femme. Était-ce la Vierge de Tauride ? Non, ni les yeux, ni la peau, quoique blanche et fine, ne portaient à l'esprit un sentiment de pureté. Cette peau, très aristocratique, avec un caractère singulier d'éclat et de transparence, paraissait trop belle, et laissait douter s'il était bien sain. L'énorme cravate serrée, que seul il portait alors, fit dire à ses ennemis qu'il cachait des humeurs froides. Le col était comme supprimé par la cravate, par le collet raide et haut ; effet d'autant plus bizarre que sa taille longue ne faisait point du tout attendre cet accourcissement du cou. Il avait le front très bas, le haut de la tête comme déprimé de sorte que les cheveux, sans être longs, touchaient presque les yeux. Mais le plus étrange était son allure, d'une raideur automatique qui n'était qu'à lui. La raideur de Robespierre n'était rien auprès. Tenait-elle à une singularité physique, à son excessif orgueil, à une dignité calculée ? Peu importe. Elle intimidait plus qu'elle ne semblait ridicule... Ainsi, lorsque, dans son discours, passant du Roi à la Gironde et laissant là Louis XVI, il se tourna d'une pièce vers la droite, et dirigea sur elle, avec la parole, sa personne tout entière, son dur et meurtrier regard, il n'y eut personne qui ne sentît le froid de l'acier. »

Décidément, les témoignages littéraires sont bien ambigus ! Les autres le seraient-ils moins ? Dans les années qui suivirent la Révolution, beauté et jeunesse furent fréquemment associées à Saint-Just. Sans aucun doute des peintures et des gravures représentant de jeunes hommes élégants, portant ou non la cravate haute, furent qualifiées de « portraits présumés de Saint-Just ». C'est probablement le cas de la belle sanguine attribuée à Christophe Guérin, conservée au musée Carnavalet, mais dont rien n'indique qu'elle ait un rapport avec le Conventionnel. D'autre part, de nombreuses représentations, réalisées longtemps après la mort du jeune révolutionnaire — comme le médaillon * et le buste de David d'Angers ou la gravure de Bosselmann Fils, commandée pour illustrer l'*Histoire des Girondins* de Lamartine — attestent que le mythe de l'archange s'était déjà imposé.

Certains portraits offrent tout de même de sérieuses garanties : par exemple, le pastel exécuté au moment où Saint-Just logeait à l'hôtel des États-Unis, récupéré par Élisabeth Le Bas et conservé par la famille comme un

---

* Reproduit en couverture.

pieux souvenir, ce qui lui confère un caractère de véracité.
Il en va de même du portrait de Prudhon : selon Hamel,
l'artiste était un fervent admirateur de Robespierre et un
habitué du salon des Duplay, où le peintre et Saint-Just
peuvent s'être rencontrés. On lit dans le coin de la toile à
droite : « A Saint-Just. P.-P. Prudhon 1793. » Ces deux
œuvres présentent des similitudes : même ovale de visage,
même dessin des lèvres, yeux clairs, nez fort et longs cheveux châtains. On retrouve ces mêmes traits dans le
tableau de David et encore dans celui de Greuze où le
jeune député pose avec son sabre de représentant en mission placé à proximité.

La gravure de Bonneville doit aussi retenir l'attention.
Cet artiste s'est spécialisé dans la représentation des hommes les plus célèbres de la Révolution et son œuvre est
aujourd'hui précieuse. Le portrait qu'il donne est le seul,
de tous ceux que nous possédons de Saint-Just, qui le dési-
gne nommément avec son titre, ses date et lieu de naissance (erronés d'ailleurs) et de mort : il est donc incontes-
table et à peu près contemporain. Le Conventionnel est
représenté col ouvert, les traits accusés et durcis, le nez
fort, semblable à celui de son père, et avec une expression
où domine la vulgarité. Dans le détail, on reconnaît pourtant le modèle de David ou de Greuze mais vieilli (encore
que l'expression s'applique à un homme de 27 ans, fatigué)
et sans la cravate habituelle. En outre, cette gravure, parue
en 1796, en pleine réaction thermidorienne, a le mérite
d'être sans complaisance. La notice qui l'accompagne ne
laisse guère de doute sur les sentiments de P. Quénard,
l'auteur du commentaire : « Si nous n'avions pas vu tant
de valets de l'Ancien Régime, aristocrates sans pudeur en
1789, s'emparer trois ans après de l'opinion, pour se proclamer les apôtres exclusifs du gouvernement républicain,
nous aurions de la peine à concilier le petit soi-disant marquis de Saint-Just avec le grand sans-culotte montagnard
Saint-Just. Nous aurions pu nous étonner de voir le char-
mant faiseur de petits vers... abandonner les antichambres
et les boudoirs et s'enfoncer dans la fange... » Sans le vouloir, pourtant, Bonneville aura au moins rendu un service

au Conventionnel en montrant que son cou n'était pas marqué, comme le dit Michelet, « d'humeurs froides », c'est-à-dire d'écrouelles (manifestations infectieuses d'origine tuberculeuse) que les malveillants attribuaient à des séquelles de débauche.

Louis-Antoine avait hérité les « grands traits » des Saint-Just et des Robinot, ses parents : long visage, long nez, long cou, adoucis par la jeunesse et embellis par un goût vestimentaire très sûr. Nul doute que l'âge ne les eût creusés. S'il avait vécu, il aurait de plus en plus ressemblé à son père et pris l'allure mâle, forte et grave mais sans beauté de Louis-Jean. Cette évolution naturelle, accentuée par les journées harassantes et les nuits sans sommeil au Comité de salut public et aux armées, fut probablement perceptible dès 1793. En outre, la personnalité était assez mobile et l'expression suffisamment altérée par les élans passionnés et le poids des responsabilités pour que son image ait été reçue et réfléchie diversement. Il est normal que les portraits de Saint-Just ne soient pas absolument ressemblants.

Il est compréhensible aussi que la postérité se soit emparée de son aspect et de sa mémoire pour les grandir ou les avilir. Michelet, s'inspirant de Lamartine, en porte la lourde responsabilité. L'évocation qu'il a faite de lui lorsqu'il prononça son discours au procès du roi a définitivement influencé la grande et la petite histoire. Cet admirable morceau littéraire prend, peut-être pour les besoins de l'antithèse, bien des libertés avec la réalité. Passe encore que, contre tous les portraits, il dote Saint-Just d'« yeux bleus fixes et durs » : c'est sans doute pour les assortir avec « le couteau de la guillotine » ou « le froid de l'acier » dont il parle plus haut et plus loin ! Mais pourquoi insiste-t-il bien davantage que les contemporains sur son aspect androgyne ? Est-ce par complaisance, par effet de style, pour opposer « une bouche qui semblait féminine » aux « paroles froidement impitoyables » qu'elle proférait ou pour suggérer qu'un révolutionnaire ne peut décidément pas être un homme comme les autres ? Si telle était l'intention de Michelet, il a réussi. Sa description a été pillée et déformée, de sorte qu'aujourd'hui, les évocations proposées au public sont, à quelques exceptions près, des caricatures de caricature. Même sous la plume d'auteurs célèbres, elles montrent pour la plupart un Saint-Just outrancièrement féminisé, cheveux frisés, poudrés, boucle à l'oreille, voix fluette, regard admiratif tourné vers Robespierre.

Au XVIIIe siècle, presque tous les hommes de qualité se poudraient et certains, en guise d'ornement ou de distinction, souvent aussi pour affirmer leur place ou leur grade dans des associations de compagnonnage ou des sociétés de pensée, portaient un anneau à l'oreille. Bonneville, dans son recueil, représente ainsi le duc d'Orléans, Alexandre de Lameth, Jean Debry, député de l'Aisne, et le général Hoche. Il ne semble pas que cela soit le cas de Saint-Just. Michelet lui-même n'en parle pas. Les portraits de Quenedey et Guérin qui ont permis d'accréditer cette légende ne représentent probablement pas Saint-Just et ce détail n'apparaît ni sur le pastel légué par les Le Bas, ni sur les peintures de Prudhon, de David et de Greuze, non plus que sur la gravure de Bonneville. En fait, c'est au moment où le port en devint exclusivement féminin que l'on s'avisa de représenter Saint-Just systématiquement paré d'une boucle d'oreille. De toute évidence l'opération répondait non pas au souci de servir la vérité historique mais à celui de discréditer sa personnalité en mettant sa virilité en question. Beaucoup de ceux qui ont évoqué Saint-Just ne se sont pas contentés de lui ravir son visage et son allure physique mais ont aussi disposé de son âme *.

---

* Voir l'annexe *Saint-Just et l'Histoire*.

CHAPITRE II

De la Loire à la terre ancestrale

« Le trent may 1766 ont reçus le sacrement de mariage messire Louis Jean de Saint-Just de Richebourg, écuyer, chevailler de l'ordre royal militaire de Saint-Louis, capitaine de cavallerie, maréchal des logis de la compagnie des gendarmes sous le titre de Berry, fils de deffunt Mᵉ Charles de Saint-Just, bourgeois, et de deffunte dame Marie Françoise Adam de la ville de Nampcelle en Picardie, diocèse de Soissons, actuellement en quartier en la ville de Cusset en Auvergne, parroisse du même nom, diocèse de Clermont, et damoiselle Marie Anne Robinot, fille majeure de Mᵉ Léonard Robinot, conseiller notaire du roy, grenetier au grenier à sel de la ville de Decize, et de deffunte dame Jeanne Houdry, [de la] ditte parroisse (...) Le présent mariage célébré en présence de Jacques Lemaitre, menuisier, de maître Pierre Baudoin, vicaire de cette parroisse qui ont signés avec nous, de Jean Martinet, marchand, de Jean Chapelain, cabaretier qui ont déclarés ne savoir signer. »

Comme il est étrange cet acte de mariage des parents du Conventionnel Saint-Just ! L'époux présente toutes les apparences d'un fils de famille noble et l'épouse semble issue de la bonne bourgeoisie. Or la cérémonie se déroule à la sauvette dans le village de Verneuil, près de Decize, en Nivernais. La situation des témoins (un menuisier, un marchand, un cabaretier (dont deux ne savent pas même lire) est sans rapport avec celle des mariés.

Quelques jours plus tôt, cependant, le 24 mai 1766, Louis-Jean et Marie-Anne avaient signé leur contrat entourés d'une brillante suite civile et militaire, mais le père et les frères de la mariée, notables de Decize, n'avaient pas non plus assisté à cette réunion.

Louis-Jean était un allègre quinquagénaire. Sous les cheveux châtains dissimulés par la perruque, son visage, barré d'un long nez, était sans grâce. Mais sa haute taille, remarquable pour l'époque (plus de 1,78 m), le distinguait. Il avait fière allure dans son étincelant uniforme rouge à galons d'argent. Sur sa poitrine brillait, à l'extrémité de son ruban couleur feu, la croix de l'Ordre de Saint-Louis dont le Roi-Soleil avait assuré en le créant : « La vertu, le mérite et les services rendus seront les seuls titres pour y entrer. »

Les villageois de Verneuil, témoins de cette cérémonie inhabituelle, regardaient curieusement ce bel officier dont le régiment stationnait à une centaine de kilomètres de là. Il venait, disait-on, de la lointaine Picardie où il était propriétaire, on ne l'avait vu qu'épisodiquement à Decize où il fréquentait d'anciens compagnons d'armes, mais son nom, ses titres et son grade en imposaient.

La réalité était moins brillante. Huitième des onze enfants d'une famille de fermiers, il s'était engagé dans la « gendarmerie » — arme d'élite et de prestige qui désignait alors la cavalerie — à dix-neuf ans. Son unité avait participé aux guerres de Succession d'Autriche et de Sept Ans et avait connu la gloire et les épreuves, en particulier lors de la défaite de Minden, en Wesphalie (1759), où ses pertes avaient été sévères.

Pour les rescapés de ces campagnes harassantes, la chance de survivre n'était pas tout, car l'avancement était aléatoire. « La vertu, le mérite et les services rendus » y contribuaient sans aucun doute. Rien ne valait pourtant une ascendance noble, même douteuse. Un Nicolas Mésange, témoin au contrat de mariage de Louis-Jean, signe de Mésange et plusieurs gendarmes, trop visiblement englués dans la roture, se déclarent fils de « bourgeois vivant noblement. » Incorporé en 1735, Louis-Jean de Saint-Just était passé brigadier en 1751. Il avait effectué vingt-cinq ans de service et attendu l'âge de quarante-cinq ans pour être promu maréchal des logis (1760). Carrière plus qu'honorable pour des gens de sa condition. Michelet voyait juste en décrivant cet « officier de fortune » comme l'un de « ces militaires de l'Ancien Régime qui, par la plus grande énergie, avec une longue vie d'efforts, ayant, vingt-cinq, trente ans, percé le granit avec leur front, obtenaient sur leurs vieux jours la croix de Saint-Louis et finissaient par être noble ». Lors de son mariage, Louis-Jean bénéficiait donc de l'équivoque d'un patronyme flatteur et la croix, avec le titre d'écuyer qu'elle conférait, l'avait anobli. Elle le plaçait parmi cette moitié des capitaines de l'armée française qui s'assemblaient annuellement à la Cour le jour de la Saint-Louis et elle le présentait pour ce qu'il était : un brave.

Marie-Anne, son épouse, avait vingt ans de moins que lui. Sa famille, passée, à la fin du XVIIe siècle, des métiers et de la boutique aux offices, faisait partie de la meilleure société bourgeoise qui fréquentait la noblesse locale. Léonard Robinot, le père, était une personnalité de Decize. Conseiller du roi, notaire royal, procureur en la châtellenie, il exerçait aussi les fonctions judiciaires de grenetier au grenier à sel ; à deux reprises il avait été échevin de sa ville. Il habitait, quai du Pont-de-Loire, une demeure aujourd'hui disparue, qui s'élevait sur l'emplacement de l'actuelle agence du Crédit Lyonnais ; il disposait aussi en ville de maisons de rapport dans le *quartaro* (c'est-à-dire le quartier haut, quartier du grenier à sel), de propriétés rurales et, à Brain *, d'une maison de campagne, flanquée de dix hectares de vigne. Des enfants que lui avait donnés sa femme, Jeanne Houdry, trois avaient survécu : Claude, avocat au Parlement de Paris, Léonard (qui signe Robinot le Jeune pour se distinguer de son père), notaire et procureur en la châtellenie de Decize dès 1766, et Marie-Anne.

* Sur le territoire de la commune de Decize.

Comment expliquer que personne n'ait jusque-là distingué Marie-Anne ? Le portrait du musée de Blérancourt ne laisse pas supposer qu'elle ait pu inspirer quelque répulsion. Il est peu probable également que les prétendants aient été rebutés par le souvenir de ses ascendants boulangers, pâtissiers, tanneurs ou bouchers. Sans doute Léonard Robinot, égoïste, possessif et presque impotent, appréciait-il assez le confort d'une maison tenue par sa fille pour souhaiter que cette situation se prolongeât et évincer, sous de bons prétextes, les partis éventuels.

G. Lenôtre, enquêtant à Blérancourt, décrira Marie-Anne comme une nature « douce, passive, un peu indolente ». Mais cette appréciation ne concorde guère avec l'image de cette femme de trente ans qui eut assez de volonté pour s'opposer à son père. En mai 1766, la jeune femme, soutenue par son entourage, obtint des autorités judiciaires la permission d'adresser des « sommations respectueuses » à son père, procédure réservée aux enfants majeurs qui se heurtaient à un refus de consentement injustifié. Trois sommations étaient prévues mais, souvent, le père cédait à la première afin d'éviter les frais des suivantes. Léonard Robinot, lui, s'entêta. Lorsque sa fille se présenta, accompagnée du notaire Grenot et de deux témoins de la meilleure aristocratie, il fit dire qu'il était absent le 21 et le 22 mai ; le 23, lors de la troisième visite, il quitta la pièce sans mot dire. Le lendemain, le contrat de mariage fut signé et la cérémonie fixée au 30 mai. Bien qu'aucun des fiancés n'y fût domicilié, elle eut lieu à Verneuil, dont le curé, Antoine Robinot, était l'oncle de la mariée. Cette intimité évita l'exhibition des dissensions d'une des familles les plus en vue de la ville. Elle épargna peut-être aussi aux nouveaux époux, que plus de vingt ans séparaient, un éventuel charivari, coutume qui accompagnait souvent les unions marquées par une trop grande différence d'âge.

Dans cette affaire rondement menée, les futurs époux ne manquèrent donc pas de concours. Mais l'opposition paternelle les contraignit à s'unir dans un climat de discorde. L'incident brisa momentanément l'unité familiale et le jeune ménage n'a sans doute pas été accueilli tout de suite dans la demeure du quai du Pont-de-Loire à Decize.

UNE ENFANCE PROTÉGÉE.

Quinze mois après le mariage naquit Louis-Antoine (on lui avait donné les prénoms de son père et de son parrain, l'abbé Robinot). Il fut baptisé le jour de sa naissance, le 25 août 1767, en la paroisse Saint-Aré de Decize, ce qui donne à penser que la brouille familiale était oubliée et que la mère avait accouché dans la maison paternelle *.

La naissance incita peut-être Louis-Jean à mettre un terme à sa vie de garnison car il quitta la gendarmerie dans les dix-huit mois qui suivirent son mariage. Après plus de trente ans de service, il se retirait avec le grade de capitaine et 600 livres de pension et s'écartait du destin de ses compagnons d'armes, Renault et Mésange, qui servirent une dizaine d'années de plus, et furent démobilisés avec le grade de lieutenant-colonel et une pension de 1 200 livres. Probablement sacrifiait-il sa carrière à la vie familiale.

La modicité de ses ressources lui imposait de rechercher une activité de remplacement. Encore robuste, rompu aux tâches d'autorité, il aurait sans doute pu trouver un état sur place. Sans que l'on sache s'il voulut soustraire sa femme à l'influence de son ancien milieu, s'extraire d'un environnement hostile ou simplement retrouver son pays, sa maison et ses biens, il décida toutefois de rejoindre sa Picardie natale.

* Cette opinion était partagée au XIXe siècle par de nombreux Decizois qui avaient connu les Robinot. Elle apparaît aujourd'hui probable malgré les réserves que l'historien local J. Hanoteau a faites à ce sujet. La tradition était affirmée dans les *Annales de la ville de Decize* par Tresvaux de Berteux, maire de Decize entre 1851 et 1914. J. Hanoteau croit en une persistance de la brouille essentiellement parce que « Léonard n'assista pas au baptême de son petit-fils ». Argument fragile car le vieillard n'assista pas davantage au mariage de son fils, Robinot le Jeune, aux baptêmes de ses petits-enfants et aux obsèques d'Antoine Robinot, son frère. Ses absences semblent être tout simplement dues à son impotence.

Mais le jeune Louis-Antoine n'était pas sevré. La mère avait eu d'ailleurs quelque difficulté à trouver une nourrice. Une tradition veut qu'il ait d'abord été allaité avec Jeanne-Jacquette Ducaroy, la fille de la sage-femme qui l'avait mis au monde et qui accoucha, elle-même, quelques jours plus tard. L'acte de baptême de cette sœur de lait, qui figure sur la même page du registre paroissial que celui de Louis-Antoine, apporte un élément de véracité à cette anecdote. Selon l'usage dans ce milieu, l'enfant avait ensuite été placé en nourrice à Verneuil, dans une maison connue sous le nom de « locaterie des Marches » et située à quelques pas du presbytère d'où l'oncle curé pouvait veiller sur son filleul. Il y demeura pendant plusieurs années, notamment lors du premier séjour de ses parents en Picardie. Ceux-ci quittèrent Decize pour rejoindre Nampcel, dans l'Oise, où ils habitèrent avec Madeleine, sœur de Louis-Jean, dans l'étroite maison de la famille Saint-Just. C'est là que naquirent Louise-Marie-Anne et Marie-Françoise-Victoire en 1768 et 1769. On a cru longtemps qu'ils avaient séjourné à Nampcel jusqu'à leur installation en 1776 à Blérancourt (Aisne), à 4 km de là, et que leur fils avait passé auprès d'eux toute sa petite enfance. En réalité, les Saint-Just avaient quitté Nampcel au plus tard en 1773. Ils emménagèrent à Decize dans la grande maison de Léonard Robinot et s'y trouvaient encore avec Claude Robinot, lorsque la demeure fut vendue le 18 juillet 1776. Le jeune garçon passa donc ses neuf premières années dans la Nièvre. Marie-Anne fut probablement enchantée de retrouver à Decize, située sur une île ravissante entre deux bras de Loire, son milieu et ses amis. Son mari s'intégra à la vingtaine de notables qui administraient la ville, participant à la discussion des affaires et à l'élection des officiers.

On peut penser que cette famille, réunie, connut à cette époque quelques années de bonheur et qu'elle créa autour des trois jeunes enfants une atmosphère souriante, confortable et douillette, dans la proximité cossue de Léonard Robinot, avant que ne fondent sur elle des deuils. Les témoignages recueillis dans la seconde moitié du XIXe siècle s'accordent à célébrer ces retrouvailles et à souligner l'attendrissante passion de Léonard pour son petit-fils.

Decize ne comptait guère plus d'un millier d'habitants, mais sa garnison de gendarmes et ses ponts qui en faisaient une étape sur la route de la Bourgogne vivifiaient son activité économique et animaient sa société. Au sein de cette bourgeoisie, l'enfance du futur Conventionnel fut insouciante et heureuse.

Elle ne fut pas pour autant à l'abri du spectacle de la misère. L'hiver de 1771 provoqua une disette et contraignit la municipalité à ouvrir un atelier de charité sur les « halles », ces terres « halées » en bord de Loire, incultes et brûlées par le soleil en été, à quelques dizaines de mètres de la maison Robinot. C'est alors que fut plantée cette somptueuse allée de platanes, aujourd'hui classée et unique en France. Le curé Saint-Éloy note sur son registre que les pauvres y travaillèrent pour une livre de pain par jour et que les enfants de six ans à peine ainsi que les sexagénaires y furent occupés à porter du sable. Louis-Antoine fut-il intrigué par l'effervescence qui animait les alentours de la maison ? S'il posa des questions sur l'activité de ces enfants guère plus âgés que lui qui s'affairaient dans le froid, on lui répondit probablement qu'elle était le dur salaire de la faim pour tous les malheureux ; que cette misère était la misère des autres mais qu'il avait la chance d'appartenir, lui, au monde de ceux qui décidaient des secours aux nécessiteux.

Les conversations qu'il pouvait capter entre son grand-père, son père et ses deux oncles — respectivement procureur du roi et trésorier-receveur de la ville — roulaient sur des problèmes de direction et de gestion : levées des octrois aux ponts de la ville, épisodes d'un long procès entre la municipalité et le duc de Mazarin-Mancini, gouverneur du Nivernais, au sujet d'une usurpation de propriété, défense des franchises communales contre les empiétements seigneuriaux, etc. Ainsi, en 1776, le maire, les échevins et les conseillers se dressèrent-t-ils contre « les gens d'affaires de

plusieurs seigneurs » qui menaçaient le droit d'allodialité *
dont jouissaient leurs immeubles : ils les tenaient en pleine
propriété, disaient-ils, et n'entendaient point que des
« tentatives risquées » contre certains particuliers pussent
constituer des précédents. La décision fut prise d'engager,
au besoin, une instance judiciaire aux frais de la ville. On le
voit, les affrontements entre la noblesse et la bourgeoisie
étaient déjà vifs dans la cité.

La disparition de Léonard Robinot, le 29 janvier 1776,
entraîna un partage entre ses trois enfants et la vente de la
demeure familiale. L'expédition des affaires se prolongea
pendant la plus grande partie de l'année et les Saint-Just ne
quittèrent Decize qu'à l'automne. Pour Louis-Antoine,
plus qu'un changement ce fut la fin d'une époque. En quittant l'île chaleureuse, il s'apprêtait à découvrir un monde
différent, celui de la communauté paysanne dont étaient
issus ses ascendants paternels.

UNE FAMILLE DE « LABOUREURS ».

Par tradition les Saint-Just étaient des « laboureurs »,
des paysans aisés. On les rencontre dans la région de Compiègne au milieu du XVIIe siècle. Le plus lointain ancêtre
connu du Conventionnel, son bisaïeul Charles de Saint-
Just (1636-1696) habitait à Chelles, près de Pierrefonds, où
il exploitait une ferme qu'il tenait à bail du chapitre de la
cathédrale de Soissons puis il se fixa sur la fin de sa vie à
Attichy (où il fut désigné comme receveur du château) et,
en 1690, devint fermier de Montplaisir, sur le plateau voisin.

Charles partage alors l'existence de cette société rurale
du Valois qui ne changera pas jusqu'à la Révolution et où
la terre appartient essentiellement aux châteaux et aux
communautés religieuses qui la donnent à ferme. Les rapports entre propriétaires et exploitants sont de type seigneurial. La signature d'un bail à loyer est pour le bailleur à

* Les biens allodiaux étaient affranchis de toute redevance.

la fois un moyen de pression et de sélection. La réussite et les perspectives d'ascension passent par d'étroits rapports de collaboration entre le propriétaire et son fermier dont l'efficacité, la fidélité et même la servilité sont appréciées. Charles est « receveur » de la seigneurie, tâche de confiance, mais rebutante, qui consiste essentiellement à faire rentrer les redevances. Elle implique, en même temps qu'une certaine instruction, de l'autorité et de l'inflexibilité. Quand tout va bien, un tel homme peut faire figure de notable dans son village ; sa familiarité avec le château lui assure souvent les conseils, les cadeaux, la considération des Grands et le prestige auprès des paysans que donne le pouvoir. Il peut aussi accéder à l'aisance, transformer son revenu discrétionnaire en biens-fonds et réussir par des alliances avantageuses à accumuler un patrimoine foncier, marque véritable de la considération sociale. Ainsi, Charles de Saint-Just lègue-t-il à sa descendance quelques lambeaux de propriétés sur les terroirs de Chelles, Berogne, Saint-Étienne, Montigny-Langrain et Pierrefonds. Mais c'est son fils, également prénommé Charles, dit « le Jeune » (1676-1766), qui affermit, au cours de sa longue vie, ce qu'a esquissé le père. Installé à Morsain comme fermier et receveur de la seigneurie de Jean-Antoine Sezille du Buhat, il contracte un mariage très profitable avec Marie-Françoise Adam, fille du « receveur de la terre et seigneurie de Nancel », qui l'introduit dans l'aristocratie paysanne et l'allie à tous les exploitants des grandes fermes environnantes (voir carte en annexe p. 373).

Les Saint-Just se sont donc ancrés aux confins du Valois et du Soissonnais, dans ces riches terres à céréales qui s'étendent de part et d'autre de la vallée de l'Aisne entre Compiègne et Soissons. Les moissons y rassemblent des travailleurs saisonniers par milliers. Tout un monde de courtiers, de marchands, installés en ville, particulièrement à Soissons et à Noyon, fait commerce du blé. Les surplus sont écoulés sur le marché d'Attichy ou livrés au port de Vic-sur-Aisne d'où ils sont embarqués pour la région parisienne. Les rentiers de la terre, comme les Saint-Just eux-mêmes, imposent à leurs fermiers de charrier une

partie des redevances en nature vers ces gros marchés auxquels conduisent des routes soigneusement entretenues par
l'Intendance de Soissons, attentive au commerce et au
ravitaillement de la capitale.

Généralement moyennes, les exploitations sont quelquefois importantes : ainsi la ferme des Pertrons, que
Charles de Saint-Just géra pendant quelques années, représentait 95 ha ; celle de La Carrière, à Nampcel, dont il fut
receveur, 150 ha ; la ferme des Loges, propriété de l'abbaye
d'Ourscamp, 200 ha. Enfin la ferme de Loire, à Trosly,
propriété des religieux de l'ordre de Prémontré et tenue à
bail de père en fils par les Lemoine, propres cousins des
Saint-Just, en comptait 300 (elle sera achetée par un bourgeois parisien, le 25 janvier 1791, pour la forte somme de
310 000 livres ; aucune adjudication n'atteindra cette
année-là, dans l'Aisne, la moitié de ce prix). Roger
Lemoine fut l'un des vingt-quatre principaux cultivateurs
de la généralité * invités personnellement par l'intendant à
la fête publique donnée à Soissons à l'occasion de la naissance du Dauphin, en novembre 1781 : « Je vous invite ...
à venir prendre part avec moi au bonheur de la France et
assister aux témoignages de joie, de zèle et de respect que la
province doit à ses maîtres et à souper avec moi le 29 de ce
mois après avoir assisté au *Te Deum* qui sera chanté dans
la cathédrale pour la naissance de Mgr le Dauphin. »
Les Lemoine et les Saint-Just étaient du même milieu.
Roger Lemoine et le père du Conventionnel étaient cousins germains par leurs mères. Leurs destins furent différents mais leurs rapports, malgré la disparité des fortunes,
demeurèrent étroits ; tout naturellement, Roger Lemoine
fut nommé tuteur des enfants de Louis-Jean de Saint-Just
lorsqu'ils furent orphelins. Les Adam, les Lebrasseur, les
Ferté, les Lemoine et les Saint-Just formaient ce petit
groupe de fermiers qui tenaient les plus beaux domaines de
la région. Leur aisance, leur niveau d'instruction — ils
signent tous fermement les actes passés au nom du sei-

* Circonscription administrée par l'Intendant. Celle de Soissons
avait été créée par Henri IV en 1595.

gneur —, leur autorité et leur adaptation au milieu faisaient d'eux les collaborateurs naturels, intéressés et rétribués des grands propriétaires. Vilains mais premiers parmi
les vilains, ils étaient parvenus à un statut social envié.

LE DESTIN DE LOUIS-JEAN.

Toutefois la charge des enfants pouvait compromettre
les situations acquises en une génération. Comme son père,
Louis-Jean eut dix frères et sœurs. C'est probablement
cette fécondité qui l'éloigna de la terre. Mais comme lui
aussi, il resta le dernier survivant et unique héritier. Ainsi,
les hasards d'une hérédité exceptionnellement malheureuse lui permirent de transmettre aux siens le patrimoine
accumulé en trois générations : une maison et environ
25 ha de terre, dont les revenus fonciers étaient cependant
modestes. On a prêté aux sœurs du Conventionnel de miri-
fiques contrats de mariage : en fait, Louise n'eut que
2 000 livres de dot. Contrairement aux idées reçues, les
Saint-Just vivaient petitement sur un capital à conserver à
tout prix. Situation confirmée par toutes les correspondan-
ces dont nous disposons : les réticences de Mme de Saint-
Just à assumer les « folles dépenses » de son fils, les plaintes de sa fille, dans une lettre au chevalier d'Évry, sur
l'inconduite de son frère (« Il n'ignore point le peu de fortune dont nous disposons »), l'intervention du chevalier
auprès du lieutenant général de police de Crosne (« comme
sa mère n'est point aisée, n'ayant que le nécessaire pour
vivre avec ses autres enfants, je vous supplie de vouloir
bien ordonner qu'il soit conduit à Saint-Lazare, à la plus
modique pension... »), enfin, la célèbre apostrophe de
Saint-Just à Daubigny (« Infâmes que vous êtes, je suis un
fourbe, un scélérat parce que je n'ai pas d'argent à vous
donner... »).
Cet état précaire peut expliquer aussi la rigueur avec
laquelle est conduite la gestion du patrimoine par Louis-
Jean, le père, puis par sa veuve. Les locations sont surveil-
lées et quelquefois retirées prématurément aux preneurs.

Plusieurs baux contiennent des exigences d'une précision dépassant de loin les formules habituelles et des poursuites sont prévues après six mois de retard dans le paiement des loyers. D'anciennes obligations, dont la perception était pendant un moment tombée en désuétude, sont réactivées. Des commandements d'huissiers sont expédiés aux mauvais payeurs, en particulier après les récoltes catastrophiques de 1787, 1788, 1789. Le futur Conventionnel a été témoin, pendant toute sa jeunesse, des rapports parfois tendus entre sa famille et les paysans.

Les Saint-Just n'appartiennent, en effet, plus véritablement au monde de la terre. Et pourtant, à Blérancourt où ils se fixent à la fin de l'année 1776, ceux qui ont connu l'aïeul Charles (mort à Nampcel dix ans auparavant) savent bien que leur patronyme ne témoigne d'aucune noblesse, tout juste d'une origine géographique. Mais Louis-Jean en impose par son passé dans la gendarmerie, récompensé par son titre d'écuyer et sa croix de Saint-Louis. Dans la région, il ne partage l'honneur de la porter qu'avec le chevalier d'Évry ou le chevalier de Mazancourt. De ce fait, les populations locales finiront par assimiler les Saint-Just à des nobles de souche ancienne et à leur reconnaître considération et privilèges, comme l'établissent indiscutablement les documents fiscaux de l'année 1789. Ils ne payent alors d'impositions ordinaires ni à Morsain, où ils possèdent la plus grande partie de leurs propriétés foncières (environ 19 hectares), ni à Blérancourt où ils habitent. Et ce n'est pas un oubli : Mme de Saint-Just acquitte la redevance roturière pour sa domestique.

Ainsi, la carrière militaire de Louis-Jean n'avait pas assuré une véritable aisance matérielle aux siens, mais elle avait été une efficace « savonnette à vilain ». Ce valeureux soldat avait hissé sa famille de la roture à la petite noblesse. Douze ans après sa mort, sa veuve et ses enfants vivaient assez besogneusement des rentes de leurs terres mais ils échappaient à la taille à laquelle étaient assujettis les non-nobles.

Louis-Antoine profitera d'ailleurs de son nom au début de sa carrière. Les curés, les notaires, les secrétaires d'assemblées lui donneront avec déférence du « Mr de Saint-Just » jusqu'à la fin de l'année 1792. Lui-même se prêtera à cet usage en signant à plusieurs reprises *de Saint-Just*. Il est vrai qu'à la même époque l'Incorruptible signe *de Robespierre* et qu'à Arcis-sur-Aube Danton se fait appeler *d'Anton* ! Par la suite, cette particule deviendra un sujet de polémique pour ses adversaires politiques. Certains, comme Desmoulins ou Louvet, l'affubleront narquoisement du titre de « Mr le chevalier de Saint-Just » ; d'autres, en l'an II, tenteront de le discréditer en l'accusant d'être noble.

LA MAISON DE BLÉRANCOURT.

C'est donc une famille considérée et respectée qui s'installe à Blérancourt. L'achat de la maison de la rue aux Chouettes constitue un moment fort qui l'enracine enfin et affirme son statut social. A la fois simple et singulière par sa taille, cette demeure, l'une des plus récentes du bourg, était remarquable. L'acte de vente du 16 octobre 1776 la décrit ainsi : « Une maison consistant en cuisine deux chambres à côté, vestibule, trois chambres à la gauche d'iceluy en entrant grenier au-dessus desdits bâtiments, pavillons servant de bûcher et de grange deux caves sous les bâtiments de ladite maison, petit caveau voûté en pierres attenant de la cuisine, halle à la suite, le tout couvert en thuilles, petit collombier pratiqué dans le grenier sur le devant de la ditte maison. » Il faut se garder de voir dans la présence de ce colombier une quelconque distinction seigneuriale : Blérancourt en comptait alors une dizaine. Il serait plus hasardeux encore d'établir des relations trop étroites entre cette maison et la qualité sociale des Saint-Just. Elle avait été bâtie à partir de 1750 par un certain Lefèvre, marchand épicier et père de neuf enfants, qui avait acheté les ruines calcinées d'une masure avec plusieurs terrains attenants et n'avait cessé de l'agrandir ; l'entreprise contribua-t-elle à ses mauvaises affaires ? Acculé à la faillite, il fut contraint de la vendre.

Occupant plus de 30 ares, la propriété fut portée, par des achats de Mme de Saint-Just, à près de 50 ares. Elle était limitée, au nord, par le ru du Moulin et ombragée par une charmille qui passe pour avoir été un lieu de repos pour le père et de méditation et d'inspiration pour le fils. Celui-ci y déambulait la plume à la main, jetant ses idées sur des feuilles éparses sur plusieurs tables. Les arbres ont aujourd'hui disparu et la plaque désignant la « charmille Saint-Just », apposée dans la rue de l'Ancien-Jeu-d'Arc (actuellement rue Saint-Just), n'indique plus qu'un emplacement.

Cette propriété était antérieure aux règlements d'urbanisme promulgués à Blérancourt après l'incendie de 1775 qui avait détruit la quasi-totalité du centre du bourg. Provoqué peut-être par l'habitude qu'avaient les paysans de faire sécher le chanvre au four, le feu s'était propagé de toit de chaume en toit de chaume. Le seigneur, le duc de Gésvres, qui appartenait à une génération encore sensible à des valeurs en plein déclin : la générosité, l'obligation chrétienne de charité (« J'ai vu, écrit-il, des malheureux dans la plus grande misère »), décida de fournir le bois et les pierres nécessaires à la reconstruction et surtout les tuiles qu'il fallut faire venir de la tuilerie d'Hallon, distante de plus de six lieues (environ 25 km). Mais la maison de la rue aux Chouettes, isolée et beaucoup moins intégrée au tissu urbain qu'aujourd'hui, avait, comme le moulin et quelques autres bâtisses, échappé au sinistre. Elle existe toujours et porte les stigmates de nombreuses transformations et mutilations successives. Aujourd'hui l'une des plus anciennes maisons du bourg, elle a conservé sa couverture de tuiles plates et elle est caractéristique de l'habitat dans cette région au milieu du XVIIIe siècle. L'ensemble, en forme de U, composite, est bâti en pierres friables extraites des carrières voisines de Vassens. Des ancrages assurent une solide liaison avec la charpente. Comme il était d'usage dans la région, l'un des pignons est flanqué d'une cheminée, l'autre est à ressauts ou « sauts de moineaux ». Un très sobre bandeau, soulignant par endroits le niveau du grenier, en constitue la seule décoration extérieure. Elle fut payée 6 048 livres. Cette grosse somme, remploi des biens propres de Marie-Anne après la liquidation de la succession nivernaise, soulignait surtout l'aisance passée des Robinot.

Les Saint-Just y entrèrent avant l'hiver 1776. Mais pour ce jeune enfant, le dépaysement coïncide presque avec la mort de son père, inhumé le 9 septembre 1777 en présence de son cousin germain, Roger Lemoine, et de cinq curés, desservant des paroisses environnantes. L'une des dernières pensées du Conventionnel sera pour ce père dont on sait peu de chose, mais qui a probablement laissé une empreinte décisive sur son fils. La raideur, le goût de l'autorité, le sens de l'honneur et de la fidélité en amitié sont des valeurs que transmet l'éducation militaire. Comme le remarquera Michelet, il y aura du soldat dans cet homme-là.

CHAPITRE III

A Soissons, chez les Oratoriens

Dedans ou dehors, ils sont à nous, par l'esprit, le goût, les principes qu'ils ont reçus de nous.

Père Batterel

La disparition de Louis-Jean de Saint-Just laissait à sa veuve la responsabilité de trois enfants dont l'aîné venait d'avoir dix ans. Louis-Antoine partagea pendant quelques années la vie et l'éducation des jeunes Blérancourtois avant que sa mère ne se décide, probablement en 1779, à l'envoyer au collège.

Fondé au XVIIIe siècle, le collège Saint-Nicolas de Soissons avait été confié, en 1675, à la congrégation des Oratoriens, dont l'activité éducative n'avait pas la prestigieuse réputation de celle des Jésuites ; mais ils s'imposaient par une exigence de spiritualité qui les poussait à désirer « le Fils de Dieu en partage. » On les disait aussi curieux des problèmes contemporains, plus ouverts que leurs concurrents aux innovations et portés vers un enseignement moderne des sciences et de l'histoire. En fait, chaque établissement était autonome et ces remarques ne s'appliquent pas à tous. Le succès de l'Oratoire fut surtout lié à l'expulsion des Jésuites en 1764, victimes de la jalousie qu'avaient suscitée leur cohésion, leur influence et leur indépendance à l'égard du pouvoir politique. Les Oratoriens remplacèrent souvent leurs rivaux et, au début de la

Révolution, la congrégation comptait 750 membres et 70 maisons.

Dès le début du XVIIIᵉ siècle, le collège de Soissons disposait du cycle complet des études et ses huit régents (professeurs) assuraient la formation des élèves de la sixième à la philosophie, bien que l'existence matérielle de l'établissement ait été longtemps précaire : il n'avait pour ressources qu'une prébende allouée par la cathédrale Saint-Gervais de Soissons et quelques maigres rentes. Pour assurer l'équilibre financier d'un petit collège comme celui-ci — son effectif était de l'ordre de 150 élèves —, il était tentant d'accueillir des pensionnaires étrangers à la ville. Aisés, ceux-ci procuraient des bénéfices épongeant une partie du déficit. Pourtant, les Oratoriens, (comme les Jésuites d'ailleurs) réprouvaient l'internat. Est-ce à Soissons (où il enseigna) que l'un d'eux, François Daunou, s'en fit une idée négative ? Dans son *Plan d'éducation présenté à l'Assemblée nationale au nom des instituteurs publics de l'Oratoire* (1790), il recommande qu'aucun élève ne soit reçu dans le pensionnat « avant l'âge de neuf ans et après l'âge de douze ». « Si tous ceux qui ont été préposés à ces sinistres institutions consentaient à nous faire un récit fidèle des désordres dont ils ont été les témoins, ou les auteurs, ou les victimes, moins de parents, n'en doutons pas, chercheraient à se décharger de la vigilance à laquelle ils sont obligés. » A Soissons, on n'acceptait pas les jeunes gens de treize ans parce qu'ils apportaient « toujours une grande dissipation et souvent des mœurs incertaines ». Il y avait 24 internes en 1780, 26 en 1782 et la direction déplorait que deux préfets de pension et deux domestiques dussent être affectés au service d'un si petit nombre. Du moins peut-on penser que ceux-ci, ainsi « surencadrés », jouissaient de conditions matérielles satisfaisantes.

A lire le règlement intérieur, on n'a pas l'impression que les pensionnaires de Soissons soient très malheureux même si, entre 6 et 21 heures, ils doivent subir une longue journée d'études et de prières. Ils sont entourés d'attentions. Le matin entre 7 h 30 et 8 heures, une femme vient les peigner et un domestique « leur fait la queue ». On leur laisse le soin de se friser et de se poudrer. Le soir, on leur donne un quart d'heure à la fin de l'étude, avant de gagner le dortoir, pour se mettre des papillottes, tandis que les jours de fête, ils sont coiffés par un perruquier. Quotidiennement, un tailleur raccommode les vêtements endommagés et une blanchisseuse passe deux fois par semaine. Saint-Just ne perdra pas ces habitudes, jamais il ne négligera les soins corporels et ne se laissera aller au débraillé vestimentaire. Les nombreuses cravates, les habits d'un goût raffiné et le poudrier, mentionnés dans l'inventaire de ses effets et qui ont donné lieu à tant de polémiques, c'est au collège qu'il a appris à en user.

Le règlement insistait sur les équipements et les éléments de détente offerts aux pensionnaires. Chaque soir ils pouvaient puiser dans la bibliothèque et ils passaient les jeudis d'été à la campagne, au hameau de Vignoles, paroisse de Courmelles *, dans une propriété qu'y possédait le collège. Les jours de fêtes et de congé, ils s'adonnent aux promenades et aux jeux d'esprit, aux échecs, aux dames, au trictrac, au billard, aux barres, etc. La nourriture paraît avoir été tout à fait satisfaisante. L'acte de visite ** de 1783 fait état d'une consommation de 62 livres de pain par jour pour 42 personnes (pensionnaires et personnel d'encadrement), 38 livres de viande pour les jours gras.

Saint-Just, dont la famille habitait à 25 km de Soissons, fut-il reçu à l'internat, hébergé en ville chez des habitants ? On l'ignore. Mais il dut être fort impressionné lorsqu'il découvrit, probablement à la Saint-Luc (18 octobre) de l'année 1779, les beaux et spacieux bâtiments du collège, après avoir franchi le portail orné de bas-reliefs représentant Pallas et Cérès, déesses de la Sagesse et de l'Agriculture, sous la couronne d'épines, emblème armorial des Oratoriens.

---

* 6 à 7 km du collège.
** Des « actes de visite » (rapports d'inspection) étaient établis périodiquement par un père visiteur, sorte d'inspecteur général pour l'Oratoire.

LES ÉDUCATEURS ET L'ENSEIGNEMENT.

L'enseignement était assuré par deux ou trois pères et neuf ou dix confrères (religieux non-prêtres, qui ne prononçaient pas de vœux). Après sa sixième avec le confrère Lacoste, Saint-Just fut l'élève du confrère de Menneville pendant trois années consécutives. Ses débuts furent brillants comme en témoigne le livre qu'il reçut à l'issue de la 5e, en récompense d'un premier prix de version et d'un second prix de thème. Il fit sa seconde avec le confrère Pourpre et sa rhétorique avec le Père Monier, avant son année de philosophie en 1785-1786.

Le collège Saint-Nicolas permettant à ses élèves de philosophie de choisir la « physique » ou la « logique », beaucoup donnaient la préférence à la première dont le laboratoire, soigneusement tenu, était de qualité. Saint-Just a probablement fait ce choix car il s'attribuera plus tard des talents pour cette discipline et on a retrouvé dans sa bibliothèque un traité d'*Éléments d'arithmétique* correspondant au programme de cette classe. S'il a peut-être suivi les cours du physicien Pruneau, il n'a pu, en revanche, connaître le confrère Léon Silvy, adepte ardent des idées nouvelles et par la suite accusateur public au Tribunal révolutionnaire de Laon, car celui-ci n'arriva à Soissons qu'en 1787, après le départ du jeune homme. Rencontra-t-il Daunou, comme l'affirme Barère dans ses *Mémoires ?* Daunou enseigna bien la logique à Saint-Nicolas en 1783-1784, mais Saint-Just n'était alors qu'en seconde. Néanmoins il put sans doute le côtoyer, car le collège ne formait qu'une grande famille.

Les éducateurs de Saint-Just étaient jeunes : quand Saint-Just fréquenta leurs classes, Lacoste avait vingt ans, Menneville vingt-trois, Pourpre vingt-quatre, H. Pruneau trente. Le plus âgé, le Père Monier, en avait trente-deux. Venant de tous les horizons, ils étaient presque tous issus de la moyenne bourgeoisie : fils de médecins, de marchands, de rentiers, d'officiers ou de militaires. Tous ceux

qui approchèrent le futur Conventionnel semblent avoir
été des sujets d'élite : à vingt-quatre ans, Daunou rempor-
tera le premier prix d'un concours proposé par l'Académie
de Nîmes en soutenant La Harpe, adepte des Lumières ;
Menneville devint supérieur à l'Académie royale de Juilly,
fleuron de l'Ordre ; quant à la direction, elle incomba, pendant la décennie 1780-1790, à deux supérieurs de talent :
Pierre François Peyré puis Sulpice de Molier, qui arriva en
1784 au moment où Saint-Just passait en rhétorique. Mais
la personnalité qui a laissé le souvenir le plus vif à Saint-
Nicolas est sans conteste le préfet des études François-
Marcel Pruneau.

Le Père Pruneau était entré à l'Oratoire relativement
tard, à vingt-quatre ans, et n'avait été ordonné prêtre qu'à
trente-six ans. Nommé physicien à Soissons en 1780,
(Saint-Just entrait en cinquième), il trouva à la préfecture
des études une vocation où il excella dès l'année suivante
et où il demeura jusqu'à la dispersion de la congrégation.
Son neveu a déposé aux Archives de l'Oratoire un règlement manuscrit sur la page de garde duquel il a men-
tionné : « Ce livre a été écrit par mon oncle F.M. Pruneau.
[...] Il souffrit l'exil pour sa foi, pour cette cause il serait
monté sur l'échafaud comme sur son lit. Au moment où il
fut obligé d'émigrer, il était préfet au collège de Soissons
qu'il avait relevé d'une manière particulière par sa réputation de talent et de bonne éducation. » On comprend la
satisfaction du père visiteur en 1783 : « Nous sommes édi-
fiés de l'esprit de paix et d'union que nous voyons régner
dans la communauté, et nous bénissons le ciel de la régu-
larité que nous avons lieu d'y remarquer. » Entre 1783 et
1787, le renom de l'établissement fit passer le nombre de
pensionnaires de vingt-six à cinquante-neuf, effectif au
maximum des capacités d'accueil.

Certaines conceptions pédagogiques ne manquaient pas
d'allure. Le Père Pruneau comptait plus sur la douceur que
sur la brutalité et préférait une trop grande bonté à un excès
de sévérité. Il évitait de châtier sous l'emprise de la colère
ou de la passion, « ce qui n'empêchera pas que je parle
fortement lorsqu'il le faudra », mais sans blesser. Pas de

châtiments corporels, aucune exclusion de la classe sans
avis du préfet ou du supérieur. Les enfants devaient être
traités sans distinction de condition ni de qualité, comme
s'ils étaient tous des « anges de Dieu ». Le Père Monier,
quant à lui, préconisait : « Avec la douceur, la raison et le
sentiment surtout, il faut arriver à les conduire. »

Dans des locaux récemment contruits « en pierres de
taille », les cent cinquante élèves sont répartis en huit divisions. Assis sur des bancs sans pupitre, il écoutent le régent
juché sur sa chaire. Pour certaines tâches, celui-ci est
secondé par des *décurions*. Ces élèves relèvent les noms des
absents, inscrivent les notes et incitent la dizaine de camarades dont ils sont responsables au silence, à l'attention ; ils
leur font réciter les leçons et signalent au préfet « tout ce
qui se fait de mal en classe, en l'absence ou en présence du
maître ». Les tâches sont accomplies dans une émulation
permanente entre les membres de chaque décurie et entre
les décuries de chaque classe. Tous les mouvements se font
au son du tambour. Le lycée napoléonien reprendra cet
usage.

Tout au long du XVIIIᵉ siècle, l'enseignement des sciences, intégré aux deux années de philosophie et comprenant
des mathématiques, de la physique, de la chimie et des
sciences naturelles, fut pratiqué à Soissons, où le souvenir
du Père Privat de Molières, ami de Malebranche et membre de l'Académie des Sciences, était vivace. Le Père
Monier assurait que les mathématiques exerçaient « la
mémoire et le jugement ». Quant à la physique elle ne se
diluait pas dans la métaphysique. Une dotation était affectée « à l'entretien du cabinet de physique » et la bibliothèque, enrichie chaque année, reçut en 1782 « trois volumes
de Sigand Delafon sur l'électricité..., cinq volumes de Buf-
fon ».

Mais l'enseignement par excellence restait littéraire, à
base de latin et d'histoire ancienne (surtout romaine). La
rhétorique en était le couronnement : elle préparait à des
carrières juridiques ou ecclésiastiques. Dans la mesure où
elle formait à l'éloquence politique et à l'art de convaincre,

on serait tenté de conclure que Saint-Just, qui excellait à la tribune, s'en était imprégné. Dans ses *Fragments d'Institutions républicaines,* il conseillera pourtant d'éviter les sentiers de la rhétorique traditionnelle et de décerner le prix d'éloquence « au laconisme, à celui qui aura proféré une parole sublime dans le péril, qui par une harangue sage aura sauvé la patrie, rappelé le peuple aux mœurs, rallié les soldats ». Il sut convaincre, c'est vrai, mais ce fut grâce à un art qui bousculait bien des académismes et n'appartenait qu'à lui.

L'histoire romaine semble l'avoir impressionné davantage, d'autant plus que les grands penseurs admirés, tels Fénelon et surtout Montesquieu, en prolongeaient l'écho. On enseignait une histoire romaine particulière, avant tout édifiante : il faut, avait expliqué au début du siècle le recteur de l'université de Paris, Rollin, dans son *Discours préliminaire au traité des études,* « opposer au torrent des fausses maximes et des mauvais exemples qui entraînent presque tout le monde, les maximes et les exemples des grands hommes de l'Antiquité ». En réalité, les bons exemples se limitaient à quelques hauts faits et à quelques hommes à admirer qui étaient à l'histoire ce que les morceaux choisis sont à la littérature. On entendait que les œuvres vertueuses prêtées à ces héros du monde païen vinssent illustrer les valeurs chrétiennes. Plutarque en était la source. A voir combien les hommes de la Révolution y puisèrent, il n'est pas sûr que tous aient reconnu le caractère artificiel de ce monde antique que l'éducation leur avait présenté. Cet héritage spirituel d'une Grèce et d'une Rome mythiques enthousiasma le jeune Saint-Just et l'imprégna pour toujours. « N'eût-il connu Sparte, qu'il eût été tout de même Saint-Just, écrira G. Lefebvre, mais on peut admettre que ce modèle a contribué à le raidir et à le durcir. » Hélas pour cette génération, la première traduction moderne de l'*Histoire de la guerre du Péloponnèse* de Thucydide, œuvre de réflexion et de lucidité politiques, remonte à 1795.

D'autres activités complétaient l'éducation reçue à Soissons : « Il faut apprendre le dessin, recommandait le Père

Monier, ce talent est toujours dans le cours de la vie la source de beaucoup de jouissances pures et de distractions utiles dans la jeunesse. Il faut apprendre la danse. Cet exercice ne peut que servir au développement des facultés physiques et être agréable un jour. » Il souhaitait encore que l'enfant reçoive « au moins une teinture de musique, ne serait-ce que pour la sentir et en connaître les beautés », une initiation au chant « s'il a de la voix », sinon à un instrument, de préférence le piano car « la flûte est fatigante pour la poitrine ». Saint-Just fit effectivement du dessin et manifesta même dans ce domaine un talent qui causait l'admiration de son entourage, comme l'atteste cette « tête d'adolescent », exercice d'école légué par la famille au musée Carnavalet. Il s'exerça aussi à la musique — le flageolet qu'il utilisa est conservé au musée de Blérancourt.

La pratique du théâtre, enfin, était régulière à Saint-Nicolas, bien que les autorités supérieures de la congrégation l'aient considérée comme une perte de temps. Les municipalités et les parents tenaient beaucoup à ces séances publiques qui mettaient les enfants à l'honneur. Il est probable que cette tradition, encore attestée en 1791, était en usage à l'époque de Saint-Just. On peut y voir, peut-être, l'origine du goût, qu'adolescent, il manifestera pour l'art dramatique et, plus tard, ce sens très sûr de la déclamation et de la pause.

LES IDÉES NOUVELLES AU COLLÈGE.

Les Oratoriens de Soissons furent sensibles aux aspirations réformistes de leur temps. Le Père Pruneau prend ainsi nettement position sur le problème de la représentation du tiers état aux États généraux, dans une longue lettre du 12 janvier 1789 au « directeur général des Finances », Necker, pour lui faire connaître les véritables vœux de la « partie travaillante et journellement utile du clergé » : « Je fréquente des dignitaires, des chanoines de cathédrale et de collégiale, des curés des villes et des campagnes, des ecclésiastiques vivant en communauté, je n'en connais aucun qui n'applaudisse plus ou moins hautement aux réclamations actuelles du tiers état (...) Je crois pouvoir sans témérité me rendre garant de ceux de la Congrégation à laquelle j'ai l'honneur d'appartenir depuis vingt ans (...) D'où il est aisé de conclure que si la forme des élections pour députer aux États généraux était telle que les curés eussent le degré d'influence qu'exigent leur nombre, la dignité de leur caractère et l'importance de leurs fonctions, le dernier des trois ordres aurait toujours pour lui la voix du premier dans ses prétentions raisonnables. »

La Révolution révélera pourtant les limites de ce libéralisme : le préfet des études et le supérieur refuseront le serment à la Constitution civile du clergé et seront suivis par la majorité des confrères ; Daunou, élu du Pas-de-Calais, s'opposera aux entreprises régicides de la Convention ; Marcel Pruneau émigrera dans le sillage du marquis de Causan, tandis que son frère Hilaire sera jeté en prison à Soissons. Quant à Joseph Monier, il entrera dans la conspiration de La Rouërie. Dénoncé, arrêté, il s'échappera, gagnera Londres, où il participera à tous les complots, et collaborera notamment au projet de débarquement à Quiberon. Il finira sa vie dans la famille de Montalembert qu'il connaîtra en exil ; précepteur de Charles, le tribun du libéralisme catholique au XIXe siècle, il restera jusqu'à sa mort profondément royaliste.

UNE ATMOSPHÈRE DE CONTRAINTE.

Dans les années 1780, c'est probablement à l'atmosphère de contrainte du collège que fut surtout sensible Saint-Just. Les échanges y étaient régis par des règles strictes et tâtillonnes. Toutes les relations entre professeurs, entre élèves, ou de professeurs à élèves éveillant la suspicion, il était formellement interdit aux professeurs d'accueillir dans leurs chambres internes ou externes ; le silence était considéré comme une vertu et la discussion — en latin à partir de la 3e — était limitée aux sujets religieux.

Jésus-Christ, rappelait-on, avait eu deux sortes de conversation : les unes, agréables, avec sa mère, saint Joseph et
quelques personnes de son entourage, les autres fâcheuses,
particulièrement avec les Juifs et les pharisiens. La
réflexion incitait à se défier de celles qui paraissaient agréables : « Le péché s'y mêle le plus souvent et nous les
accomplissons avec vanité et sensualité. » Éviter les bavar-
dages inutiles, c'était gagner du temps pour la prière et
l'étude.

Limiter les conversations, c'est aussi prévenir la naissance d'« amitiés déréglées ». Aucun des membres de la
communauté ne doit prodiguer de faveurs à quelques-uns
aux dépens des autres. On s'abrite sous l'autorité de saint
Basile et la vigueur de sa belle formule : « Celui qui aime
les uns mieux que les autres montre clairement qu'il
n'aime pas les autres. » Les affections sont suspectes, car
l'homme, écrit le Père Pruneau, est trop faible et d'esprit
trop limité pour avoir les moyens de concilier une amitié
profane et l'amour du Christ : « Souvenons-nous que si
nous voulons être amis du monde, nous serons ennemis de
Jésus-Christ. » En ville, les agressions sont plus périlleuses
encore que celles du monde protégé de Saint-Nicolas.
Pères, confrères et élèves sont mis en garde contre ses dangers : « La conversation d'Ève avec le serpent et celle de la
femme avec l'homme furent très pernicieuses et causèrent
la perte de tout le genre humain », note encore le Père
Pruneau.

Mais ce qui frappe surtout dans la réglementation du
collège Saint-Nicolas c'est le temps consacré à Dieu. La
messe est quotidienne, la prière du matin ouvre la journée,
celle du soir la clôt. Le recueillement rythme chaque occupation : on prie en classe, à genoux devant une image
pieuse, on prie à table, on prie même au début de la récréa-
tion. L'Oratoire assume l'enseignement dans ses collèges,
mais son objectif prioritaire est de former de bons chrétiens par la prière et l'étude. « Que m'importe donc que je
sois bon philosophe, bon prédicateur, bon rhétoricien ou
bon théologien, écrit le préfet des études de Soissons, puisque [au jour du Jugement] je ne serai pas examiné sur cela

mais qu'on examinera si j'ai été bon chrétien, bon disciple de Jésus-Christ. »

Ajoutons les entraves qui paralysaient la curiosité intellectuelle, les livres interdits, mis à l'index : « Évitons, recommandait l'acte de visite de Soissons de 1773, la curiosité qui pousse souvent à des lectures dangereuses pour la foi et pour les mœurs ... l'attrait du plaisir qui préfère l'agréable à l'utile, l'amusement au solide ; l'amour de la nouveauté qui abandonne les anciens sentiers pour se frayer de nouvelles routes qui ne peuvent qu'égarer. » De tels freins ne pouvaient que heurter les élèves les plus intelligents, les plus mûrs et surtout les plus créatifs. Éd. Fleury rapporte qu'un des professeurs, ayant surpris Saint-Just à rimer de mauvais vers contre la religion, lui aurait prophétisé le destin d'un grand homme ou d'un grand scélérat. Le biographe assurait tenir cette confidence d'un ancien condisciple du Conventionnel, devenu un « honorable vieillard » et qui présentait par ailleurs Saint-Just comme un garçon réservé, recherchant l'isolement, aimant écrire et rimer. Ses camarades l'auraient surnommé d'Assoucy, comme le poète médiocre du XVIIᵉ siècle qui s'intitulait lui-même « l'empereur du burlesque, premier du nom » et que Boileau avait immortalisé par ces vers :

Le plus mauvais plaisant eut des approbateurs
Et, jusqu'à d'Assoucy, tout trouva des lecteurs.

Ce condisciple aurait également affirmé qu'un jour Saint-Just avait pris la tête d'une rébellion contre les autorités et avait tenté de mettre le feu au collège ; saisi en flagrant délit, il avait été exclu, probablement temporairement, puisque cette sanction ne l'avait pas empêché d'accomplir sa rhétorique au collège.

En l'absence de documents écrits, ces propos méritent attention. Laissons de côté l'anecdote de l'incendie : on pourrait déceler bien des rêves de pyromane, mais heureusement il y a souvent loin du projet à la réalisation ; Saint-Nicolas n'a pas brûlé, on l'aurait su ! Pour le reste, le témoignage apparaît assez banal. Quel sujet de caractère n'a jamais regimbé devant l'autorité pour peu que la justice lui ait paru transgressée ? Quel enfant imaginatif ne s'est pas isolé de ses camarades pour rêver ? Brissot lui-même écrit dans ses *Mémoires* : « En lisant Plutarque, je brûlais de ressembler à Phocion (...) Comme je ne pouvais m'y livrer [à mes rêves] avec mes camarades de collège, je m'arrachais à leur compagnie avec le plus grand soin pour m'enfoncer dans des promenades solitaires. »

LA « MONOGRAPHIE DU CHÂTEAU DE COUCY ».

L'anecdote du pamphet antireligieux sent l'apocryphe mais s'intègre assez bien dans le comportement d'un adolescent qui a probablement ébauché les premiers vers blasphématoires d'*Organt* dès l'époque du collège. Les distances qu'il a prises par rapport à sa formation spirituelle sont perceptibles dans ce qui est probablement son plus ancien manuscrit, improprement intitulé *Monographie du château de Coucy*. Il s'agit d'une copie presque intégrale de l'*Histoire de la ville et des seigneurs de Coucy* qu'un bénédictin, Dom Toussaint du Plessis, avait publiée à Paris en 1728 et où Saint-Just pratiqua des coupures révélatrices de sa personnalité naissante. Ainsi évitait-il certaines apologies politiques — l'alliance du Trône et de l'Autel, par exemple —, transformant la phraséologie édifiante de son modèle et rejetant les explications providentielles ou les interventions de caractère divin.

La famille a conservé ce curieux travail en lui attribuant plus de prix qu'il n'en méritait. E. Decaisne, petit-neveu du Conventionnel, qui a présenté ces feuillets comme des « notes écrites par Saint-Just », et les commentaires hâtifs de certains auteurs ont contribué à surestimer son importance et à créer la confusion.

Saint-Just n'a sûrement jamais songé à publier ce qu'il savait être un plagiat. Il est du reste difficile de penser que ces 126 pages soigneusement manuscrites puissent correspondre à un exercice scolaire. Les professeurs de l'Oratoire, qui connaissaient probablement l'ouvrage de Du

Plessis, n'auraient guère apprécié un tel essai. Il est plus vraisemblable que Saint-Just s'est passionné pour le sujet en lisant le livre de l'érudit, qu'il en a, à sa façon, recopié l'essentiel, soit au collège, soit pendant ses vacances désœuvrées à Blérancourt et qu'il n'a pas résisté au plaisir de paraître important en se laissant attribuer par son entourage admiratif le mérite d'une telle recherche. En changeant le ton, en ne plaçant en tête de sa première page ni titre ni référence d'auteur, en ne recopiant ni le début ni le dernier fragment de phrase du livre, le jeune homme semble, pour le moins, s'être prêté à la naissance d'une équivoque.

Cette entreprise trahit un goût de l'étude, de l'astuce et surtout un désir de considération. Elle révèle aussi une bonne dose de naïveté. A l'exception de quelques ignorants, qui pouvait-elle tromper ? Saint-Just était sans doute très jeune quand il a recopié ces lignes. S'il avait eu un destin commun, personne ne se serait préoccupé de ces feuillets. C'est une chance qu'ils nous soient parvenus pour témoigner des rêves de gloire d'un adolescent au moment où son esprit critique s'éveillait et s'essayait contre les idées reçues.

Aussitôt après avoir quitté le collège, Saint-Just s'efforça de faire croire à sa mère que les religieux l'avaient dissuadé d'entrer à l'Oratoire. Si c'est vrai, les Oratoriens ne souhaitaient pas accueillir leur ancien élève et, si c'est faux, lui-même rejetait l'éventualité de partager leur vie. Dans les deux cas, cela prouve que le jeune homme, malgré ses succès scolaires, n'a pas trouvé un total épanouissement au collège.

Cultivé, doué d'une grande mémoire et d'une imagination foisonnante, c'était en même temps un adolescent orgueilleux et d'une sensibilité extrême. Pour diriger un tel garçon, il eût fallu plus qu'un professeur : une forte personnalité assez psychologue pour ne pas le heurter, assez riche pour susciter son admiration et capable de répondre à son affection. Tout laisse à penser qu'il ne l'a pas rencontrée à Saint-Nicolas. Il s'éloigna du collège sans regret, ravi sans doute de retrouver Blérancourt et son milieu familial. Là, pourtant, l'attendaient d'autres déconvenues.

CHAPITRE IV

La fugue et la prison

Au cours de l'année 1786 éclata entre Saint-Just et sa mère une violente dispute qui faillit compromettre à jamais l'équilibre familial, provoquant la fugue du jeune homme et son incarcération pendant six mois dans une « maison de force » à Paris. La tradition veut que l'incident soit lié à une histoire d'amour, un amour partagé entre Saint-Just et Thérèse Gellé, la fille d'un notaire blérancourtois. Ils s'étaient connus enfants : lorsque les Saint-Just étaient arrivés dans ce bourg picard, il avait neuf ans, elle en avait dix.

LA FAMILLE GELLÉ.

La mère de Thérèse, Sophie Sterlin, appartenait à l'une des plus honorables familles du village. En 1766, elle avait dû aller faire une déclaration de grossesse devant Me Thorin, autre notaire du bourg. Enceinte de huit mois « du fait des œuvres de Me Louis-Antoine Gellé », elle précisa qu'elle avait eu avec lui « des habitudes charnelles sous la promesse que lui avait faite maintes fois le dit Gellé de l'épouser ». On devine ce qu'avait dû lui coûter cette démarche tardive et humiliante et combien elle avait espéré jusqu'à la dernière extrémité ne pas avoir à l'accomplir ! L'enfant était née dans la honte. Le père, qui était aussi régisseur de la seigneurie de Blérancourt, avait demandé au concierge du château et à la femme du jardi-

nier de la présenter sur les fonts de baptême. On la pré-
nomma Louise, en hommage à son père et à son parrain,
Thérèse, comme sa marraine et Sigrade en l'honneur d'une
sainte locale... Deux fois veuf déjà, Gellé ne se résigna à
épouser Sophie Sterlin que dix-sept ans plus tard dans la
discrétion d'une petite église de campagne et les époux
reconnurent « un enfant né en 1766 ». Louise Thérèse
Sigrade Sterlin recevait enfin un père et un nom légitimes.
Comme sa demi-sœur, âgée alors de vingt-trois ans, se
prénommait Louise, on l'appela Thérèse et elle signa toujours ainsi.

Thérèse et Louis-Antoine, en ces années 1776-1777,
étaient donc réunis par une sorte de commune étrangeté.
Ils n'étaient pas semblables aux autres enfants ; lui, nouveau venu, intriguait par de multiples singularités : un langage, un accent acquis en Nivernais ; elle, dans la mentalité
du temps, était hors des normes, comme une provocation
aux convenances. Il est possible que ces différences qui les
opposaient au milieu les aient rapprochés, qu'une amitié
d'enfance les ait unis pendant les deux années où Saint-
Just vécut à Blérancourt avant son entrée au collège et que
ces sentiments se soient épanouis chaque été, lorsque le
jeune homme rentrait dans sa famille.

Les Gellé étaient plus riches que les Saint-Just mais
Louis-Antoine portait un nom noble, passait pour un brillant élève et, à sa majorité, hériterait des biens de son père.
Beaucoup de proches ne voyaient pas sans attendrissement
la perspective d'une union qui pourrait se réaliser sans
obstacle majeur. C'est peut-être ce que pensaient les Lely-
Compère, lorsqu'ils les convièrent tous deux, en décembre
1785, à être parrain et marraine de leur fils Louis ; le parrain a paraphé d'un magnifique « De St Juste ». Mais ce
n'était pas l'avis de Gellé qui envisageait pour Thérèse une
situation plus brillante. Homme d'affaires avisé, âpre au
gain, il concevait les engagements matrimoniaux, les siens
et ceux de ses filles, comme les moyens d'une ascension
sociale. Lui-même avait épousé la veuve Delmet, marchande de drap, propriétaire d'un fonds de 22 000 livres,
puis la veuve Bocquet, riche héritière dotée de

20 000 livres et, lorsqu'il convola enfin avec Sophie Sterlin, commerçante aisée de Blérancourt, il se fit donner « l'usufruit de tous ses biens meubles et immeubles ».

Un parti flatteur se présenta alors pour Thérèse : Emmanuel Thorin, le fils de son collègue, apportait 15 000 livres de dot. Antoine Gellé promit pour sa fille une somme de 6 000 livres en espèces (dont il ne paya guère plus que le dixième) et son office de notaire évalué à 6 000 livres. Emmanuel en prendrait jouissance à partir du 1er octobre 1788 et, en attendant, travaillerait gratuitement dans l'étude de son futur beau-père ! Vite organisé, le mariage fut célébré avec faste le 25 juillet 1786. L'assistance fut exceptionnellement nombreuse et brillante. Les seigneurs de Blérancourt, Grenet père et fils, s'étaient déplacés de Lille, accompagnés par le chevalier de Mazancourt du Voisin, le comte Brunet d'Évry, Fauconnier, régisseur du comte de Lauraguais, seigneur de Manicamp, cinq curés, des gros fermiers, des robins — dont le notaire Garot de Coucy-le-Château, ami de Saint-Just, qui avait établi le contrat de mariage ; trente-six signatures au bas de l'acte ! A Blérancourt on n'avait jamais vu cela ! Le curé Flobert a pu en mesurer tout le succès, lui qui, cinq ans plus tôt, avait marié la sœur aînée dans la même église et signé le registre avec seulement huit témoins et amis !

Était-il si urgent de réaliser cette union ? Le marié avait vingt ans et demi et la mariée n'en avait pas vingt, âges au mariage exceptionnellement bas à l'époque. Thorin devrait attendre plus de deux ans la transmission de l'étude Gellé. On sent que la volonté des familles fut de rendre la situation irréversible avant les vacances de l'été 1786. Les relations de Louis-Antoine et de Thérèse étaient notoires dans le bourg. Villain Daubigny les confirmera en écrivant après Thermidor que « Saint-Just s'était efforcé de devenir le gendre » de ce tabellion. Il était donc urgent d'agir et, lorsque le collégien rentra dans sa famille, il fut placé devant le fait accompli.

Pour Saint-Just l'affaire était grave. La trahison sentimentale s'accompagnait d'un rejet social. Sensible et sus-

ceptible, il en fut doublement humilié. Comme c'est souvent le cas en semblables circonstances, il affronta l'autorité qu'il put atteindre d'abord, celle de sa mère. Il pouvait
toujours lui reprocher de l'avoir laissé dans l'ignorance de
ce qui se tramait, de n'avoir rien tenté pour contrebalancer
l'effort financier consenti par les Thorin, bref, lui imputer
la responsabilité d'une situation dont elle n'était vraisemblablement guère responsable. Après maintes discussions
orageuses au cours desquelles on se menaça et on se provoqua de part et d'autre, le jeune homme s'enfuit à
Paris.

Cette fugue de 1786 et la détention qui s'ensuivit sont
des épisodes passionnément contestés de la vie de Saint-
Just. Rien n'est pourtant moins discutable. Le registre
d'écrou, conservé aux archives de la Préfecture de Police,
précise qu'il a été arrêté par l'officier Saint-Paul « sur la
demande de sa mère (par M. le chevalier d'Évry) pour
s'être évadé de chez elle en emportant une quantité assez
considérable d'argenterie et autres effets, ainsi que des
deniers comptants », qu'il a été confié à la dame Marie le
30 septembre 1786 et remis en liberté le 30 mars 1787. En
outre, la plupart des pièces de ce dossier, conservées dans
les papiers d'Évry, permettent de reconstituer cette aventure.

Mme de Saint-Just constate qu'à son insu, son fils a
quitté le domicile familial dans la nuit du 14 au 15 septembre 1786 et s'aperçoit qu'il a emporté plusieurs pièces
d'argenterie, « des paquets de galons d'argent, une paire de
pistolets garnis en or, une bague fine, faite en rose et plusieurs petites choses en argent ». Elle imagine aussitôt qu'il
va vendre ces objets, peut-être faire mauvais usage du produit, et songe alors à confier sa « peine incroyable » au
chevalier d'Évry, seigneur de Nampcel, dans une lettre du
17. Elle le prie de faire rechercher son fils par le lieutenant
général de police à Paris et de « le faire mettre en lieu de
sûreté » tout en observant une certaine prudence : elle veut
contraindre son fils à la réflexion et au repentir mais non le
perdre...

De son côté Louis-Antoine s'installe dans un petit hôtel

de la rue Fromenteau, à proximité du Palais-Royal, ce qui montre son intérêt pour le théâtre. Intérêt passager puisque, peu de temps après, il ne ménage pas ses critiques et ses sarcasmes à l'égard des Comédiens-Français. C'est vraisemblablement au cours de ce mois de septembre 1786 qu'il fréquenta assez assidûment le monde du spectacle pour avoir pu en révéler les travers avec une aussi grande précision dans son poème *Organt*. On peut dater de cette période ou des mois qui ont suivi son *Épigramme sur le comédien Dubois qui a joué dans Pierre le cruel* car cette tragédie de P. L. Le Belloy, créée en 1772, avait été reprise pour trois représentations en 1786. Saint-Just y raillait Dubois :

> *Hier Melpomène et Thalie*
> *Stupidement se querellaient*
> *Sur Pierre Cruel, tragédie*
> *Qu'une heure avant elles jouaient.*
> *Thalie enfin de cette scène*
> *A sa sœur fit payer les frais*
> *Et prit pour rosser Melpomène*
> *Dubois dont on fait les sifflets.*

Cette ironie à l'adresse du comédien semble avoir été partagée car c'est peut-être ce même personnage qu'évoque Brissot dans ses *Mémoires* : « On raconte, qu'un mauvais comédien nommé Dubois, atteint du mal qui coûta un œil à Pangloss, se fit guérir, et ne voulut pas payer son médecin. Cela fit du bruit au palais, puis à la Comédie-Française, qui expulsa Dubois de son sein. Mais Dubois avait une jolie fille ; cette jolie fille connaissait un grand seigneur, ce grand seigneur prit fait et cause pour le mauvais comédien ; il fut maintenu de force au théâtre ; ses camarades ayant refusé de jouer avec lui, quatre d'entreeux... furent envoyés au For-l'Évêque... » Ainsi, l'épigramme de Saint-Just ne se bornerait pas à une critique de portée strictement esthétique...

Mais quelque attrait que le jeune homme puisse éprouver pour le théâtre, quel que soit son goût pour la vie parisienne, il ne tarde guère à mesurer les inconvénients d'une liberté ainsi acquise et l'inconfort de sa situation. Quant à Mme de Saint-Just, elle a la surprise de recevoir une longue lettre expédiée de Sceaux le 20 septembre par un certain Richardet, médecin à Paris : « Une partie de campagne à Sceaux m'a empêché de vous écrire plus tôt pour vous tranquilliser sur le compte de Monsieur votre fils, écrit-il. Je suis la cause innocente de la sottise qu'il a faite. Il y a quelque temps je le guéris d'un mal à la tempe très dangereux et nouveau pour tous mes confrères en médecine que j'interrogeais à ce sujet. La guérison se montait à deux cents francs... » etc. Pour s'acquitter de cette dette sans inquiéter sa mère, le fils s'était alors emparé de l'argenterie familiale qu'il avait revendue à un Juif. Averti, le bon docteur avait sauvé de la fonte ce qu'il avait pu et alertait Mme de Saint-Just. Grave et rassurant, il recommandait un régime de laitages et légumes sans vin et l'absorption d'une « poudre antiémorragique tous les matins pour purifier le sang ». Il évoquait l'avenir de ce jeune patient doué de « grands talents pour la physique et la médecine », puis arrivait au fait. Le pauvre garçon avait décidé d'aller à pied à Calais pour s'y embarquer. Naturellement, sa santé n'y résisterait pas ; il fallait donc à tout prix l'en empêcher. « Il m'a défendu de vous écrire, confiait enfin le médecin, de vous dire son adresse, mais la voici : Hôtel St-Louis, rue Fromenteau. Écrivez-lui, mais amicalement (...) Vous aurez même raison de ne pas perdre de temps, car il doit partir le 7 ou le 8 octobre. »

L'original a disparu mais le fond et la forme montrent que la lettre n'a pu être écrite par un médecin, de surcroît ne donnant pas son adresse. L'historien Vatel précise que l'écriture était renversée de droite à gauche, comme si son auteur voulait dissimuler sa véritable identité. Et, pour mettre la supercherie en évidence, il donne une transcription respectant les singularités graphiques : fautes d'orthographe, absence d'apostrophes et d'accentuation, emploi intempestif de majuscules. Or Saint-Just a l'habitude de ponctuer de façon fantaisiste, fait un usage aberrant de lettres majuscules, redouble inopportunément les conson-

nes ; ses amis Gateau, Thuillier, Rigaux, qui sont loin
d'avoir son envergure intellectuelle, maîtrisent mieux
l'orthographe que lui. Les distinctions de forme désignent
l'auteur de la lettre : c'est Saint-Just lui-même, qui ne sait
comment sortir de l'impasse où il s'est engagé. Il témoigne
là d'une belle imagination, de rouerie, mais aussi de désarroi. A peine parti, le jeune fugueur s'affole et écrit dès le
mercredi suivant. Sa démarche est surtout un appel, une
reddition, une tentative assez piteuse pour trouver une
issue sans trop perdre la face. Puisque le « voleur » donnait
son adresse, l'escapade aurait pu en rester là... Mme de
Saint-Just a-t-elle estimé qu'elle n'avait déjà que trop cédé
à cet enfant terrible ? N'eut-elle ni l'autorité, ni la capacité
d'analyse et de compréhension qui l'aurait incitée à faire
semblant d'accepter cette fable pour éviter « à chaud » une
réaction trop rude ? Élevée dans un milieu de robins nivernais très strict, peu instruite (elle signe ses lettres mais les
fait écrire par sa fille et ses billets autographes trahissent de
grosses insuffisances), dépassée sans doute par les responsabilités qu'elle dut très tôt assumer seule, elle réagit brutalement et demande à nouveau de l'aide au chevalier
d'Évry qui, pour l'obliger, lui prêta son concours, non sans
hésitations pourtant. D'Évry eut-il l'impression de se prêter à un châtiment excessif ? Craignit-il, comme il l'écrira
plus tard, les réactions d'un jeune homme au « cœur vin-
dicatif et corrompu » ? Toujours est-il qu'il n'alerta les responsables de la police que le 27 septembre.

Le lieutenant-général de police fut lui aussi prudent car il
n'ignorait pas que le jeune délinquant, orphelin de père,
donc déjà héritier présomptif, ne pouvait être poursuivi
pour vol puisqu'il avait des droits indivis sur les objets
dont il s'était emparés. Il se couvrit en exigeant d'Évry la
lettre de sollicitation de la mère et refusa d'interner Saint-
Just à Saint-Lazare. Il le confia à Marie de Sainte-
Colombe, maîtresse de pension à Picpus *, en assurant que

* A l'époque, la pension-détention était laissée en partie au soin
d'établissements privés.

sa maison serait moins chère et « aussi sûre » que la célèbre prison. Comme les séjours étaient payants, les familles offraient aux détenus les geôles qu'elles pouvaient : Saint-Just dut se contenter d'une bastille au rabais. Son arrestation, sur décision provisoire du lieutenant-général de police, fut confirmée par un ordre signé du roi. Ainsi, une petite affaire domestique arrivait jusqu'au souverain et déclenchait l'application de l'une des pratiques les plus exécrées sous l'Ancien Régime : la lettre de cachet.

Les prolongements de ce conflit méritent une analyse. Saint-Just opposa aux sanctions dont il était l'objet une attitude hautaine, déclara avoir vendu les objets emportés par l'intermédiaire d'un « commissionnaire qu'il a trouvé dans un café » et refusa de signer le procès-verbal de son interrogatoire. Mme de Saint-Just fut déçue et décontenancée par ces réactions : « J'ai vu avec une nouvelle peine et par votre lettre et par la sienne qui y était jointe, écrit-elle à Brunet d'Évry le 18 octobre, qu'il a regardé avec indifférence l'événement auquel il s'est exposé... » Ayant épuisé d'un coup les ressources de la contrainte physique, elle n'avait plus qu'un recours : les pressions morales ; elle invoqua une maladie qu'elle aurait contractée par contrariété. Comme — Dieu merci ! — Mme de Saint-Just jouissait d'une bonne santé (elle survécut un quart de siècle à l'incident), on veut bien croire que cette défaillance passagère ait été due à l'émotion ; mais faut-il l'attribuer à la honte de s'être découvert un fils voleur, à la crainte d'être privée de son amour ou au remords de l'avoir fait traiter comme un délinquant ? Le 7 novembre, elle lui imputait la responsabilité de la « fièvre quarte » qui l'accablait et lui ruinait le tempérament depuis plus de deux mois : « S'il lui reste encore un peu de sentiment, ajoutait-elle, il doit bien se reprocher les chagrins qu'il me fait éprouver et qui pourraient me causer la mort dans la situation où je me trouve. C'est bien mal payer de sa part la tendresse et l'affection que j'ai toujours eues pour lui. » Aucune embellie ne vint sur ce point apaiser les remords du futur Conventionnel puisque sa sœur Louise lui écrivait encore, le 23 mars 1787, quelques jours avant son élargissement : « J'aurais désiré,

mon cher frère, vous donner des nouvelles plus consolan-
tes de maman, mais je ne vous apprends qu'avec douleur
qu'elle est toujours dans la même situation. Une fièvre
opiniâtre et un dégoût invincible la minent tous les jours.
Ma sœur qui est aussi malade depuis le même temps...»,
etc.

Le jeune homme passa ainsi six mois à Picpus, en butte à
la réprobation d'une famille qui faisait bloc — jusque dans
la maladie — pour lui inspirer l'horreur de sa faute. Il était
privé de liberté et dans l'incapacité de communiquer son
adresse à quiconque, son courrier passant par l'intermédiaire de sa famille. La Sainte-Colombe fut bonne pour lui
et d'Évry, qui exerçait une surveillance discrète, lui tenait
lieu à la fois de commissionnaire, de conseiller et de directeur de conscience. Il est patent que le jeune prisonnier ne
supporta pas sans impatience cette tutelle, comme en
témoigne cette lettre au chevalier où l'ironie, voire l'imper-
tinence, sourd sous la politesse affectée.

A Paris, le 26 février 1787
Monsieur,
Je vous demande mille fois pardons, de n'avoir pas
Plutot répondu à la lettre que vous m'avez fait l'honneur
De m'ecrire. La fievre me prit il y a environ quinze jours,
et ne me permit pas De prendre la plume. Toutefois ce
n'a rien été; et me voici presqu'aussi bien Portant
q'auparavant.
Je vous remercie, Monsieur, De vos avis; la resolu-
tion De faire le Bien les avait Precedés, et je les suivrai si
je ne mécarte point Du plan que je me suis formé moi
même.
Je viens D'ecrire à maman. Je lui envoie une lettre
Pour rigaux. Je Comte sur la reussite De cette Demar-
che, si Toute fois, je n'ai point été Devancé par D'autres.
Vous m'aviez averti Dans votre lettre, qu'il convenait
De faire adresser la reponse à maman afin qu'elle vous
l'envoyat; c'était Bien mon Dessein Car Je n'avais point

envie Dutout De lui donner mon adresse, mais, Je vous
remercie neanmoins Monsieur De Votre avis, car, Je
n'agissais, peutetre, en cela que Pour mon interet, et
vous m'avez fait agir par bienséance. Cela prouve Monsieur que Vous voyez Beaucoup mieux et plus finement
que moi, mais, en revanche Je puis vous assurer De
l'estime et De la reconnaissance la plus parfaitte parce-
quelles n'exigent Point Desprit.

J'ai l'honneur d'etre Monsieur Votre très humble
très obeissant serviteur.

de St Just *

« Je suivrai vos avis si je ne m'écarte point du plan que je
me suis formé moi-même ! » « Je puis vous assurer de
l'estime et de la reconnaissance la plus parfaite parce
qu'elles n'exigent point d'esprit » ! Il n'est pas possible
d'attribuer ces propos à double sens à la maladresse.
D'Évry, qui dialogua longuement avec le jeune homme,
perçut cette profonde amertume au point d'en redouter les
conséquences et avoua plus tard que cela l'incita à conserver soigneusement tous les documents relatifs à cette
affaire.

Saint-Just avait quelques raisons d'éprouver de la rancœur après les six mois passés dans cette pension. En feuil-
letant le registre d'écrou, on découvre des compagnons de
détention dont les méfaits étaient sans commune mesure
avec les siens : un Charles Jalabert, enfermé à la demande
de son père pour « inconduite, libertinage, jeu », qui finit
par dérober à son employeur « deux aunes et demie de
drap vert bouteille » ; un Gabriel Dupré, incarcéré à la
demande de sa mère pour « inconduite et passion de jeu, ce
qui l'avait porté à s'approprier différentes sommes que le
notaire chez lequel on l'avait placé lui avait donné à tou-

* La forme de cette lettre, exceptionnellement, a été respectée.
Mais pour faciliter la lecture des textes autographes de Saint-Just
cités dans cet ouvrage, l'orthographe et la ponctuation classiques
seront rétablis.

cher et qu'il est convenu avoir perdues » ; un Bernard de Saint-Arnould qui demeura chez Mme de Sainte-Colombe plus d'un an avant d'être relégué à 50 lieues pour avoir volé trois mille à quatre mille livres « et nombre de bijoux à un marchand où il était reçu à cause de sa famille ». Il a vu passer aussi, pour des séjours plus ou moins longs, des détenus « pour cause de démence » ou pour « aliénation d'esprit et fureur » comme le sieur Gardanne. Il a bien connu Henri Chrétien Labouret, écroué « sur la demande de sa femme et de ses enfants pour démence, ayant déjà voulu se détruire en se jetant par la fenêtre » et qui mourut, on ne dit pas comment, au bout d'un an dans la pension. Des joueurs, des débauchés, des voleurs, des déments, tels furent les compagnons de Saint-Just pendant six mois. Quelle fut sa vie chez la Sainte-Colombe ? Quelle empreinte laissa-t-elle sur lui ? Le jeune homme a proba-blement gardé pour lui les sentiments que lui inspira cette triste expérience. Apparemment, il ne s'en est confié à per-sonne : par la suite, ni ses amis, ni ses adversaires n'en feront état.

CHAPITRE V

Un poète libertin ?

> *M. D. : Vous sapez les rois.*
> *L'auteur : J'aime les rois, je hais les tyrans.*
> *M. D. : Vous foulez aux pieds les établissements*
> *les plus sacrés.*
> *L'auteur : Ces établissements sont déchus. Ils*
> *ne sont plus sacrés mais vils.*
>
> SAINT-JUST :
Dialogue entre M. D... et l'auteur du poème
d'Organt.

SAINT-JUST « LICENCIÉ ÈS LOIS » ?

Après un retour discret à Blérancourt en compagnie d'Évry, Saint-Just se rend probablement chez un procureur soissonnais, Mᵉ Dubois-Descharmes, où Rigaux lui avait obtenu une place de second clerc. Une tradition solide veut qu'il ait fréquenté la faculté de Droit de Reims. L'historien rémois G. Laurent affirme y avoir relevé, sur un registre aujourd'hui disparu, le nom d'un certain *Sejust*, inscrit entre octobre 1787 et juillet 1788. Il fait également état de souvenirs laissés par Menu, beau-frère du Conventionnel Prieur de la Marne, qui aurait eu en sa possession une lettre de Saint-Just, datée « du milieu de 1787 », où il parlait de son installation à Reims et des petites affaires dont il avait à s'occuper pour le compte de son patron. Le jeune homme aurait alors logé dans une maison de la rue

des Anglais (aujourd'hui rue Saint-Just) que le boulanger
Fouet louait à des étudiants en droit. Il aurait rencontré
dans cette demeure, devenue foyer de vie intellectuelle,
toute une élite de jeunes gens que la Révolution devait
enflammer.

La faculté de Droit de Reims ne passait pas pour un
modèle de rigueur. Les cours, disait-on, y étaient irrégu-
liers et l'absentéisme des étudiants très fort. En 1761, de
nombreuses plaintes avaient même provoqué une enquête
du chancelier Lamoignon. Une génération plus tard, Brissot, devant « prendre des degrés » pour être reçu avocat,
décida de les « acheter à Reims ». « Le voyage que je fis
dans cette ville, écrit-il dans ses *Mémoires*, me convainquit
de l'avilissement de son université (...) On y vendait tout,
et les degrés, et les thèses, et les arguments. » Il est facile de
vérifier aujourd'hui, en compulsant le registre des *Admis-
siones ad actum et ad gradum*, que les étudiants y devenaient bacheliers et licenciés en quelques mois. La très
large fréquentation de la faculté par des élèves venus de
toutes les villes du royaume laisse à penser que les études y
étaient bien remarquables ou... l'obtention des diplômes
bien commode.

Saint-Just vécut-il avec écœurement cette corruption
universitaire et la reçut-il comme l'effet d'une décomposi-
tion sociale ? Manqua-t-il des moyens financiers indispensables à l'achat des degrés ? Éprouva-t-il de bonne heure ce
mépris qu'il manifeste dans *Organt* pour la profession
d'avocat ? Son état de second clerc ne lui laissait-t-il pas
assez de temps pour faire des études normales ? On ne sait.
Mais une certitude demeure : Saint-Just ne figure pas,
entre 1786 et 1792, sur le registre des admis aux grades par
la faculté de Reims, et on ne peut le confondre avec un
certain *Lejuste* diplômé en 1787 et 1788.

Malgré l'absence de preuves formelles, il est difficile de
mettre en doute ce séjour à Reims, solidement attesté par
la tradition. Mais il est probable qu'absorbé par ses tâches
à l'étude de Me Dubois-Descharmes et surtout par ses travaux littéraires, Saint-Just ne fit pas l'effort de passer ses
examens. Cela ne l'empêchera pas de se faire attribuer, à
plusieurs reprises, le titre de « licencié ès lois » ou de

« licencié en droit » et même d'« avocat ». Il manifestera
d'ailleurs dans ses activités judiciaires une remarquable
compétence vraisemblablement acquise chez Mᶜ Dubois-
Descharmes plutôt qu'à la faculté.

« Arlequin-Diogène. »

Au grand désespoir de sa mère, Louis-Antoine, à ce
moment-là, ne prépare pas sérieusement son entrée au bar-
reau. Par une vocation éclose dès le collège sans doute, il
est porté vers l'écriture. Il subit la fascination des grands
noms de la littérature, rêve d'en faire partie et, de bonne
heure, on l'a vu, il touche au théâtre. On a retrouvé dans
ses papiers à Blérancourt une petite comédie en vers, en un
acte, intitulée *Arlequin-Diogène*.

La composition et la versification trahissent la gaucherie
du débutant. La graphie révèle que la pièce a été écrite en
plusieurs fois et qu'une première version a été reprise et
accrue. Elle s'apparente à un marivaudage où la satire
prend pour cible à la fois l'amour et le cadre social et politique dans lequel évoluent les personnages. L'intrigue à
rebondissements met en scène Arlequin-Diogène, qui
manifeste un détachement apparent à l'égard des êtres et
des événements. C'est en réalité un stratagème pour
conquérir Pérette, une prude qui s'est, jusque-là, refusée.
Sa feinte indifférence est efficace : Arlequin peut avec
délectation rabrouer celle qui désormais s'offre avec insistance. Sa position lui permet aussi de narguer et de mystifier les « importants » de la société : il refuse le trône qu'un
ambassadeur lui propose et corrompt un commissaire
pour faire emprisonner indûment un financier. Après ces
exploits, Arlequin avoue enfin à Pérette ses véritables sentiments. Celle-ci change alors totalement d'attitude et se
refuse à nouveau. La pièce se termine sur un dénouement
ambigu.

Au cours de ce divertissement, l'auteur se laisse aller à
une réflexion acide sur l'ordre social. Il blâme l'arrogance
du financier, évoque les turpitudes des Cours et des rois,

dénonce la vénalité du commissaire et la malhonnêteté des petits maîtres. Il exprime aussi son dépit amoureux : il y a entre Arlequin et Pérette une inclination mutuelle qui pourtant se heurte à une impossibilité de consentement simultané. Peut-on se risquer à dire que c'est un peu comme si, au moment où tout était possible, Thérèse-Pérette n'avait pas réellement cru à un amour que lui aurait trop bien dissimulé Louis-Antoine-Arlequin ?

« ORGANT » : UN POÈME PORNOGRAPHIQUE ?

En dépit de ses intentions satiriques, l'aimable comédie apparaît comme un divertissement bien anodin, presque mièvre, en comparaison d'une autre œuvre de jeunesse, violente et corrosive, qui fut publiée sous le titre : *Organt, poème en vingt chants*.

« A peine sorti du collège, confie le Conventionnel Barère, Saint-Just composa donc un poème en huit chants, sur l'histoire du collier de diamants. Il fut imprimé sous le titre d'*Organt*. A peine ce poème satirique eut-il paru, qu'un ordre ministériel ordonna de rechercher l'auteur pour le mettre à la Bastille. Saint-Just (...) vint se cacher à Paris chez un notaire de son pays nommé M. Dupey (...) Le 14 juillet 1789, en démolissant la Bastille, mit un terme à ses embarras ».

Cette relation n'est exacte que dans ses grandes lignes. En fait, le poème n'est pas uniquement centré sur l'Affaire du collier de la reine, qui fut divulguée en août 1785 et connut son épilogue judiciaire en mai 1786. Il évoque bien d'autres faits antérieurs ou postérieurs, comme le duel du comte d'Artois avec le duc de Bourbon, en 1778, ou l'annonce de la réunion des États généraux, en août 1788. Le XXe chant se termine, du reste, sur une allusion à un fait divers qui fut jugé le 2 avril 1789. L'ouvrage sortit des presses peu après, fin avril ou début mai de cette année-là, soit deux ans et demi après son commencement.

Il fut peu diffusé, car le lieutenant de police de Crosne,

alerté, avait ordonné une perquisition-saisie chez différents libraires effectuée le 10 juin par le commissaire Chénon. Les démarches de ce policier furent vaines. Il trouva bien chez la veuve Guillaume « sous le comptoir » plusieurs brochures interdites mais aucun exemplaire d'*Organt*. Tous les commerçants en avaient entendu parler, mais ils déclarèrent que le livre ne leur avait pas été offert ou qu'ils l'avaient refusé en raison de son prix trop élevé de « sept livres dix sols. » Financièrement, l'affaire se termina mal. Saint-Just, qui avait vraisemblablement engagé les économies de son travail, perdit à peu près tout.

L'ouvrage était-il donc si mauvais ? Il fut reçu comme tel, en tout cas, par la seule critique, datée de juin 1789, qu'il semble avoir suscitée dans la *Correspondance littéraire* de Grimm. « *Organt,* y lit-on (...), paraît l'ouvrage d'un jeune homme qui a trop lu la *Pucelle* et qui ne l'a pas lue assez ; beaucoup trop, car on y trouve à chaque instant des réminiscences ou des imitations maladroites de quelques morceaux de l'Arioste français ; pas assez, parce qu'il n'en saisit que rarement l'esprit, la grâce et le génie. »

L'intrigue en est confuse et rebutante. Pendant l'une des guerres entreprises par Charlemagne contre le Saxon Vitikin, l'archevêque Turpin, victime une nouvelle fois de sa bouillante nature, se laisse entraîner au péché de la chair avec une nymphe du Rhin et disparaît. Or sa présence est indispensable à la victoire des Francs. Aussi, son bâtard Antoine Organt, jeune chevalier de vingt ans, se lance-t-il à sa recherche. Pour celui-ci commence alors une série d'extraordinaires aventures, tantôt émouvantes, tantôt réalistes, tantôt fantastiques. Le récit fourmille de personnages de toutes sortes, hommes, ânes et dieux, saints, anges et démons, nymphes et êtres mythiques, qui s'assemblent ou s'affrontent dans un enchevêtrement de faits sans lien. Des hommes devenus ânes sont utilisés comme montures ou viennent étreindre des belles. A peine l'attention s'arrête-t-elle sur les pérégrinations des preux de Charlemagne qu'inopinément elle est captée par d'autres héros engagés dans d'autres péripéties. L'auteur, parfois, abandonne lui-même tout son monde et s'engage dans la réflexion philosophique.

Ce poème n'est pas un conte. Étiré sur plus de 7 800 vers, foisonnant de propos disparates, il est présenté comme une de ces histoires à clés dont raffolait l'époque. Plusieurs exemplaires comportent des *Notes de l'éditeur* qui en révèlent quelques-unes, mais les plus évidentes sont inavouées. Ainsi, « Charlemagne », souvent appelé irrévérencieusement « Charlot », est bien le « héros du poème » : il est là, présent de l'exorde jusqu'à la conclusion. A plusieurs reprises l'auteur s'en prend à ce roi, jadis bon, « plein de courtoisie », loyal et subitement devenu brutal, tyrannique, jouet de son entourage et surtout de la reine « que l'on nommait Madame Cunégonde ».

Saint-Just partage l'animosité populaire à l'égard de « l'Autrichienne » et colporte les insinuations sans fondement qui circulaient sur son compte, en particulier sur l'infortune conjugale du roi. Il rappelle l'Affaire du collier et en persifle les conclusions judiciaires :

> *On ne parlait, grand, petit, sage, fou,*
> *que du licou, du licou, du licou ;*
> ....
> *Monsieur le juge, après très longue pause*
> *Après avoir pesé très mûrement*
> *La vérité, prononça posément,*
> *Et toutefois condamna l'innocent.*

Il dénonce les conséquences sociales des dérèglements royaux :

> *D'un bras débile et flétri de misère,*
> *Le laboureur déchire en vain la terre ;*
> *Le soir il rentre, et l'affreux désespoir*
> *Est descendu dans son triste manoir :*
> *Il voit venir sa femme désolée,*
> *Notre cabane est, dit-elle, pillée.*
> *Et qui l'a fait ? dit l'époux plein d'effroi ;*
> *Et qui l'a fait, qui l'a voulu ? — Le Roi !*

Antoine-Organt découvre la Cour, où de « coupables favoris » ont sans cesse la main dans la poche et la bouche à l'oreille d'un roi berné. Il contemple le palais où la turpitude, la courtisanerie, les intrigues scandaleuses et les intérêts les plus sordides se donnent libre cours. Au VIIIᵉ chant, il fait un voyage en « *Asinomaïe* » (les ânes, symboles de sottise, occupent une large place dans le poème). Il est le témoin d'institutions semblables à celles de ses contemporains, tout aussi défaillantes et entachées des mêmes souillures. Ainsi, au Parlement, des juges graves et des avocats braillards font face aux justiciables : « Là les grugeurs et là ceux que l'on gruge ». A l'Académie, les Immortels, sots orgueilleux prétendant incarner la science, tournent le dos à la raison. (Piron, l'un des inspirateurs d'*Arlequin-Diogène*, disait de ces quarante qu'ils avaient de l'esprit comme quatre !) Au théâtre, enfin, les acteurs intriguent pour écarter Dorfeuil, qui était à la Comédie-Française l'un des rares talents appréciés du public.

Mais, parmi toutes les institutions, l'Église est la cible de prédilection (est-ce un règlement de compte avec Saint-Nicolas de Soissons ?). Saint-Just la dénonce comme un antre de corruption ; au seuil de l'éternité, où tout s'achète, le portier fait bonne garde :

> *Il repoussa durement de l'entrée*
> *Toute vertu qui n'était point dorée.*
> *On acheta par pieds cubes le Ciel ;*
> *L'or remplaça la grâce sur l'autel ;*
> *On acheta, l'on vendit les miracles...*

Des moines paillards, « en rut », bons vivants, solides buveurs de vin et toujours gras, sont victimes de leurs appétits charnels ; les tribulations de nonnes crédules sont autant de prétextes à des divertissements d'un goût douteux mais couramment apprécié à l'époque. C'est essentiellement à ces péripéties que le poème doit sa réputation de « lubricité ». La scène la plus connue et, pourrait-on dire, la plus exploitée d'*Organt* est celle du viol au couvent. Pour sauver leur vie, les religieuses les plus âgées ont imaginé de sacrifier la vertu de leurs jeunes consœurs aux ardeurs des soudards. Dûment chapitrées, les nonnes candides accueillent les brutes comme s'ils étaient des anges et s'abandonnent à l'épreuve :

> *Suzanne tombe aux serres de Billoi ;*
> *Il vous l'étend, et d'une main lubrique*
> *Trousse en jurant sa dévote tunique.*
> *Quand elle vit poindre je ne sais quoi,*
> *Suzanne crut que c'était pour le prendre*
> *Et le baiser. Sur le fier instrument*
> *Elle appliqua sa bouche saintement.*

La nonne prend vite son agresseur pour un messager divin :

> *Et notre Sœur, qui pour Dieu le prenait,*
> *A ses efforts saintement se prêtait,*
> *Allant au Diable, et brûlant Marie.*
> *Quand la brebis, après ce doux baiser*
> *Sentit l'oiseau quelque part se glisser,*
> *Aller, venir, et l'Ange tutélaire*
> *De son sein blanc les deux roses sucer*
> *Elle comprit que c'était le mystère*

Ce devoir de soumission s'achève dans les transports d'un plaisir partagé :

> *Son sein bondit, et son teint s'alluma ;*
> *Quand un rayon émané de la grâce,*
> *La pénétra, confondit ses esprits,*
> *Et l'emporta tout droit en Paradis.*
> *Elle criait : O puissance efficace !*

Saint-Just ne s'en tient pas à ces moqueries de tradition libertine dont le clergé régulier faisait souvent les frais ; il s'en prend aussi aux saintes et aux saints, notamment à saint Antoine, « l'amateur de femelles », et à saint Pierre :

... Le Diable
Lui dit : " Pierrot, je t'attendais ici.
Fils de P., je te cherchais aussi,
Lui riposta le Saint d'une voix ferme. "

Saint-Just, enfin, n'hésite pas à outrager les valeurs les plus sacrées en comparant les souffrances d'un moine fessé à celles de la Passion du Christ ou en décrivant, avec une complaisance blasphématoire, les ébats d'une jeune nonne forcée par un beau chevalier :

La pauvre Agnès, pâmée et confondue,
N'ouvrait qu'à peine une mourante vue ;
Son sein, mouillé de larmes de plaisir,
De temps en temps jetait quelque soupir ;
Ses bras en croix, étendus sur le sable,
Rendaient ce signe encore plus adorable.

La violence de ces attaques contre les pouvoirs politiques et religieux n'est pas pour autant synonyme d'anarchie. Ni Dieu ni maître ? Saint-Just rejette comme « criminels » ceux que lui propose le royaume de France mais veut bien reconnaître, quelque part, les siens. Le bon roi Vitikin, noble et digne vieillard, naturellement pacifique, courageux dans la guerre que lui impose Charlemagne, pourrait être son maître. Quant à son Dieu, il s'en remettrait volontiers à l'Être suprême qu'adorent les Saxons, dont les lois sont celles de « la Nature » : égalité, indépendance, amitié.

FANTASMES ET EXPÉRIENCES.

Dans cette œuvre fantasmatique, tout un univers imaginaire relève de la psychanalyse. Le goût du temps ne peut expliquer à lui seul la prolifération d'images ou d'allusions phalliques, les charges répétitives des guerriers, frappant du braquemart, transperçant de la lance ou de l'épée, les apparitions successives de l'âne, symbole de puissance

sexuelle, des moines et des soldats soumis à leurs pulsions
charnelles. Une construction psychique aussi univoque,
obsédante, pourrait révéler chez cet homme jeune, sensible
et alors éprouvé, la volonté de compenser un sentiment
d'infériorité et d'insécurité. Trahit-elle aussi un complexe
de castration ? Le récit ne comporte pas moins de trois
allusions explicites à des émasculations. Les échecs succes-
sifs et l'inadaptation professionnelle ont exaspéré Saint-
Just. En ce sens, *Organt* pourrait être à la fois révélation et
thérapie. Mais le poème porte surtout la marque d'expériences juvéniles. Après une enfance heureuse, Saint-Just
n'a pas supporté les rigueurs et les contraintes de son éducation religieuse. Sa sensibilité blessée le porte, dès qu'il est
libre, à des sentiments extrêmes. Ce n'est pas qu'il
n'éprouve le besoin d'un dieu ou d'un temple, mais le
dogme, le Dieu des chrétiens, tels que le présentent le
clergé et l'Église, suscitent chez lui de violentes réactions.

De plus, les effets d'une idylle malheureuse ont terni
chez lui l'image féminine dès la sortie du collège. Appré-
ciée pour ses qualités de gentillesse, de douceur et de retenue, la femme n'est plus pour lui qu'un objet. Convoitée et
possédée par des moines lubriques, violée par des soudards ou des chevaliers, victime de bestialités, elle passe
du refus à la satisfaction, quelle que soit l'abjection du
partenaire. Pour elle, l'horreur et l'humiliation des assauts
les plus répugnants finissent par se figer dans les plaisirs de
l'étreinte.

Il n'est pas possible, d'autre part, que le séjour chez la
Sainte-Colombe soit resté sans effets. Est-ce cette rude
expérience carcérale qui rapprocha Saint-Just de Gilbert,
poète au destin tragique, mort fou en 1780, à l'âge de vingt-
neuf ans ? *Organt* porte en épigraphe l'un de ses vers :

> *Vous, jeune homme, au bon sens avez-vous dit*
> *adieu ?*

Et le poème est présenté comme une « analogie générale
des mœurs avec la folie ». Il était courant d'utiliser ce stratagème commode pour tourner la censure — de tout temps

les rois ayant toléré les fous —, mais la folie est omniprésente dans *Organt* comme dans l'établissement de dame Marie, lieu de réclusion pour malades mentaux autant que prison...

En dépit de son poids, l'expérience n'a pas, seule, nourri les thèmes d'*Organt*. Le jeune auteur puisa aussi son inspiration dans d'abondantes et hétéroclites lectures.

Grands maîtres et « Rousseau des ruisseaux »

L'influence de la *Pucelle* de Voltaire a été immédiatement perçue, et Saint-Just évoque le philosophe à plusieurs reprises. La transformation de Sornit en âne fait penser aux *Métamorphoses* d'Apulée, plusieurs scènes, en particulier celle du combat entre les anges et les démons, sont imitées du *Paradis perdu* de Milton ; de nombreux indices révèlent encore les lectures de La Fontaine, Honoré d'Urfé, Molière. Les références à un homme proche de la nature montrent aussi que Saint-Just était averti des débats engagés par de nombreux écrivains, notamment Rousseau, sur ce problème.

Les références à une littérature reconnue, noble ou ennoblie par le talent de ses auteurs, sont évidentes. Mais Saint-Just a aussi puisé dans toute une production de second plan, aujourd'hui oubliée. R. Darnton a bien montré l'influence politique d'une bohême littéraire qui diffusa clandestinement des livres dits « philosophiques », le plus souvent, en fait, de caractère pornographique, écrits par des « Rousseau des ruisseaux » bien vite oubliés. Tous ces libelles ressassent l'obscénité et l'immoralité de l'aristocratie. La pédérastie, l'adultère, le cocuage pratiqués par les Grands en sont les thèmes rebattus. Au fil du temps sont propagées les dépravations de Louis XV, l'impuissance de Louis XVI et, conséquemment, l'illégitimité du Dauphin. On commente la maladie vénérienne contractée par Marie-Antoinette à la suite de ses dévergondages avec le cardinal de Rohan. On s'arrache les *Mémoires authentiques* de la Du Barry. La grande courtisane devient l'héroïne et la cible d'une foule de plumitifs. Son succès ne se démentira pas avec le temps, à tel point que certains en feront par la suite une intime expérimentée de... Saint-Just !

Tous ces pamphlets étaient très lus. Ils accréditaient dans le public l'image de la perversion et de l'indignité de la classe dirigeante, désacralisaient les valeurs traditionnelles et opposaient à la turpitude aristocratique les qualités vertueuses des humbles et des gens du peuple. Saint-Just leur emprunta informations et procédés. Il était aux aguets des scandales, des potins, des « affaires » et mettait en scène, avec ou sans prête-noms, les plus impopulaires de ses contemporains et les plus diffamés comme la Du Barry, le comte d'Artois ou le chevalier Dubois, particulièrement détesté depuis qu'en août 1787 il avait fait tirer sur la foule en émeute.

Bien des allusions à l'actualité échappent aujourd'hui au lecteur. Celles qui sont intelligibles montrent de quelle manière l'auteur en saisit les échos et les insère, souvent sans le moindre esprit critique, dans la trame du récit. Ainsi partage-t-il l'opinion commune sur l'Affaire du collier alors que la reine est étrangère à cette escroquerie.

Force est de constater que ce poème, rebutant à première lecture, n'a jamais retenu l'attention qu'il méritait. Ceux qui recevaient avec répugnance les œuvres de Saint-Just s'en donnèrent à cœur joie, puisant dans les outrances et exhibant la « lubricité », la « salacité » et le blasphème. Ils prêtèrent à l'auteur tous les excès de ses personnages et purent ainsi en faire un grossier, un débauché, un homosexuel, un syphilitique. Ceux qui regardaient avec sympathie les efforts du jeune révolutionnaire n'ont jamais suffisamment insisté sur la finalité satirique de l'œuvre. Peut-être parce que ses aspects les plus excessifs leur inspiraient une gêne qu'ils surmontèrent rarement. Ils excusèrent, minimisèrent, cachèrent, comme une maladie honteuse, les aspects fantasmatiques (Pierre Larousse parle ainsi pudiquement de « quelques poignées de gros sel ») et ne tentèrent pas d'établir une continuité entre la jeunesse et la maturité. Ils s'émerveillèrent au contraire de voir surgir d'un libertin, d'un « excité sexuel », un homme d'État. Les multiples allusions politiques de l'œuvre sont restées au second plan.

Les circonstances expliquent cette réputation de « légèreté ». Dès que Saint-Just fut élu à la Convention, son ouvrage reparut sous le titre : *Mes passe-temps ou le nouvel Organt de 1792, poème lubrique en 20 chants, par un député à la Convention nationale.* Il s'agit du reliquat d'invendus de la première édition utilisé par un adversaire politique.

Cette manipulation ne compromit pas la carrière politique du jeune auteur, mais lui assura pour longtemps un renom de lubricité. On l'a vu, la pornographie n'intervient, le plus souvent, que pour éclabousser le trône, les gens à la solde de la Cour et l'Église avec son cortège de moines et de nonnes. *Organt* est avant tout une satire politique et religieuse qui use de tous les moyens pour discréditer les hommes et les institutions de l'Ancien Régime. Saint-Just s'en est du reste lui-même expliqué.

SAINT-JUST S'EXPLIQUE SUR « ORGANT »

Dans le *Dialogue entre M. D... et l'auteur du poème Organt,* Saint-Just précise en effet ses intentions * :

« M. D. : Monsieur est l'auteur du poème d'Organt ?
L'auteur : Oui.
M. D. : Vous êtes bien corrompu pour votre âge.
L'auteur : Et bien sage, peut-être.
M. D. : Que vous ont déjà fait les hommes pour allumer
   chez vous ce fiel satirique ?
L'auteur : Je voulais leur plaire.
M. D. : Pourquoi ces malignes allusions ?
L'auteur : J'ai travaillé d'après des hommes, tant mieux
   si j'ai attrapé la ressemblance.

* Ce texte, pratiquement inconnu à ce jour, est transcrit intégralement d'après *Le Rouge et le Bleu* du 6 décembre 1941 (BN : Fol. Lc2 6647).

M. D. : Vous sapez les rois !

L'auteur : J'aime les rois, je hais les tyrans.

M. D. : Vous foulez aux pieds les établissements les plus sacrés !

L'auteur : Ces établissements sont déchus, ils ne sont plus sacrés mais vils.

M. D. : Votre Charlemagne est le roi ; votre Cunégonde est la reine.

L'auteur : C'est vous qui l'avez dit.

M. D. : Votre singe Étienne Péronne est le chevalier Dubois.

L'auteur : Respectez mon singe.

M. D. : Votre Pépin est le comte d'A... Il acheta, il y a quelques années, un cheval 1700 louis. Ce cheval s'appelait Pépin et...

L'auteur : Que Pépin s'appelle cheval !

M. D. : Vous avez honni les états généraux. Ne craignez-vous pas ?...

L'auteur : Je ne crains rien de rien.

M. D. : Quelle horrible impiété règne dans votre livre !

L'auteur : Priez pour moi.

M. D. : Quel portrait d'une reine !

L'auteur : Quel original !

M. D. : Quelle diatribe contre le Parlement, le théâtre et l'Académie !

L'auteur : Quelle diatribe contre le bon sens que ces trois corps !

M. D. : Quelle peinture horrible de ?... et de la Trinité.

L'auteur : Vous riez !

M. D. : Ne craignez-vous point maître Antoine, dont vous avez honni le cochon et le cochon n'est-il point maître Antoine ?

L'auteur : Apparemment.

M. D. : On vous rôtira.

L'auteur : Je m'en fous. »

Ainsi, les intentions sont claires : mettre en question la tyrannie royale et ses soutiens. Saint-Just ne croit pas son poème démodé après l'été 1789. Il s'efforce d'ailleurs de continuer à le diffuser puisque, le 2 janvier 1790, au moment même où il se lance dans la vie politique locale, il fait insérer une publicité en faveur du livre dans le n° 6 des *Révolutions de France et de Brabant,* le journal de Camille Desmoulins.

On a qualifié *Organt* d'« œuvre de jeunesse ». S'appliquant à un homme âgé de vingt-deux ans et mort à vingt-sept, l'expression n'a guère de signification sinon pour en souligner les imperfections. Les nécessités de la rime accentuent la médiocrité laborieuse de l'écriture, les métaphores sans finesse et les calembours pesants (Saint-Denis « tourne son cou saint » !), même si, ici où là, une idée, une formule, une image surprend ou amuse le lecteur. L'œuvre n'aurait jamais traversé les âges si son auteur n'avait connu un grand destin politique.

Les paragraphes se succèdent sans lien logique. On a l'impression que Saint-Just n'a réalisé aucune synthèse de ses lectures, aucun effort de composition, comme si le temps lui avait manqué. Mais cette inorganisation, cette confusion sont dans sa manière ; on les retrouvera, à des degrés divers, jusque dans ses discours les plus réussis.

A défaut de composition rigoureuse, il y a dans *Organt* une unité d'esprit. L'opposition d'un monde réel et d'un monde de rêve est exprimée en constantes antithèses : le bien et le mal, la paix et la guerre, le paradis et l'enfer, le profane et le sacré, le naturel et l'affecté. L'inflexible censeur estime la classe au pouvoir systématiquement dépravée et les institutions totalement perverties. Il prête plus attention aux insuffisances des gens, aux scandales qui les éclaboussent, voire aux ragots qu'ils suscitent qu'à leurs desseins et à leurs qualités d'hommes d'État. Il reproche aux « ennemis du bien » la perte du paradis perdu et leur voue une rancune qui n'est pas exempte de mauvaise foi ; sans doute s'illusionne-t-il d'ailleurs sur la vertu des autres. En un mot, sa vision est plus moraliste que politique.

L'année 1789 allait bouleverser la vie de Saint-Just. Elle ne lui retira pas la plume des mains, mais réorienta son

destin. Dans *Organt* le jeune poète déplorait de façon un
peu abstraite la misère du « laboureur ». En le ramenant au
village parmi les paysans et en lui faisant partager leurs
préoccupations et leurs aspirations, la Révolution allait lui
apprendre ce qu'était ce peuple dont tout le monde parlait
à présent.

CHAPITRE VI

Peuple de Blérancourt, peuple de Saint-Just

La crise de 1786 n'a pas durablement dissocié la famille Saint-Just. Dès les débuts de la Révolution le jeune homme, qui n'a pas d'emploi, se fixe pour près de trois années dans la maison de la rue aux Chouettes à Blérancourt. Pendant tout ce temps, ses relations avec ses sœurs, comme en témoigne leur correspondance, sont excellentes. Dans une lettre du 9 décembre 1791 à son beau-frère Adrien Bayard, Saint-Just exprime ses inquiétudes pour la santé de sa plus jeune sœur : « Je vous conseille de lui faire prendre beaucoup de lait et de ne lui point faire boire d'eau (...) Si vous vous aperceviez que l'air incommodât votre femme, envoyez-nous la quelque temps ; elle ne doute point de l'amitié tendre avec laquelle elle sera reçue de nous... » Bayard n'est pas exclu de ces effusions : « Vous m'êtes également cher l'un et l'autre et dans toutes les circonstances, je vous montrerai le cœur d'un frère et d'un bon ami. » Saint-Just s'entend bien avec ses beaux-frères, les accueille, leur rend visite et leur demande de menus services. Les dissensions familiales sont bien oubliées. Mais ce qui compte le plus pour le jeune homme, c'est la rencontre d'un peuple qu'il va apprendre à connaître : celui des paysans de Blérancourt.

Blérancourt : château, marché, terroir.

Blérancourt est un gros bourg rural qui compte environ un millier d'habitants. Sans rivière importante, il ne bénéficie pas de force hydraulique, ni de batellerie ; il se trouve à l'écart des grandes routes pavées et la voie Noyon-Soissons, qui le traverse, parcourt une campagne clairsemée. Quant au terroir, il est de taille médiocre : 775 ha dont 300 de pentes boisées, de marais et de larris *. La fonction administrative du bourg est insignifiante : deux notaires, dont l'un est en même temps contrôleur de l'enregistrement, y vivent de la clientèle de campagne et la basse justice du marquisat est éclipsée par la juridiction de bailliage qui est du ressort de Coucy-le-Château **.

Ce qui fit la fortune de Blérancourt, ce fut la décision de la famille Potier de Gesvres, bien en cour sous Henri IV, de bâtir, au début du XVIIᵉ siècle, un superbe château sur le modèle du Palais du Luxembourg de Paris. Contrairement à celui de Coucy qui conservait son allure de forteresse, ce n'était qu'un lieu de résidence. De plus, un couvent de Feuillants et un « hôpital » pour l'éducation d'enfants pauvres et d'orphelins y avaient été construits.

Jusque-là blotti autour de l'église, le cœur du bourg se déplaça vers les halles, dont l'importance s'accrut lorsque, en plus du marché à grain du lundi, un marché franc *** qui se tenait le premier mercredi de chaque mois fut obtenu par faveur royale en 1627. Un îlot de relatif libéralisme économique s'était ainsi créé dans une région où le duc d'Orléans, apanagiste, maintenait une réglementation tâtillonne. Les rapporteurs d'une enquête menée à la veille de la Révolution soulignent la vitalité de ce marché « où il se vend considérablement de toiles, chanvres, lins et bestiaux de toute espèce ».

* Terrains montueux laissés en friche.
** Les localités citées dans ce chapitre figurent sur la carte du « district de Chauny » p. 374.
*** Les produits échangés sur ce marché échappaient à la plupart des droits qui frappaient les transactions communes.

Rien n'illustre mieux l'évolution de l'institution seigneuriale sous l'Ancien Régime que la différence des statuts de Coucy et de Blérancourt. A Coucy, elle était restée de type médiéval. La fonction de défense du château qui jadis justifiait la contribution populaire n'avait plus d'objet, mais le duc d'Orléans continuait à percevoir sans contrepartie. A Blérancourt l'activité économique, que les Potier de Gesvres avaient suscitée, légitimait le recouvrement des droits seigneuriaux.

Les marchés stimulaient la vocation agricole du terroir. Les « jardiniers », deux fois plus nombreux que les « laboureurs », concentraient la force de travail familial et exploitaient les meilleures terres pour produire des légumes, en particulier des artichauts, très demandés sur le marché parisien. L'aristocratie, quelquefois, montrait la voie en manifestant de l'engouement pour les recherches agronomiques et les cultures nouvelles. Gesvres avait reçu avec émerveillement des graines de chou rouge et avait fait assécher l'étang qui jouxtait la porte monumentale du château pour y pratiquer l'horticulture.

Les parties les plus basses et les plus marécageuses du terroir étaient réservées au chanvre dont la culture et le traitement constituaient l'activité des pauvres. Les terres en friche, en grande partie communales, étaient abandonnées aux troupeaux. Mais les moutons du lieu ne suffisant pas aux besoins en laine de l'artisanat local, des marchands des Ardennes, de l'Oise, de la Somme, de la région parisienne venaient en vendre à Blérancourt.

Sous l'effet d'une vive expansion démographique, des défrichements, prônés par les sociétés d'agriculture depuis 1750 et encouragés par le gouvernement, avaient été largement pratiqués, suscitant une vive compétition. Le curé Musnier, ami de Saint-Just, explique ainsi, dans un mémoire du 18 août 1788, la situation de sa paroisse de Vassens : les plus petits cultivateurs, ne pouvant nourrir leurs bestiaux qu'une moitié de l'année, et les manouvriers avaient défriché ; mais ils s'étaient heurtés au seigneur qui entendait « non seulement empêcher les défrichements mais encore faire réunir à la glèbe seigneuriale toutes les parties défrichées ». Plusieurs de ses paroissiens s'étaient ruinés en procès.

Ainsi, la terre exerçait sur tous un puissant attrait. Elle opposait les appétits et les intérêts contradictoires des propriétaires et éleveurs, engagés dans la concentration des exploitations, des seigneurs, tentés par une gestion rationnelle de leurs domaines, et des pauvres, luttant pour leur survie. Outre la nourriture, la terre fournissait de quoi pratiquer un artisanat textile à domicile, indispensable appoint. Ceux qui n'en avaient pas devaient acheter la matière première et, comme souvent l'argent manquait, on sollicitait le curé qui faisait appel aux œuvres charitables de l'Intendance ou de l'Évêché pour obtenir des avances.

C'est donc dans ce pays médiocre que s'étaient installés les Saint-Just, à l'écart de deux belles et riches régions du royaume : la vallée de l'Aisne approvisionnant en blé et farine le marché parisien et celle de l'Oise qui l'alimentait en foin, avoine, chanvre et cordages.

PROSPÉRITÉ, SURPEUPLEMENT ET PAUVRETÉ.

Le marché et les activités annexes de Blérancourt avaient créé un équilibre démographique précaire. Les registres paroissiaux témoignent d'une mortalité variant du simple au double, quelquefois au triple selon les saisons.

En été, le rouissage du chanvre pouvait déclencher de redoutables épidémies : en 1788 le nombre des morts avait dépassé la moyenne décennale de 60 % à Blérancourt et de 154 % à Vassens, mais il s'agit là d'une année exceptionnelle.

Au début de la Révolution, des enquêtes de l'Administration mettront en évidence le dénuement de la population. Le revenu moyen par habitant est, à Blérancourt, la moitié de celui des villages du canton. D'une façon générale les petites bourgades sont toujours mieux nanties que les chefs-lieux de cantons où s'entassent mendiants et vagabonds. Ainsi les entreprises expansionnistes des

Potier ont à la fois créé une certaine prospérité et surchargé la terre. Blérancourt détient alors le triste record de la pauvreté ; signe qui ne trompe pas, la commune fournira de gros contingents aux armées nationales avant 1793.

Alors qu'elle était au plus fort de l'épidémie, la région fut, en outre, éprouvée par un terrible orage de grêle le 13 juillet 1788. Blérancourt fut lourdement sinistré, ses récoltes détruites et les toitures de ses maisons, en particulier celle de l'école, gravement détériorées.

UNE SOCIÉTÉ BESOGNEUSE.

La situation économique du bourg a sécrété une société très diversement composée avec laquelle Saint-Just va s'engager dans ses premières luttes politiques. Elle éclaire le sens que le jeune Conventionnel donnera au mot « peuple », car son peuple sera, presque toujours, celui de Blérancourt, composé de jardiniers, « hacotiers » (très modestes propriétaires), de mulquiniers, chanvriers, tisserands, fileuses, couturières, lingères... « Presque tous travaillent aux préparations du chanvre et font de la toile », souligne l'enquête de 1788. Il y a aussi une douzaine d'« aubergistes » ou « cabaretiers ».

De cette population émergent quelques familles qu'unit une commune aisance (bien relative toutefois : onze seulement d'entre elles, dont les Saint-Just, ont un domestique). Elles vivent de pensions, de rentes, du négoce ou de fonctions officielles. On peut y ajouter le meunier, notable — comme presque partout — et le plus important contribuable, de même que quelques artisans. Sur 231 feux imposés, 35 seulement payent plus de 10 livres d'impositions ordinaires.

Gellé est l'un des plus influents. Venu à quinze ans de Guiscard, terre opulente, proche de Roye (où Babeuf exerçait ses fonctions de feudiste), il avait suivi le cursus classique de ces fils de laboureurs qui abandonnaient la glèbe pour l'office. Il cumula peu à peu les fonctions de notaire, de procureur fiscal, de régisseur du marquisat et de mar-

chand de bois, supervisant en même temps, avec une sour-
cilleuse vigilance, le négoce en drap et la rentrée des rentes
de sa troisième épouse.

Il avait su tisser de Cuts à Blérancourt un réseau de
fidélités. Partout il était craint, haï et courtisé. Avec ses
manières cassantes et sa diplomatie abrupte, il manœu-
vrait une clientèle que la cupidité ou le besoin mettait à sa
merci. Artisans, commerçants et paysans vivaient sous la
menace constante de se voir refuser une avance, un mora-
toire, ou de perdre les revenus qu'assurait le marquisat.

Au cours de la Guerre des Farines *, en 1775, il avait
affronté « les mauvais propos de la populace » armée « de
pierres, bâtons et couteaux » en refusant d'entériner le
maximum des prix qu'elle prétendait dicter et il avait
assuré la liberté du marché. En ces heures chaudes, sa présence en avait imposé.

Mais ses excès de pouvoir l'avaient exposé à la contestation bien avant la Révolution. Dès le 14 mai 1788, le
syndic ** de Blérancourt l'avait accusé devant la Commission intermédiaire du Soissonnais de manipuler une municipalité composée presque exclusivement de fermiers et
d'affidés du château. La Commission découvrit une situation explosive et dénonça « l'esprit de hauteur et de domination » de Gellé « qui, tant à raison de ses places que de
son crédit, manque de délicatesse et d'honnêteté dans les
procédés au point (...) que tous ses collègues, et tout le
public même, cèdent par crainte ou par faiblesse à son
despotisme ». Et le 14 août, à la suite d'une décision ministérielle, le régisseur impopulaire et Emmanuel Thorin, son
gendre, avaient été écartés.

---

* Émeutes qui sévirent en plusieurs régions françaises après la
promulgation de l'Édit de Turgot, en 1774, sur la libre circulation des
grains à l'intérieur du royaume.
** Syndic : responsable chargé d'agir au nom de la communauté.
La Commission était chargée d'enquêter sur les abus.

LA PRÉRÉVOLUTION À BLÉRANCOURT.

Aggravées par les aspérités caractérielles de Gellé, les rigueurs de la pression seigneuriale n'étaient pas négligeables, surtout depuis qu'en 1783 les Grenet avaient succédé aux Potier de Gesvres. Les nouveaux châtelains résidaient à Lille et ne séjournaient à Blérancourt que quelques jours par an, abandonnant leurs pouvoirs au régisseur qui affermait strictement les terres et percevait les droits.

Ainsi, le pouvoir seigneurial, appuyé sur des coteries, avait suscité, plusieurs années avant la Révolution, une résistance active. Les interventions sans nuance et les intrigues de Gellé avaient envenimé bien des rancœurs. Pourtant, le château n'est pas sérieusement menacé et maintient ses positions pendant presque toute l'année 1789.

La Révolution commence à Blérancourt sans la moindre originalité. Les premières manifestations du printemps de 1789 en vue de la rédaction des cahiers de doléances ou de la représentation aux assemblées de bailliage vont mobiliser les populations dans les assemblées locales. Quelques « laboureurs » importants pourraient bien peser sur elles, mais leur influence sera limitée, tant ils sont absorbés par les travaux des champs. Presque tous, du reste, sont fermiers et n'agissent jamais sans considération pour leurs propriétaires : l'heure n'est pas aux audaces. Les autres notables susceptibles de jouer un rôle sont peu nombreux, modérés ou hostiles au changement. Avec Antoine Gellé, deux d'entre eux tiennent une place éminente : Jean-Simon Lévêque, le curé intelligent et ambitieux de Saint-Aubin, et François Thorin, bailli de justice et contrôleur de l'enregistrement, personnalité souple, conciliante et unanimement respectée, qui a cédé son étude de notaire à son gendre Emmanuel Decaisne. C'est à ce dernier qu'incombe la tâche de rédiger les cahiers de doléances. Ils contiennent les habituelles considérations sur l'égalité devant l'impôt et la réforme des abus, des demandes d'exemptions fiscales en raison des effets du désastreux orage de grêle de l'été précédent, mais aussi, pour deux d'entre eux, des doléances précises. A Besmé, on évoque directement le problème des usurpations en demandant aux députés « de représenter que notre communauté désire rentrer dans ses communaux ». A Camelin, les habitants souhaitent le rachat de la portion de terres communes abandonnées au seigneur en « arrérages de prestations seigneuriales ».

A Trosly-Loire, la tutelle des religieux de Prémontré, seigneurs et gros décimateurs de la paroisse, est ressentie avec impatience. On préférerait que « ces biens appartiennent au roy qui connaît si bien la charité qu'à ces religieux qui ne donnent rien ». Cette charge est suivie d'une proposition audacieuse : « Le vœu des habitants serait aussi qu'aucun laboureur ne puisse tenir deux emplois et que les forts emplois soient réduits à quatre charrues * tout au plus, il résulterait de là qu'un emploi de douze charrues, composé de trois ou quatre habitations et qui ne nourrit qu'une famille, en nourrirait trois ou quatre et occuperait bien plus de monde et serait un bien pour l'État. »

Contrairement à la plupart de leurs compatriotes, les Lemoine, cousins et tuteurs de Saint-Just, fermiers des Prémontrés, n'ont pas apposé leurs signatures au bas du cahier. On comprend qu'ils n'aient pas tenu à se rendre solidaires d'attaques contre des seigneurs qui traitaient avec leur famille depuis de nombreuses générations et qu'ils n'aient pas approuvé une proposition implicite de partage des grandes unités allant à l'encontre de leurs intérêts.

Le choix des députés ne reflète pas toujours la hardiesse de certains cahiers. Dans le bailliage de Coucy-le-Château dont dépendaient Blérancourt et ses environs, Antoine Gellé, largement responsable des empiétements seigneuriaux depuis plus de trente ans, est l'un des députés du tiers état chargés de plaider la récupération des communaux !

Ce mécontentement général à l'encontre des seigneuries laïques et ecclésiastiques va être un instant oublié quand les populations, redoutant d'imaginaires fauteurs de trou-

---

* Une charrue : de 40 à 42 ha.

bles, vont se rapprocher momentanément de leurs notables. A Blérancourt on se raconte avec effroi les événements que la « Grande Peur » a suscités dans le proche
Noyonnais. Les incidents et « émotions » dont chacun
peut être témoin sur les marchés donnent consistance à la
menace d'une submersion par des « brigands ». La municipalité décide donc de former une milice bourgeoise.
François Thorin demande à la Commission provinciale de
Soissons « 80 à 100 fusils » et « 8 à 10 soldats pour encadrer et entraîner cette milice. »

La Commission adresse une réponse dilatoire qui fait
ajourner le projet municipal. Beaucoup pensaient, sans
doute, que la récolte, en garnissant les marchés, calmerait
l'effervescence. Le grave incident de la Saint-Nicolas mit
un terme à leurs espoirs.

Le dimanche 6 décembre 1789, une quarantaine de jeunes gens, armés de fusils et de pistolets, se rassemblèrent
dans l'intention de fêter la Saint-Nicolas, saint du peuple et
des travailleurs à la peine. Vraisemblablement entendent-
ils profiter de l'indulgence que traditionnellement on leur
consent ce jour-là. Ils parcourent les rues en tirant des
décharges, recommencent le lendemain, et, dès l'ouverture
du marché, sortant brusquement de l'hôtellerie de la
Croix-Blanche, ils prétendent imposer un prix maximum
pour le froment : « A six livres ! nous le taxons à six
livres ! » Antoine Gellé accourt. Mais, cette fois, il n'en
impose plus. On lui crie « Vous n'êtes plus rien ; les justices
seigneuriales sont abolies ! » On prétend en ces temps nouveaux n'avoir d'ordre à recevoir que du syndic. Les jeunes
gens affirment d'ailleurs n'agir qu'avec l'accord de ce dernier et se précipitent chez lui pour lui demander une attes-
tation.

Simon Carbonnier, le syndic, est un modeste épicier. Sa
famille s'est à plusieurs reprises violemment opposée à
Gellé et son frère, chirurgien, a été accusé d'incapacité par
le procureur fiscal au moment de la grande épidémie de
1788. A-t-il agi par complicité ou sous la pression ? Toujours est-il que les jeunes gens reviennent en brandissant
triomphalement un ordre fixant le froment à sept livres.

Les marchands s'exécutent et Gellé n'a d'autre ressource que de requérir.

Il est impossible de savoir si Saint-Just fut l'instigateur de ces troubles ou s'il en fut seulement solidaire. Toutefois le lieu du rassemblement donne une indication. L'hôtellerie de la Croix-Blanche est en effet tenue par les Thuillier, très liés aux Carbonnier, et la sœur du syndic est la belle-mère de Thuillier le Jeune, ami intime de Saint-Just. C'est dire que les manifestants se sentaient en confiance sous le toit de cette auberge qui deviendra un des hauts lieux du soutien au futur Conventionnel.

L'incident provoqua une vive protestation du bailli Thorin qui demanda à Noyon un détachement de vingt à vingt-cinq hommes pour assurer la police du marché. C'est probablement ce qui précipita la mise en place d'une force armée locale, dès le 3 janvier 1790, composée de tous les citoyens actifs de dix-huit à soixante ans et commandée par Antoine Gellé. Le château sauvegardait sa position dirigeante grâce à la présence du régisseur à la tête de cette institution garante des propriétés et des biens. C'était la dernière fois et cette situation n'allait pas durer.

CHAPITRE VII

Faire lever la Révolution

Lorsque Saint-Just peut quitter Paris où il s'est réfugié au moment des poursuites déclenchées par la parution d'*Organt*, il retrouve ses compatriotes dont beaucoup sont animés de griefs profonds contre l'Ancien Régime.

Il y a là François Monneveux, chef d'une nombreuse famille et aubergiste à Blérancourt depuis 1777 ; jadis cuisinier au château de Cuts, il éprouve de la haine pour la noblesse et les privilégiés et évoquera plus tard les temps effroyables où, même avec de l'argent, on ne pouvait se procurer de quoi manger. Il y a aussi les Thuillier : le père, Pierre, évincé du château de Blérancourt où il était garde-chasse, qui vit chichement à la Croix-Blanche, et son fils Victor, ancien clerc de Gellé, maintenant sans état, hébergé chez son beau-père et qui fréquente assidûment Saint-Just. Il y a encore Louis Honnoré, cultivateur et boucher, lésé dans ses intérêts d'éleveur par les empiétements du château sur les communaux.

Ce noyau, cimenté par des alliances matrimoniales, a l'allure d'un clan qui mêle déceptions et rancœurs personnelles aux revendications de portée générale. Sa révolte recueille le soutien d'une foule de mécontents exaspérés par les contraintes seigneuriales et les mauvaises manières de Gellé. Jour après jour, la désastreuse conjoncture économique en grossit le nombre. La situation n'est n'ailleurs guère différente dans les villages voisins, mais, presque toujours, la troupe hétéroclite des opposants n'a pas de meneurs efficaces. Beaucoup d'entre eux sont analphabètes et même ceux qui écrivent sont impuissants à lutter contre les conseillers chevronnés de la seigneurie. En arrivant à Blérancourt, Saint-Just vient à leur secours, catalyse les mécontentements et prend la révolution en main.

Dès le 31 janvier 1790, à l'occasion du renouvellement de la municipalité et de la milice, Honnoré devient maire, François Monneveux procureur syndic * et Decaisne est substitué à Gellé à la tête de la Garde. Le 7 février, Thuillier le Jeune est nommé secrétaire greffier de l'assemblée municipale, en remplacement de Lessassière, garde-chasse du château et homme du régisseur. Le pouvoir glisse en partie de la seigneurie à la mairie. Peu après, le 11 février 1790, Emmanuel Decaisne, veuf de Marie-Françoise Thorin, épouse en secondes noces Louise de Saint-Just. Ce notaire cossu était issu de l'une des plus anciennes familles bourgeoises du Noyonnais, qui animait la loge maçonnique *l'Heureuse Rencontre de l'Union désirée.*

Ces deux événements viennent conforter la situation personnelle de Saint-Just ; le premier lui offre, par personnes interposées, une tribune et fait de lui une éminence grise. Le second élargit le cercle de ses relations et lui procure des concours financiers. Mais, pour mener le combat contre une force encore puissante, le jeune homme apparaît bien inexpérimenté. C'est à ce moment qu'il reçoit les conseils et l'appui d'un révolutionnaire parisien, Villain Daubigny, un enfant de Blérancourt. Employé chez Gellé puis congédié en 1773, Daubigny s'était fixé à Paris comme « avocat en parlement », tout en conservant des attaches au village où il séjournait parfois chez sa mère. A la mort de celle-ci, en 1788, Saint-Just et Thuillier assistèrent aux obsèques et Honnoré fut désigné comme fondé de pouvoir dans la succession.

---

* Un « Conseil général » de la commune, son « maire » et son « procureur » sont élus pour deux ans. Le procureur représente les contribuables et fait fonction d'accusateur public dans les affaires de simple police.

Dès les premiers frémissements politiques de Paris en 1789, Daubigny s'agite fiévreusement et anime la Garde nationale du district des Feuillants. Au mois de septembre, il dénonce au *Courrier de Versailles* le régisseur d'une seigneurie picarde coupable de « menées antipatriotiques » : « Il a poussé l'indécence envers la Nation entière, jusqu'à plaisanter insolemment la cocarde naïve du paysan..., à l'arracher même à ceux qui osent enfreindre les ordres de ce petit aristocrate subalterne, dont par humanité je tairai le nom afin de ne pas l'exposer au sort de ceux qui, comme lui, se sont permis d'insulter à ce signe respectable de la Liberté française. »

En mars 1790, dans une longue plainte à l'Assemblée constituante, Antoine Gellé se démasque : le « petit aristocrate subalterne », c'est lui. Depuis un mois et demi, explique-t-il, Villain est l'hôte du « colonel de la milice ». Or Decaisne séjourne chez Saint-Just, comme l'attestent les listes électorales. Les trois hommes habitent donc sous le même toit : Gellé accuse Villain, Decaisne, « ainsi qu'un jeune homme de vingt à vingt-deux ans » — évidemment le futur Conventionnel — d'avoir organisé un conseil et une milice dépourvus de représentativité par des procédés illicites, y compris « les violences à main armée ». Il raconte que, le dimanche 7 mars, la municipalité a fait placarder à la porte de l'église une affiche annonçant la suppression du droit honorifique dans le lieu de culte, des droits de feu, de poule de four, d'afforage (sur la mise en perce des tonneaux), des corvées et banalités de moulin et de pressoir. Le seigneur, ayant rétorqué en invitant les fermiers, censitaires et débiteurs à s'acquitter de leurs arrérages sous peine de poursuites, le commandant de la milice a déchiré et piétiné publiquement l'ordre seigneurial et interdit tout affichage sans autorisation de la municipalité.

Gellé rappelle également que, poussés par une « haine personnelle », ses ennemis l'ont accusé d'avoir profané la cocarde, ce qu'il nie, et il leur reproche encore de s'être arrogés indûment des pouvoirs de police en prononçant des condamnations et en levant des amendes. Il ne précise pas toujours ce qu'il reproche à chacun des trois hommes.

Cette lettre montre en tout cas, qu'en mars 1790, Saint-Just n'est pas le seul meneur.

UN AUTODAFÉ FONDATEUR.

Le 11 de ce mois, le jeune homme prétend avoir reçu un paquet contenant trente exemplaires d'un libelle contre-révolutionnaire avec une lettre l'engageant à « employer le crédit qu'il a dans ce pays en faveur de la religion sapée par les décrets de l'Assemblée nationale et à promulguer l'écrit contenu dans l'envoi ». Qui aurait pu songer à l'élève rétif des Oratoriens, à l'auteur d'*Organt*, à l'activiste politique pour diffuser une circulaire contre-révolutionnaire, de surcroît favorable à la religion traditionnelle ?

Les brochures n'ayant pu être adressées à Saint-Just, comment sont-elles tombées entre ses mains ? Auraient-elles été subtilisées à son véritable destinataire, étant donné que le détournement de courrier était courant à l'époque ? (un an et demi plus tard, Gellé accusera Saint-Just d'avoir ouvert un pli cacheté qui lui était destiné avant de le lui remettre le soir même).

Nanti donc de ce paquet, Saint-Just provoque une réunion extraordinaire de la municipalité et donne lecture de la lettre « infâme ». « Toute l'Assemblée, justement révoltée des principes abominables que les ennemis de la Révolution cherchent à faire circuler dans l'esprit du peuple, a arrêté que la déclaration serait lacérée et brûlée sur-le-champ ; ce qui a été fait à l'heure même ; et M. de Saint-Just, la main sur la flamme du libelle, a prononcé le serment de mourir pour la patrie, l'Assemblée nationale et de périr plutôt par le feu, comme l'écrit qu'il a reçu, que d'oublier ce serment : ces paroles ont arraché des larmes à tout le monde. M. le Maire, la main sur le feu, a répété le serment avec les autres officiers municipaux... »

Cette scène, rappelant l'héroïsme et la détermination politique de Mucius Scaevola, avait évidemment été imaginée par Saint-Just. Même s'ils savaient lire, les paysans qui jurèrent avec lui n'étaient pas des familiers de Plutarque... C'est lui également qui inspira ce procès-verbal rédigé de la main de Thuillier. On s'est souvent gaussé du caractère théâtral de cette démonstration, mais on était très sensible à la fin du XVIIIe siècle à la grandiloquence, même dans les milieux les plus instruits et les plus critiques. Rome, la Grèce et leurs héros étaient devenus des modèles.

Saint-Just venait donc de réussir sa première grande liturgie politique. Il avait su convaincre, et Honnoré le félicita : « Jeune homme, j'ai connu votre père, votre grand-père et votre tayon [bisaïeul], vous êtes digne d'eux : poursuivez comme vous avez commencé et nous vous verrons à l'Assemblée nationale. » Ces mots révèlent que les ambitions de Saint-Just commençaient à se manifester et que son entourage était de connivence. Le conseil prolongea même le caractère publicitaire de la scène en alertant l'Assemblée par une « Adresse de la communauté de Blérancourt près Noyon stigmatisant les tyrans qui cherchent à nous séduire et qui nous représentent la religion comme la fortune, une bourse à la main, elle qui est si pure et si modérée ! » La délibération municipale était reproduite et l'Adresse se terminait ainsi : « Heureux le peuple que la liberté rend vertueux et qui n'est fanatique que de la liberté et de la vertu ! (...) Excusez des paysans qui savent mal exprimer la tendresse, la reconnaissance, mais qui conservent à l'Assemblée nationale, dans l'occasion, des cœurs, du sang et des bayonnettes. »

Lu à la Constituante, le 18 mai 1790, le texte fut chaleureusement applaudi et son impression ordonnée (preuve qu'il ne parut pas ridicule). Ce fut un grand succès qui valut à Saint-Just la considération de beaucoup de ses compatriotes.

LE BAPTÊME DE LA TRIBUNE A CHAUNY.

Le destin de cette adresse n'était pas plutôt connu que Saint-Just remportait un nouveau triomphe. Du 17 au 20 mai, il participa à l'assemblée des électeurs appelés à

choisir le chef-lieu du département de l'Aisne. La réunion
se déroula dans l'église Saint-Martin de Chauny, en terrain
neutre. Une vive rivalité opposait en effet Soissons, ancien
chef-lieu de généralité, à la ville de Laon, avantagée par sa
position centrale. Pour tenter de lui faire échec, Soissons
avait obtenu le rattachement de la région de Château-
Thierry au nouveau département, ainsi très étiré vers le
sud. Mais les districts du nord étant les plus peuplés, il était
prévisible que les électeurs choisiraient Laon.

Porte-parole du canton de Blérancourt, Saint-Just
redoutait non pas d'affronter l'assemblée mais de ne pouvoir s'exprimer. Il n'avait pas vingt-trois ans et il en fallait
vingt-cinq pour participer à la vie politique. Certes le
contrôle d'entrée n'était pas d'une extrême rigueur et il
pouvait laisser planer l'incertitude : né à Decize, il espérait
qu'on ne pourrait vérifier. Mais il avait tout à craindre de
ses adversaires. Ainsi dut-il avoir recours à l'aide de compagnons « musclés » pour se débarrasser de Gellé qui
l'avait dénoncé (« on l'a chassé par les épaules », devait-il
confier à Desmoulins) et entrer. Mandaté pour soutenir
Soissons, il s'efforça surtout de se faire connaître et apprécier d'un auditoire composé, dit-il lui-même, d'« hommes
de toutes trempes et de tout calibre ». Des hommes qu'il ne
devait pas s'aliéner car deux obstacles se dressaient sur la
route de la députation : l'âge et le cens (depuis la fin de
1789, il fallait, pour être éligible à l'Assemblée, payer 1
marc d'argent d'impôts, 50 francs). Ne remplissant aucune
de ces conditions, Saint-Just avait tout intérêt à séduire ses
auditeurs huppés, ce qu'il fit avec l'habileté d'un politicien
chevronné.

Il s'excusa de sa jeunesse, remercia de l'indulgence qu'on
lui témoignait et de la leçon de démocratie qu'on lui
offrait. Il regretta de devoir prendre parti : « Ma
conscience est à un seul et mon cœur à tous les deux. »
Puis, il exposa sans passion des arguments ressassés depuis
deux jours avec virulence, et invita à répudier tout chau-
vinisme de terroir en pensant aux malheureux qui manquaient de pain.

L'assemblée s'acheva dans la confusion, la plupart des

partisans de Soissons ayant quitté la place avant le vote qui consacra le triomphe de Laon. Saint-Just n'en fut guère affecté. Il avouait à Desmoulins : « Il me semble que ce n'est qu'un point d'honneur entre les deux villes, et les points d'honneur sont très peu de chose presque en tout genre. » Au soir du 20 mai, Soissons avait subi un préjudice qui pesa gravement sur son avenir... Mais le détachement dont Saint-Just avait fait preuve fut interprété comme la manifestation d'une pondération et d'une maîtrise le plaçant au-dessus des passions partisanes. De toutes parts il fut congratulé : « Je suis parti chargé de compliments comme l'âne de reliques. » Il pouvait dire à Camille sa confiance d'être élu « à la prochaine législature. »

Avant de quitter l'église Saint-Martin, il fit insérer le texte de son discours au procès-verbal. Il avait signé *Florelle de Saint-Just*. Ce prénom fantaisiste et insolite, employé en cette unique occasion, est la première d'une longue série de fausses déclarations qui entretiennent le doute sur sa qualité d'électeur : s'il venait en effet aux autorités, intriguées par la dénonciation de Gellé, l'idée d'enquêter sur l'âge de l'orateur, il serait assez difficile de retrouver dans quelque registre paroissial un Saint-Just se prénommant Florelle.

Une semaine plus tard les électeurs du district de Chauny se réunirent pour désigner leurs administrateurs. Le choix de Saint-Just comme secrétaire d'assemblée témoigne de son adoption dans le cercle des notables : il avait accompli le plus difficile.

LA GARDE NATIONALE.

Parallèlement, le jeune homme avait fondé beaucoup d'espoirs sur la Garde de Blérancourt. Née, comme un peu partout, d'un réflexe de défense et conçue comme un instrument de maintien de l'ordre, elle se donnait pour mission de lutter contre les « classes dangereuses » et les « brigands ». Le bruit courut, à la fin juillet 1789, que 4 000 d'entre eux avaient, en plein jour, moissonné la plaine de

Béthisy et qu'ils marchaient sur Attichy * ; on les assimi-
lait aux fauteurs de troubles qui menaçaient les marchés.
Mais dès qu'il est en mesure d'intervenir, Saint-Just assigne une autre destination à la Garde nationale et tente d'en
faire un instrument contre les adversaires de la Révolution. Milice, oui, mais à condition d'en écarter tous ceux
qui ont soutenu l'ordre seigneurial, en particulier Gellé qui
a dû en céder la direction au bout de moins d'un mois.
Passé en quelques jours de la situation de « commandant
en chef » à celle de soldat, habitué aux fonctions d'autorité,
le régisseur va devoir obéir à des sergents et à des caporaux
qu'hier encore il manipulait avec mépris. Une délibération
municipale lui enjoignant de prendre son tour de garde,
Gellé refuse d'obtempérer et la patrouille du capitaine
Clay, envoyée à son domicile, y est mal reçue (29 mars). La
femme Gellé déclare que son mari ne montera pas la garde
« avec une bande de canailles, de coquins et de gueux
comme eux et ceux qui composaient leur f... milice », jette
de la cendre dans les yeux de ses interlocuteurs et lève un
bâton sur le capitaine. Clay dégaine alors son épée.
Antoine Gellé joint ses injures à celles de sa femme, traite
les miliciens de drôles, de coquins, de gueux, d'assassins et
leur demande de « f... le camp » avant qu'il ne les « f.... à la
porte ». Comme il s'apprête, aidé de son frère, à mettre ses
menaces à exécution, les hommes de la Garde battent prudemment en retraite, étonnés d'être insultés « aussi cruellement. » La municipalité dénonce alors ces agissements
au procureur du roi et envoie copies de sa délibération au
président de l'Assemblée nationale et à La Fayette, commandant général des milices de France.

L'incident dépasse l'anecdote. Il y avait de la provocation à humilier ce sexagénaire. Le 29 mars, la mission
confiée à Gellé et à sa compagnie était d'assurer l'ordre en
ce jour de marché. Le procureur fiscal qui avait régenté
pendant des décennies la vie économique locale pouvait-il
accepter de servir ainsi publiquement, sous les ordres d'un

* A une trentaine de km au sud de Blérancourt.

Clay — en qui personne, pas même Saint-Just, n'avait confiance — aux côtés d'un cuisinier, d'un menuisier et d'un journalier ? Pour ceux qu'il avait écrasés de son autorité depuis si longtemps, c'eût été une revanche. Son discrédit aux yeux des populations et son éventuelle condamnation auraient également levé l'obstacle le plus redoutable à l'ascension de Saint-Just vers le pouvoir. Au cours du seul mois de mars 1790, deux plaintes sont déposées contre Gellé auprès du procureur du roi au bailliage : l'une pour profanation de la cocarde, l'autre pour refus d'obéissance. Mais Gellé n'est pas de ceux qu'on intimide ; agrippé aux valeurs qu'il a toujours défendues, il fera front courageusement.

Le service de la Garde, bénévole, requérait des loisirs. Sans occupation fixe, Saint-Just était assez disponible. A plusieurs reprises, il représenta même le canton dans des cérémonies régionales ou nationales. Ainsi fut-il envoyé à la fête de la Fédération à Paris le 14 juillet 1790 et prêta-t-il au nom de ses compatriotes le serment de fidélité « à la Nation, à la Loi et au Roi ». Un an plus tard, au moment de la fuite de Louis XVI, il est du contingent du discrict de Chauny, le 24 juin 1791, appelé à se rassembler à Soissons, mais la mesure est rapportée le 26, après l'arrestation du souverain à Varennes.

Pendant plus de deux ans, Saint-Just s'exerce au commandement de deux cents hommes, médite sur l'autorité, expérimente les exigences de la discipline. Il fait condamner plusieurs miliciens à des amendes pour négligence et afficher les sanctions « publiquement au carrefour de Blérancourt ». Il croit déjà à la valeur exemplaire et pédagogique de la répression et punit au nom de la loi pour créer une conscience publique.

TENTATIVES DE FÉDÉRATION.

Désigné sur le registre communal comme « lieutenant-colonel de la Garde nationale de Blérancourt et commandant d'honneur de celles du canton », titres ronflants qui relèvent probablement de la bienveillante complicité du greffier Thuillier, il tenta de tisser des liens fédératifs avec des communes proches qui voulurent bien s'y prêter.

Au printemps de l'année 1790, le maire de Blérancourt avait adressé une proposition de pacte fédératif à son homologue soissonnais Goulliart. Celui-ci manifesta une satisfaction de façade : « Toutes vos expressions semblent dictées par le patriotisme noble qui embrase tous ceux qui savent ce que c'est que l'homme (ce compliment s'adresse évidemment indirectement à Saint-Just, porte-plume du vieux laboureur, homme de caractère mais sans instruction). J'accepte pour la ville de Soissons le pacte fédératif que vous lui offrez et je conclus avec votre commune un traité d'alliance pour le soutien de la constitution. »

Les mesures proposées par Sieyès, en supprimant les provinces, avaient fait perdre à Soissons sa position de chef-lieu de généralité ; elle n'était pas devenue chef-lieu du nouveau département ; les nouvelles institutions s'y enracinaient avec peine et la ville resta longtemps sans Garde. Sans doute est-ce pourquoi Blérancourt lui offrait une aide concrète. Mais le maire de Soissons fait clairement comprendre que toute intervention lui paraît, pour le moment, inopportune, sa ville ayant, quoique avec retard, résolument pris en main son destin.

Procureur du roi au bureau de Finances, Goulliart avait manifesté, dès la rédaction des cahiers de doléances, une grande indépendance d'esprit à l'égard du pouvoir royal. En février 1790, il avait pris la tête d'un mouvement pour fixer la journée de travail à 12 sous contre ceux qui voulaient l'établir à 20 pour sélectionner plus sévèrement les électeurs. Devant l'Assemblée nationale, le point de vue de Goulliart avait été défendu par Robespierre, qui lui avait écrit le 14 février : « Votre patriotisme est au-dessus de tout éloge. Les entreprises de l'aristocratie soissonnaise contre les droits des citoyens sont un scandale pour tous les amis de la patrie et de la liberté. Une cause aussi juste que la vôtre doit infailliblement triompher si elle est défendue avec toute la fermeté qu'elle mérite. C'est un crime d'en manquer quand il s'agit de la cause du peuple. » L'Assemblée avait commissionné l'abbé d'Expilly, qui avait tranché en faveur de Goulliart. Cette victoire lui avait valu la reconnaissance des électeurs les moins fortunés qui l'avaient porté à la mairie. Hasard de l'histoire : les idéaux de Robespierre et Saint-Just convergeaient à Soissons avant même que les deux hommes ne se connaissent.

Les Soissonnais craignaient-ils une ingérence ? La réponse polie de Goulliart, enthousiaste dans la forme et réservée sur le fond, ne déboucha sur rien, alors que les incidents et les manifestations ne devaient cesser d'agiter la ville pendant toute l'année. Les nombreux appels des « patriotes » soissonnais seraient désormais adressés à Paris.

Plus habile, en revanche, fut la démarche envers Vassens : une délégation de la Garde s'y rendit le 24 juin 1790 ; Saint-Just offrit « une alliance fraternelle pour le soutien de la constitution et de l'intérêt commun ». S'empressant de rassurer ses voisins, il souligna que sa commune n'entendait en aucune manière gêner la liberté et le repos de cette paroisse qui se gouvernerait par elle-même et n'obéirait qu'aux chefs qu'elle se choisirait. Accompagnée du maire, la Garde de Vassens se rendit dans l'après-midi même à Blérancourt pour y prêter le serment et on décida qu'une pétition pour obtenir des armes serait adressée au ministre par « M. de Saint-Just ».

Mais, le 14 juillet, celui-ci n'apprécia guère la fête de la Fédération. Mêlé aux 14 000 délégués du Champ-de-Mars, il en discerna l'exploitation politique, « effet des menées de quelques hommes qui voulaient répandre leur popularité ». Les assemblées fédératives lui semblaient, en revanche, porteuses d'un avenir plus fécond : « Elles balanceront un peu la force de l'état politique s'il perdait sa popularité. » Elles seraient une garantie démocratique dans un grand pays où le régime ne pouvait être que représentatif. On ne sait si des entreprises du genre de celles de Vassens furent engagées avec d'autres villages, mais les autorités départementales s'émurent très vite de ce contre-pouvoir menaçant. Quand elles ne purent les contrôler, elles firent en sorte de les désarmer et interdirent, en septembre 1790,

tout projet de rassemblements « sous le nom de fédérations de gardes nationales ». Les Gardes ne seraient plus
jamais le fer de lance d'initiatives populaires créatrices.
Encadrées, domestiquées, muselées, elles défileraient
musique en tête, livrées à la curiosité et préposées au divertissement des foules.

Prendre les mairies.

C'est pourquoi, avant même d'être absolument
convaincu que les Gardes n'avaient pas d'avenir, Saint-
Just se lança dans la bataille des municipalités, du reste liée
à l'évolution des fédérations. Leur action pouvait être
déterminante pour lutter contre les tenants de l'ordre
ancien. Mais peu de notabilités souhaitaient accueillir un
novateur aussi fougueux que Saint-Just. Dans leur majorité, la lutte avec le château ne leur semblait pas conforme
à leurs intérêts personnels. Beaucoup pensaient, pour le
moins, que le jeu n'en valait pas la chandelle. Ne pouvant
donc compter sur des notables partisans de la Révolution,
Saint-Just s'appuya sur les révolutionnaires et tenta d'en
faire des notables.

Le terrain choisi fut Manicamp, gros village surpeuplé
d'un millier d'âmes, où le mécontentement était vif depuis
longtemps. Le seigneur Lauraguais et son régisseur Fauconnier s'étaient attaché les faveurs de quelques hommes
en les laissant libres d'établir une assiette de la taille à leur
convenance. Des plaintes avaient retenu l'attention de la
Commission intermédiaire du Soissonnais : « La municipalité, rapportait celle-ci le 15 juin 1789, était devenue en
horreur aux habitants et plusieurs de ses membres
l'avaient abandonnée pour se ranger du côté des mécontents. » Les rares citoyens courageux qui, par le passé,
s'étaient dressés contre les abus, avaient fini par sombrer
dans le découragement, sauf, peut-être, Jean Gervais, ami
de Saint-Just. Le cahier de doléances de la paroisse demandait que le rôle des tailles fût revu car il avait été établi « en
faveur des membres de la municipalité au préjudice

du surplus des habitants ». La résistance était d'autant plus difficile à animer que le comte de Lauraguais s'était retiré dans son château dès les premiers soubresauts révolutionnaires et pratiquait une habile opposition. En 1794, la municipalité de Chauny le présentera comme un gentilhomme actif s'adonnant « à la culture de la pomme de terre ». Elle précisera qu'il avait hébergé, en 1790 et 1791, « un nommé Rivarol ». A deux lieues de Blérancourt résident donc deux des principaux animateurs des *Actes des Apôtres,* journal contre-révolutionnaire. Mais, contrairement à ses semblables, Lauraguais avait fait une analyse assez lucide, écrivant dès le 23 juillet 1789 : « On ne tire pas des coups de fusil aux idées » et, ripostant par des idées, n'émigrant pas, critiquant, persiflant, ridiculisant à chaque occasion le nouveau régime, il se rendait indispensable en alimentant les marchés démunis.

Dès le début de son activité politique, Saint-Just n'hésita pas à provoquer ce redoutable adversaire. A son retour de Chauny, après la réunion pour la désignation du chef-lieu départemental en mai 1790, les paysans du canton étaient venus à sa rencontre. « Le comte de Lauraguais, raconte-t-il à Desmoulins, fut fort étonné de cette cérémonie rusti-patriotique. Je les conduisis tous chez lui pour le visiter. On me dit qu'il est aux champs et moi cependant je fis comme Tarquin ; j'avais une baguette avec laquelle je coupais une fougère qui se trouva près de moi sous les fenêtres du château et sans mot dire, nous fîmes volte-face. » Ce défi ouvrait entre les deux hommes une lutte sans merci.

La première bataille s'engagea à propos de l'exploitation des terres communales. Sur ce terroir de Manicamp, au confluent de l'Oise et de l'Ailette, il s'agissait surtout de pâturages de fonds de vallée dont les habitants souhaitaient se partager les revenus. Or, la coutume était de louer les foins sur pied au plus offrant avant de laisser la collectivité disposer des regains. L'argent de la location alimentait théoriquement le budget communal, mais cette pratique était d'autant plus contestée qu'aucun rapport financier n'était rendu et que les routes et les dix-sept ponts du village n'étaient pas entretenus.

Dans la première quinzaine de juin 1790, Saint-Just et la municipalité de Blérancourt lancent une double offensive contre le château et les conseillers à sa dévotion, en donnant la consigne de ne plus payer les droits seigneuriaux. Lauraguais en rend compte à Babeuf en s'excusant de ne pouvoir lui faire une avance : « Il y a six semaines, lui écrit-il le 30 juillet, que pour avoir demandé de l'argent à mes débiteurs, au lieu de me payer un terrier, ils ont voulu se partager mes terres : depuis ce temps-là, je suis au milieu d'une insurrection qu'un brouillon de Blérancourt, nommé Saint-Just, a excité dans mes environs. Je ne puis avoir un sol de personne ; comme ma maison est entourée de larges fossés d'eau, j'y vis comme dans une citadelle mais j'y mourrais de faim si ma provision de farine était consommée. Vous n'avez pas idée de la rareté d'un écu. » Ces propos sont corroborés par une correspondance du procureur syndic au département : « Il n'y a pas un instant à perdre si vous voulez prévenir une insurrection... Mr le comte de Lauraguais à son particulier vous en saura gré. »

L'administration du district rapporte que la municipalité légale a été destituée et qu'une autre, « composée en partie de citoyens qui ne sont même pas éligibles », a été mise en place et prétend s'opposer à l'adjudication des foins communaux (fixée au dimanche 4 juillet) pour en effectuer le partage entre ses partisans. Les trublions semblent aussi vouloir s'emparer des papiers de la communauté. Les autorités, résolues à faire face, se proposent d'envoyer, le jour de l'adjudication, vingt-cinq hommes du détachement de cavalerie en garnison à Chauny, « même plus si le cas l'exige », mais elles craignent que la Garde nationale de Blérancourt ne vienne prêter main forte aux gens de Manicamp et ne provoque « des voies de fait qui pourraient causer un embrasement général dans les paroisses voisines de la ville de Chauny ». Aussi cherchent-elles à déterminer les motifs pour lesquels la municipalité de Blérancourt suscite ces troubles. Elles ont du reste contaté des entreprises de même nature dans d'autres villages, spécialement à Saint-Paul-aux-Bois ; mais là, les fauteurs de troubles se sont heurtés à l'opposition de « la plus saine partie des habitants. »

L'Administration départementale tranche en faveur de l'ordre établi. Dans sa séance du 6 août, en dépit d'une lettre d'explication adressée par « le sieur Saint-Just, avocat à Blérancourt », le directoire * préconise de rechercher l'identité des meneurs. Mais l'enquête s'enlise dans un mutisme général...

Concrètement, les résultats sont décevants. Les débiteurs du château ont, à l'initiative des gens de Blérancourt, cessé de verser leurs redevances mais les autorités en place, bien défendues, ont tenu. Saint-Just subit là sa première grande défaite de l'année : ses griffes de jeune loup n'étaient pas assez acérées pour faire tomber un Lauraguais. Même s'il a limité les dégâts puisque, faute de témoignages, on n'a pu l'inculper, il est désormais condamné à une relative prudence. En ce printemps, cette action témoigne des véritables perspectives politiques de son instigateur : lutte contre le pouvoir seigneurial, extension des droits et responsabilités civiques à ceux qui en sont exclus, partage des communaux.

MENACES SUR LE MARCHÉ.

La psychologie des hommes s'accommode mieux des offensives que des retraites, de l'action que de l'attente. Les extrémistes avaient attiré tous les regards et suscité tous les commentaires, puis avaient été contraints de se replier sur leur village et attendaient, anxieux, les réactions de leurs adversaires. L'affolement, sans doute attisé par les commentaires des bien-pensants, s'empara de Blérancourt où se produisit un phénomène un peu comparable à celui de la Grande Peur de 1789. C'est du moins ainsi que l'on peut

---

* Le département était administré par un Conseil général élu qui désignait un « directoire » pour le représenter dans l'intervalle des sessions.

interpréter la crainte, apparemment sans fondement, d'un transfert des marchés francs de Blérancourt à Coucy.

Les pauvres gens ne redoutaient guère des poursuites judiciaires : elles n'auraient pour eux que des conséquences superficielles, mais les marchés, en revanche, avaient une importance vitale. C'est à leur disparition qu'ils pensèrent d'abord comme à la catastrophe suprême. Tout le monde savait depuis longtemps que Coucy cherchait à ranimer l'activité économique ; la ville prétendait offrir le calme, la liberté et les garanties nécessaires à l'épanouissement du commerce. Or, après l'incident de la Saint-Nicolas et les troubles de juin et juillet, beaucoup estimaient que ces conditions n'existaient plus à Blérancourt. L'opinion publique était à l'écoute des rumeurs les plus alarmistes colportées par tous ceux qui réprouvaient les désordres. Saint-Just lui-même, semble-t-il, fut pris de panique. Il n'est guère facile d'assumer, à moins de vingt-trois ans, la responsabilité d'une action collective aux conséquences désastreuses. Cherchant un recours, comme le maire de Soissons quelques mois plus tôt, il écrivit à « M. de Robespierre ».

Dans ce premier contact en date du 19 août 1790, Saint-Just exprime la plus grande admiration pour le député d'Arras : « Vous qui soutenez la patrie chancelante contre le torrent du despotisme et de l'intrigue, vous que je ne connais que, comme Dieu, par des merveilles, je m'adresse à vous, Monsieur, pour vous prier de vous réunir à moi pour sauver mon triste pays... » Après avoir évoqué ce qui se trame, il l'informe d'une étonnante décision : « Appuyez, s'il vous plaît, de tout votre talent, une adresse que je fais par le même courrier dans laquelle je demande la réunion de mon héritage aux domaines nationaux du canton pour que l'on conserve à mon pays un privilège sans lequel il faut qu'il meure de faim. »

Un héritage contre un privilège, quelle étrange proposition ! S'il ne s'agissait que d'une marque de désintéressement, on ne s'en étonnerait guère, mais, seuls les propriétaires étant éligibles, Saint-Just renonçait du même coup à ses desseins politiques. Est-il alors vraiment sincère ?

Naturellement, sa proposition ne fut pas retenue et l'adresse échoua au comité d'Agriculture. On ne reparla pas non plus du transfert des marchés. Mais Robespierre ne se sépara jamais de la lettre du jeune Blérancourtois. Sans doute fut-il flatté de la chaleureuse admiration que lui exprimait son correspondant qui terminait ainsi : « Je ne vous connais pas, mais vous êtes un grand homme. Vous n'êtes point seulement le député d'une province, vous êtes celui de l'humanité et de la République. Faites, s'il vous plaît, que ma demande ne soit pas méprisée. » La signature était suivie du titre d'« électeur au département de l'Aisne » (il le précisait en toute occasion, comme s'il voulait le rendre familier afin qu'on ne pût le lui contester).

Ainsi, la Garde nationale avait été pour lui un instrument décevant et la conquête du pouvoir municipal n'avait pas donné les résultats escomptés. Constamment au combat, souvent hors-la-loi, Saint-Just n'avait pourtant pas ménagé sa peine. Mais la violence avait achoppé aux forces de tradition. Les grands espoirs du printemps s'étiolaient sous les lumières vives de l'été. La Révolution se stabilisait, des institutions s'organisaient et offraient des perspectives légalistes qu'en juriste Saint-Just allait s'efforcer d'exploiter.

CHAPITRE VIII

Le sursaut des notables

ÉLECTION DES JUGES DU DISTRICT.

Après sa formation en février 1790, le département de l'Aisne fut divisé en six districts * dont le plus petit, celui de Chauny, ne comptait que sept cantons. Comme aucune ville ne dominait indiscutablement cette nouvelle circonscription, l'administration fut installée à Chauny et la justice à Coucy-le-Château. C'était pour ce gros bourg une compensation de taille, car les tribunaux de district jugeaient en première instance les causes qui n'avaient pu être réglées par les juges de paix des cantons et en appel celles des districts voisins. C'est donc à Coucy que Saint-Just fut convoqué le 11 octobre 1790 avec les autres électeurs pour désigner les juges du district.

L'opération ne se déroula pas dans le calme ; les électeurs de La Fère se plaignirent de ne pas avoir obtenu la résidence du tribunal et ceux d'Anizy-le-Château protestèrent contre leur rattachement au district de Chauny et non à celui de Laon. Les électeurs de Coucy endurèrent patiemment ces manœuvres et invitèrent fermement leurs collègues à se plier aux décisions de l'Assemblée nationale. Saint-Just soutint cette proposition ; toujours aux avant-postes, il écrivit nerveusement au bas du procès-verbal : « Les électeurs du canton de Blérancourt, constants dans le

* Voir carte en annexe, p. 374.

respect dû aux décrets de l'Assemblée nationale, persuadés que la loi est sacrée et que l'Assemblée électorale n'a caractère que pour obéir aux lois positivement sans les enfreindre ni les restreindre.

« Déclarent qu'ils s'attachent à leur pouvoir qui ne s'entend que de la nomination des juges et refusent de prendre part à toute délibération étrangère ou discussion ou émission de vœu sur la fixation du chef-lieu de tribunal. »

Cette prise de position favorisait les habitants du canton de Blérancourt, beaucoup plus proches de Coucy que de La Fère. Elle était également conforme aux intérêts personnels de Saint-Just : il pouvait ainsi espérer se concilier la sympathie des magistrats de Coucy, notamment celle du lieutenant général Carlier, forte personnalité jouissant d'une large estime et qui fut d'ailleurs élu premier juge à une très forte majorité. Il savait que de telles relations lui seraient utiles aussi bien dans ses entreprises contre les seigneurs locaux que dans la question de son âge.

On ne manque pas, une fois de plus, d'être frappé par son absence de discrétion, par son audace, pour ne pas dire par son insolence. Le plus jeune des cinq délégués de son canton et de surcroît en situation illégale, il paraît totalement insensible à la fois à la précarité de sa propre situation et à la compétence reconnue de ceux qui l'entourent, en particulier Jean-Simon Lévêque, âgé de trente-sept ans, ancien correspondant de la Commission intermédiaire du Soissonnais, curé et maire de son village et administrateur du district. Sans le moindre égard pour celui-ci, il s'empare de la plume, rédige la déclaration commune et signe le premier...

Lévêque était un redoutable rival pour Saint-Just. Les charges que la Commission lui avait confiées l'avaient fait connaître. On le savait partisan d'un réformisme tranquille et ses rapports écrits, toujours fermes et empreints d'une déférente hostilité aux féodaux, plaisaient. On y trouvait quelques-unes de ces réflexions critiques qui distinguaient sans trop les compromettre les esprits modernistes. Beaucoup de notables estimaient ce curé intelligent, né sur leur sol, à Mercin près de Soissons, en 1753, et pour qui ils éprouvaient une sorte de complicité. Ils l'appréciaient à la fois pour ses idées, pour la modestie que lui imposait son état, pour sa culture, son talent et son savoir-faire qui les dépassaient. Ils le jugeaient parfaitement représentatif des valeurs qui leur étaient chères. Disposés à lui faire confiance et à lui déléguer leurs pouvoirs, ils l'avaient placé, cinq mois plus tôt, à la vice-présidence du district. Il ne pouvait qu'être encombrant pour Saint-Just, qui, toutefois, n'était pas dépourvu d'appuis à Coucy.

La ville avait choyé les électeurs, les plaçant chez les bourgeois les plus aisés, afin qu'ils « soyent plus honnêtement et tranquillement logés que dans des auberges ». Saint-Just avait été reçu chez Garot. Notaire et procureur, celui-ci était connu pour ses idées libérales. L'impétuosité de ses actions défensives dans des affaires d'empiétements seigneuriaux avait parfois été jugée excessive et lui avait attiré une certaine impopularité jusque dans son milieu. Saint-Just et Garot communiaient donc d'idées. Leurs relations furent étroites et fructueuses, le jeune homme profitant de l'expérience et des conseils de ce quadragénaire combattif. Dès son retour à Blérancourt, il lui témoignait sa reconnaissance en ces termes : « Je ne vous fais point ici de longs remerciements des honnêtetés dont vous m'avez comblé. Mais vous et Madame ne pourrez pas faire de plus grand plaisir à la famille que de venir la visiter le plus tôt que vous pourrez. » Il l'entretint aussi de ses préoccupations du moment : les problèmes posés par des spoliations de communaux à Vassens et à Blérancourt.

L'AFFAIRE DES COMMUNAUX.

Un conflit s'était élevé à Vassens entre le seigneur, M. de Beaumé, et les habitants au sujet de marais et de terres incultes servant de pâturages : aux termes d'une convention passée en 1764, le seigneur s'était engagé à n'en planter qu'un tiers de la superficie en laissant le reste à la jouis-

sance communautaire. Mais l'accord n'avait pas été res-
pecté et les particuliers, qui s'avisaient d'en faire usage,
étaient menacés de poursuites. Alerté, le bureau de la
Commission intermédiaire demanda que lui fussent
communiquées les pièces des deux parties. Mais l'abbé
Musnier, qui avait offert ses bons offices à ses paroissiens,
n'osait se les faire remettre de peur de mécontenter
Beaumé. En cas de différend, il n'était pas facile d'accéder
aux archives entreposées au château ou confiées à des
conseillers sur lesquels le seigneur avait barre. Un procès
était une entreprise hasardeuse et quelquefois ruineuse.
L'affaire s'enlisa et le curé se résigna malgré le concours
qu'il avait reçu de Saint-Just, confronté aux mêmes difficultés à Blérancourt.

Là, dès le 2 juillet 1790, la municipalité avait adressé aux
administrateurs du district une lettre où se reconnaît le
style de Saint-Just : « S'il était lâche et cruel, ce régime sous
lequel nous avons si longtemps gémi, qu'il nous paraît
doux ce passage rapide à un autre régime et si noble et si
pur. Ce gouvernement patriotique n'est plus qu'une chaîne
de prospérité dont vous tenez chacun un anneau. » Habilement les usurpations étaient imputées au régisseur et non
au seigneur, « honnête homme » dupé. Les conseillers sollicitaient l'arbitrage du district, « entre lui que l'on trompe
et nous que l'on dépouille ». Grenet pouvait difficilement
se dérober. Il fut décidé que des émissaires représentant
chacune des parties se rencontreraient le 15 octobre à Blérancourt et Saint-Just fut choisi comme porte-parole de la
commune.

Les alliés du château contestèrent la procédure et le
mandataire, et parlèrent même de concussion. Le jeune
homme protesta de son désintéressement et s'engagea à ne
léser aucun de ses concitoyens. Il pensait encore que la
solution aux problèmes économiques était affaire de
bonne volonté. A l'entrevue, le château ne nia pas le principe de la propriété communale, reconnut la nécessité d'un
bornage et proposa d'acheter ou de louer les communaux.
Satisfait, Saint-Just incita les siens à adresser au seigneur
leurs « sentiments de reconnaissance et d'attachement »

pour cet accord, lequel était « un pur effet de la bonté de son cœur ». Son enthousiasme n'était pas feint, il était convaincu d'avoir contribué à un arrangement satisfaisant : « J'ai remporté victoire sur ce que vous savez, confie-t-il à Garot, j'avais affaire à partie de bonne foi. » En réalité, il n'avait retenu des propos de son interlocuteur que ce qui pouvait plaire à ses commettants. Or, si le seigneur avait accepté de reconnaître les possessions de la commune, il entendait bien les acquérir. Saint-Just ne l'a pas perçu et se réjouit : « Pour moi, qui n'attache à l'emploi dont je suis chargé d'autre importance que celle de vous être bon à quelque chose, qui ne cherche point les honneurs, mais le bien et l'oubli ensuite, j'achèverai l'ouvrage qui m'est confié, trop payé sans doute par le plaisir de l'avoir fait. »

Il peut penser que l'affaire des communaux est virtuellement réglée, qu'il a rempli son mandat rapidement et sans conflit et que ses succès auront été plus nombreux que les revers en 1790. C'est donc dans un climat de relative euphorie qu'il aborde d'autres problèmes. Voilà précisément que l'élection des juges de paix lui donne la possibilité de frapper un grand coup.

UNE GRANDE OCCASION.

En assignant à chaque canton un juge de paix, les Constituants avaient misé sur la conciliation pour diminuer le nombre des procès et alléger la charge des tribunaux. Saint-Just partageait naturellement ce point de vue, et c'est avec espoir qu'il prépara cette élection fixée dans les sept cantons du district — dont celui de Blérancourt — au 20 octobre 1790. Pour lui et pour beaucoup de ses compagnons c'était l'occasion d'écarter ces baillis de justices seigneuriales, les Gellé ou les Thorin, qui depuis des décennies assignaient et requéraient. Les premiers mois de la Révolution n'avaient pas, à cet égard, apporté de notables changements : en 1789 et 1790 l'étude de Thorin-fils avait été assiégée par les gardes du château déposant contre des dizaines d'habitants des rapports pour délits de bois ou de chasse...

L'opération avait été minutieusement préparée : les maires avaient été alertés et certains avaient accepté, à Blérancourt par exemple, de porter sur les listes de citoyens actifs des habitants qui n'en avaient pas l'âge ou ne payaient pas une contribution suffisante (c'était du moins ce que leurs adversaires devaient leur reprocher). Sauf pour Thuillier, on ne peut guère étayer le bien fondé de ces accusations mais, entre avril et octobre 1790, le nombre des actifs du canton a augmenté de plus de 8 %.

Bien que ce soit le temps des semailles et un jour de semaine, Blérancourt dès l'aube bourdonne d'une animation insolite. A l'auberge de la *Grosse-Tête,* le propriétaire, Pigné, exprime des opinions modérées. Certains lui prêtent des sympathies pour les partisans de la stabilité. Son beau-frère l'épicier Beaumé, qui a épousé en 1788 la nièce de Levasseur, seigneur de Saint-Aubin, sera mis en état d'arrestation le 20 octobre 1793 pour avoir comploté avec Lévêque et Thorin fils et avoir déclaré publiquement que la France ne pouvait se maintenir sans roi. A la *Croix-Blanche,* en revanche, Pierre Thuillier est tout acquis à Saint-Just et son fils Victor est un ardent novateur. Les partisans du changement peuvent aussi compter sur le soutien de la *Croix-d'Or,* mais le tenancier, François Clay, devenu commerçant après avoir épousé la veuve Tostain, passe pour peu sérieux. Quant à François Monneveux, aubergiste dans la rue Neuve, c'est un révolutionnaire fougueux sinon désintéressé, avec lequel Saint-Just ne prendra ses distances que beaucoup plus tard.

L'assemblée appelée à élire le juge de paix et ses assesseurs pour chaque village a été convoquée dans l'église des Feuillants. Sont venus des douze communes du canton 427 citoyens actifs sur les 536 inscrits. Bien connu, l'abbé Lévêque impose d'entrée sa personnalité. Au premier scrutin, il ne manque que d'une voix son élection à la présidence de séance (213 voix sur 427). Les 82 voix qu'enlève Saint-Just pour le poste de secrétaire permettent de mesurer son audience. Mais, surprise, le lendemain Lévêque obtient 151 voix et Saint-Just 93. Il s'est sûrement passé quelque chose...

En dépit de la discrétion du procès-verbal, tout laisse supposer que la journée a été houleuse : on a demandé aux administrateurs du district de Chauny d'envoyer un député ou deux commissaires, vu « la perte de temps où tous se trouvaient pour la semence des grains ». C'est Saint-Just, craignant sans doute que les désordres ne soient imputés aux siens ou que la prochaine assemblée ne soit convoquée au chef-lieu de district, qui en a pris l'initiative. D'une plume fébrile, il a écrit : « L'assemblée primaire du canton de Blérancourt, divisée d'intérêts sans l'être de cœur et pleine de respect et de confiance envers Messieurs les administrateurs de district a arrêté par acclamation qu'elle les supplie de leur envoyer qui elle jugera à propos pour la concilier. L'amour de l'ordre et non la passion a eu part à cet arrêté. L'assemblée a délibéré en outre que le présent sera signé des maires de toutes les paroisses, du président, du secrétaire provisoire, des scrutateurs et du secrétaire rédacteur. » (Suivent les signatures de ces différentes personnalités dont celle de Saint-Just, « secrétaire rédacteur ».)

Le 24 octobre, la troisième séance s'ouvre sous la présidence de Maupertuis, l'un des membres du directoire de district, venu pour la circonstance de Chauny. Saint-Just a probablement changé de tactique car ses partisans entendent, cette fois, le porter non plus au secrétariat mais à la présidence. Au premier scrutin, il obtient 152 voix, plus que Lévêque (146). Ayant réuni « la pluralité relative » des suffrages, il est proclamé élu sans que l'on puisse savoir par quels moyens il a gagné 70 voix en quelques jours. Sans doute croit-il qu'il vient de remporter une grande victoire et qu'avec l'aide de ses amis il va pouvoir écarter Thorin candidat de ses adversaires en poussant l'un des siens à la justice de paix (lui-même n'y pouvant prétendre puisqu'il n'a pas trente ans).

La chimère fit long feu. Gabriel Liret, charpentier à Blé-

rancourt, travaillant pour le château, client et vieil ami de
Gellé, déclare alors que Saint-Just n'a pas l'âge requis pour
être citoyen actif. Partisans et adversaires de Saint-Just
échangent des insultes ; le procès-verbal parle pudiquement de « propos malhonnêtes et même de voies de fait ».
Étienne Guillot, un charron, bouscule le curé Lévêque.
Pour éviter les suites fâcheuses « de la rumeur », la séance
est levée. Le lendemain, les esprits sont apaisés. Saint-Just,
pour qui la grande affaire reste l'élection à la prochaine
Assemblée législative, ne souhaite sans doute pas que la
question de son âge soit tranchée au fond et remet sa
démission en demandant que soit insérée au procès-verbal
cette déclaration écrite de sa main :

« En m'honorant de la qualité de président vous
n'avez fait que donner un autre nom à la qualité de votre
frère et de votre ami que je possédais déjà :

« Mais comme j'attache plus de prix au sentiment qui
vous a fait porter le choix sur moi qu'à l'honneur de
présider, persuadé qu'on peut détruire ma qualité sans
détruire votre amitié.

« Parfaitement convaincu que ma jeunesse doit être
ici subordonnée, je remets la présidence entre les mains
de M. le commissaire.

Je ne me plains de personne, il y a déjà quelque temps
que je suis persuadé que le ressentiment ne mène à rien
de bien ni de bon.

« C'est un sacrifice que je fais, mais je le fais de grand
cœur, parce que rien n'entre dans mes principes que ce
qui amène le plus grand honneur de la loi et le bon
ordre.

« Quant aux reproches que l'on me fait sourdement, je
demande que tout le monde soit admis à les rendre
publics et qu'ils soient insérés dans le procès-verbal.

Je remets la présidence à M. le commissaire. Je
demande que le présent soit écrit au procès-verbal. Je
demande qu'il soit inséré dans le procès-verbal que celui
qui a levé la difficulté contre moi n'a pas dit l'âge. »

Saint-Just utilise ses arguments habituels (la modestie que lui impose sa jeunesse, le prix qu'il attache à l'amitié de ses compatriotes plus qu'aux honneurs, l'absence de ressentiment pour ses adversaires, l'exaltation de la concorde, la soumission à la loi et à l'ordre), mais il laisse planer l'équivoque sur son âge et profère une menace voilée contre son dénonciateur. L'intervention est habile. Il manifeste loyalisme, bonne volonté, esprit de concession et peut ainsi espérer qu'en échange le commissaire de district fermera les yeux sur son âge. Il cède sur l'accessoire en sachant que, désormais, il tient une majorité dans cette assemblée primaire.

Les modérés ont senti le danger. Ils sont exaspérés d'avoir vu en quelques jours leur confortable majorité se diluer sous l'effet de l'activisme d'adversaires résolus. Ils les accusent d'avoir multiplié les promesses, usé de la concussion et de la menace. L'un d'eux leur reproche d'avoir quêté des voix chez un certain Bigot oncle d'un filleul de Saint-Just : « Cela est faux et si faux que je vous prie de l'interpeller. Je fus chez son frère, à la vérité, mais seul ; j'y restai cinq minutes, et j'allais voir un homme dont j'avais tenu quelque temps avant le fils sur les fonts de baptême ; il ne fut question d'autre chose que de l'intérêt que je prenais à cet enfant. »

Après la démission de Saint-Just, Lévêque, appelé à son tour à la présidence, démissionne également, afin de ne pas entrer dans le jeu des agitateurs en acceptant le compromis. Aussitôt, ses partisans mettent en question la présence de nombreux électeurs qui ne payent pas la contribution équivalant à trois journées de travail. Volontairement imprécise pour tenir compte des situations locales, cette disposition avait provoqué un peu partout, et particulièrement dans le district de Chauny, de nombreuses contestations. La rémunération d'une journée de travail à la campagne passant du simple au double entre l'hiver et l'été, chaque commune interpréta la loi avec libéralisme ou rigueur (pour voter, il fallait être imposé de 30 sols à Vassens, 36 à Blérancourt, 45 à Cuts, 60 à Trosly). En outre, la région, sinistrée par l'orage de grêle du 13 juillet 1788, avait obtenu, pour l'année 1789, un régime fiscal adouci et de nombreux bénéficiaires de dégrèvements se trouvaient exclus de la liste des citoyens actifs. De plus, un certain nombre de jeunes ménages, même dans la population aisée, cohabitaient avec leurs parents, ce qui aggravait encore les difficultés d'interprétation.

Peu avant la Révolution, Lévêque avait dénoncé le « despotisme » de Gellé mais, dès l'automne 1790, effrayé par l'audace des pauvres conduits par Saint-Just, il s'était rapproché de son adversaire. Ensemble ils exigent maintenant que les listes électorales soient vérifiées et confrontées à celles des impositions. Mais lorsque le collecteur de Blérancourt veut déposer le rôle, ceux qui se sentent menacés l'en empêchent ; pour éviter des violences l'assemblée est alors à nouveau dispersée.

A la suite de ces incidents, le commissaire Maupertuis, le 26 octobre, dénonce les cabales, les intrigues, le truquage des listes électorales avec la complicité de certains maires. Afin de procéder à l'élection du juge de paix dans de bonnes conditions, il propose qu'elle se déroule au chef-lieu de district. Le directoire la convoque donc, pour le 7 décembre, à Chauny.

Saint-Just comprend que cette décision va exclure du scrutin beaucoup de ses partisans trop pauvres pour se rendre dans une ville aussi éloignée. Cherchant sans doute à montrer qu'il est étranger aux désordres, il ne vient pas à Chauny et quitte même probablement la région ; c'est en effet par courrier qu'il fait remettre à Thuillier le brouillon d'une motion invitant les autorités départementales à rétablir l'élection au chef-lieu de canton afin que le juge soit indiscutablement l'élu de tous. Dès le début de la réunion du 7 décembre, les listes sont vérifiées (sans que soit précisé le nombre des électeurs). En tout cas, la participation est faible avec seulement 205 présents au début de la séance et 143 votants. Et lorsque, le lendemain, on voudra désigner les assesseurs de village, 9 communes sur 12 n'auront aucun citoyen actif sur place... Cette fois, l'affaire est menée tambour battant et manifestement manipulée par Gellé. Lévêque est élu président de séance « aux applaudissements et acclamations unanimes » ; l'assemblée, toujours « unanime », fatiguée de tout ce temps perdu et souhaitant « retourner le plus tôt possible à ses ouvrages », exige que les trois scrutateurs soient désignés par acclamations sinon « elle allait sur-le-champ se dissoudre pour ne plus revenir ». Placé devant « cette circonstance critique », Lévêque laisse acclamer Thorin père, Lebrasseur, fermier de la Grange aux Moines, et Médart Labbé, fermier de Beauvoir : des hommes dont le choix souligne bien que le camp des adversaires de Saint-Just regroupait les plus gros fermiers.

La promptitude des opérations et la faible participation semblent avoir surpris les partisans de Saint-Just ; ainsi Thuillier n'arrive-t-il qu'au moment où l'élection du juge est presque terminée. Interpellé comme un intrus, il est accusé de ne pas payer les 36 sols d'imposition puis exclu « à la presque unanimité ». Par 108 des 143 votants, Thorin père est élu à la justice de paix ainsi stabilisée dans son milieu traditionnel : à Blérancourt le bailli de justice de l'Ancien Régime devient juge du nouveau.

Cet épisode, qui a tourné à l'épreuve de force, revêt une importance dans la vie locale aussi bien que dans la carrière de Saint-Just. A l'échelle d'un bourg comme Blérancourt, on retrouve d'inévitables conflits de personnes. Il est significatif que deux des protagonistes les plus virulents, le charpentier Liret et le charron Guillot, qui ont à peu près la même position sociale mais qu'opposent depuis longtemps des querelles de voisinage et d'héritage, prolongent leur affrontement sur le terrain politique. Au-delà de ces rivalités, les fermiers, les notables et leurs clients sont confrontés à une opposition rassemblant les jeunes et les pauvres. Défavorisés par les exigences du code électoral, ceux-ci compensent leur infériorité par la détermination, l'intimidation, l'éclat. Ils font traîner les choses en longueur, ce qui a pour effet de décourager les citoyens des campagnes, choqués par les excès et scandalisés par le temps perdu en pleine période de travaux des champs.

Saint-Just aurait sans doute fini par l'emporter si les modérés n'avaient dressé un obstacle à ses partisans en les obligeant à se rendre au chef-lieu. D'autre part, la lutte a permis à ses adversaires de mettre un terme à ses victoires successives et d'attirer l'attention sur sa minorité.

Ces revers furent pourtant bientôt contrebalancés par une entreprise littéraire grâce à laquelle il renoua avec le succès.

« Un petit Montesquieu... »

La réputation de Blérancourt passa-t-elle les frontières ? L'autodafé du « libelle infâme » fut-il commenté outre-Manche ? Un membre de la Société philanthropique de Londres manifesta-t-il son admiration à la communauté de ce bourg lointain ? C'est en tout cas ce que Saint-Just affirme en prétendant qu'une lettre venue d'Angleterre lui aurait inspiré l'*Esprit de la Révolution et de la Constitution de France*. D'après sa correspondance avec le libraire Beuvin, le manuscrit a été rédigé pendant le second semestre de 1790 et déposé avant la fin de l'année. Mais, à la suite d'embarras d'argent, Beuvin interrompit la fabrication du livre et l'auteur dut emprunter des fonds — probablement à l'un de ses beaux-frères — pour mener à terme la publication. Le 23 juin 1791, *le Moniteur* annonça un ouvrage signé de « Louis Léon de Saint-Just, électeur du département de l'Aisne ».

Le but, explique l'auteur dans son avant-propos, est d'analyser la Révolution dans « ses causes, sa suite et son terme ». Manifestement pourtant, il ne domine pas son sujet. Le traité politique manque d'unité, la pensée de fermeté. Les problèmes les plus divers sont abordés de la façon la plus arbitraire. L'impression de décousu est encore accentuée par l'absence de rigueur dans le raisonnement, les thèmes majeurs de l'ouvrage se trouvant dilués au fil des parties et repris avec des nuances, des réserves et des contradictions. Une certaine progression de la pensée est toutefois perceptible, comme si la plume s'efforçait de s'accorder au rythme vertigineux de l'actualité et au foisonnement des événements.

La critique du trône ouvre le propos, mais elle a perdu les aspérités provocatrices *d'Organt*. « Charlot » devient « Louis » et « Cunégonde » laisse la place à une « Marie-Antoinette plutôt trompée que trompeuse, plutôt légère que parjure ». On décèle même une sympathie plus grande pour le couple royal que pour la « multitude » complice des excès de juillet 1789 : « J'ai entendu les cris de joie du peuple effréné qui se jouait avec des lambeaux de chair en criant, *Vive la liberté, vivent le Roi et Mr d'Orléans* (...) Le peuple est un éternel enfant. » Une élite doit donc guider sa marche afin que la Révolution ne soit pas « une guerre d'esclaves impudents qui se battent avec leurs fers et marchent enivrés ». Mais, en même temps, Saint-Just ne conçoit pas la gestion des affaires publiques sans un large concours : un peuple qui ne serait plus la populace dangereuse de la rue parisienne lui apparaît comme souverain recours de la démocratie.

La noblesse a été écartée et l'Église remise à sa vraie place. Saint-Just adhère presque sans réserve à la monarchie constitutionnelle, approuve le *veto* suspensif * et les deux catégories de citoyens, et couvre d'éloges l'Assemblée nationale dont « la prodigieuse législation... ne pèche que dans quelques détails ». Il souhaite une patrie pacifique, un État compatissant aux malheureux, des lois douces. La peine de mort lui fait horreur et malgré sa vénération pour Rousseau il lui lance : « Je ne te pardonne pas, ô grand homme, d'avoir justifié le droit de mort. »

L'idée de vertu, déjà, imprègne ce petit livre. Dès la première page, l'auteur en parle à quatre reprises et souligne les « forces nouvelles » dont elle est porteuse. Elle répond à la plupart des interrogations posées par le régime en gestation. La noblesse est une injustice car « la loi n'a

---

* Donnait au roi la possibilité de s'opposer à la volonté des députés pendant la législature en cours et la suivante, soit, au maximum 4 ans.

point prescrit la vertu sublime ; elle a voulu qu'on l'acquît soi-même ». La liberté d'esprit avec laquelle l'Antiquité concevait la jeunesse et l'amour ne paraît hardie que « parce que nous sommes corrompus ». Quant au divorce et aux naissances illégitimes : « Les séparations outragent non seulement la nature mais la vertu. » « Toute patrie vertueuse se rendra la mère des infortunés à qui la honte aura refusé le lait et les caresses de la nature. » En matière judiciaire, il faut « arrêter l'injustice » car « c'est inspirer la vertu ». Le message évangélique a été altéré, pense-t-il, par l'Église, mais il faut sauvegarder la morale car « elle est la foi fondamentale de la vertu ».

Les sources de cet aimable ouvrage sont multiples : œuvres philosophiques, journaux, observations de la vie quotidienne. Mais l'influence de Montesquieu y est dominante, comme l'atteste cette réflexion du penseur de La Brède placée en épigraphe : « Si je pouvais faire en sorte que tout le monde eût de nouvelles raisons d'aimer ses devoirs, son prince, sa patrie, ses lois, qu'on pût mieux sentir son bonheur... je me croirais le plus heureux des mortels. » Entre l'*Esprit de la Révolution* et l'*Esprit des lois,* la filiation est perceptible à la fois dans le titre, la présentation, la formulation et la manière d'aborder les grands problèmes, mais aussi dans les réponses. Saint-Just emprunte à son modèle l'idée de la séparation des pouvoirs, le rejet du despotisme politique et du fanatisme religieux et l'enracinement de la morale dans une métaphysique. Comme lui également, il aspire à des rapports si possible contractuels entre les hommes et les pouvoirs.

Montesquieu suggérait au débutant qu'était Saint-Just une pensée, un comportement et un ton modérés, étrangers à sa nature. Néanmoins la lecture du jeune homme est sélective, accommodée au goût du jour. Qu'il s'agisse de la propriété, des représentants politiques ou de l'État, les formules originales ne manquent pas, mais elles ne retiennent guère l'attention tant elles sont allusives et se réfèrent à des idées ressassées — d'ailleurs souvent appliquées par le nouveau régime. Saint-Just s'illusionne un peu lorsqu'il confie à Beuvin : « J'ai traité de grandes choses et je suis entré quelquefois dans des routes nouvelles où la lecture ne m'aurait pas conduit. » Le lecteur, en définitive, retient les thèses que Saint-Just approuve bien davantage que les propositions qu'il avance.

En revanche, la forme frappe par sa vigueur. Le style est déjà dans la meilleure manière du Conventionnel. Courtes et incisives, les phrases sont ponctuées d'antithèses brillantes et d'aphorismes tranchants. Quand Montesquieu avait écrit : « Le peuple, dans la démocratie, est, à certains égards, le monarque ; à certains autres il est sujet », Saint-Just affirme : « Le peuple est monarque soumis et sujet libre. » Ailleurs, l'auteur de l'*Esprit des lois* déplorait : « Mais le peuple a toujours trop d'action ou trop peu. Quelquefois avec cent mille bras il renverse tout ; quelquefois avec cent mille pieds il ne va que comme les insectes », et Saint-Just résume : « Là où les pieds pensent, le bras délibère, la tête marche. »

L'écriture permet à Saint-Just de sublimer son besoin d'action ; elle est son remède et son espérance. Dès la dixième ligne s'exprime son désir d'être aimé : « Qui que vous soyez, puissiez-vous en le lisant [le livre] aimer le cœur de son auteur ! » Très vulnérable à l'humiliation, il rêve d'une gloire qui confondrait tous ceux qui l'ont sous-estimé : « Ne vous épouvantez point de la hardiesse de mes paradoxes, ceux qui ne disent que ce que tout le monde dit ne sont point lus », écrit-il au libraire Beuvin.

Cette soif de succès est indissociable d'une aspiration politique bien précise, l'entrée à l'Assemblée : « Si j'étais un peu plus connu par cet ouvrage, avoue-t-il encore à son éditeur, je serais un peu plus hardi à m'avancer et tout tient peut-être pour moi à cela. » Peut-être pense-t-il qu'en se faisant apprécier de tout le pays, il pourra impressionner son adversaire Gellé. Celui-ci approuvant en général les prises de position des hommes influents, Saint-Just espère-t-il prouver que son talent et sa maturité valaient bien une majorité ? Le livre n'est sûrement pas dénué d'arrière-pensées électoralistes. C'est le manifeste d'un jeune provincial frémissant d'ambition, tourné vers le monde politique et impatient de s'y mêler.

Mais il est encore trop tôt pour savoir vers qui — Barnave et les Lameth ou bien Robespierre et Desmoulins — le jeune auteur va se tourner. Pour l'instant, il demeure mêlé aux paysans de Blérancourt, confondu à leur sort, solidaire de leurs aspirations et de leur action.

CHAPITRE IX

Minorité et solitude

Travailleur infatigable, Saint-Just était sans cesse taraudé par le besoin d'agir. S'il avait pu espérer se présenter sans entrave aux élections législatives, il aurait préparé sa campagne électorale dans l'enthousiasme. Mais la crainte d'en être empêché à cause de son âge le consternait. Il n'avait certes pas renoncé au combat, mais il savait qu'un échec repousserait ses ambitions à l'horizon de 1793. La perspective de ces deux années d'attente le plongeait dans l'abattement et la mélancolie, d'autant plus que la paisible campagne de Blérancourt était un cadre trop calme et trop étroit : « Je suis isolé ici comme un saint, écrivait-il à Beuvin, et vie de saint est triste vie. » Il dit aussi combien il aimerait se trouver comme lui sous les arcades du Palais-Royal, noires de monde et animées d'une vie trépidante et manifeste soudainement une gaieté que l'on relève rarement : « Je ne sais qui éventa [sic] le caquet et la jaserie, badine-t-il, mais celui-là fut un génie bienfaiteur de l'espèce humaine. » Cet homme, dont l'histoire a souligné la raideur et l'austérité, savait manifester de la fantaisie, mais cet aspect, entrevu dans *Organt*, n'apparaîtra plus qu'exceptionnellement, tant le fardeau et la gravité des responsabilités lui imposeront un masque aux traits déformés dont la postérité a retenu l'image.

Afin d'absorber son dynamisme, il ne cesse de réfléchir, d'écrire et avoue à Beuvin : « Je m'ennuie et ce travail continuel dans la solitude m'obsède. » L'ambition de jouer

un rôle national le poursuit. Hanté par l'idée de sa minorité, il est prêt à tout pour sortir de cette situation insupportable. Il ose encore espérer, néanmoins, qu'avec l'appui
de ses partisans et la complicité de certaines autorités, il
pourra neutraliser Gellé. Mais celui-ci peut compter sur
l'appui du curé Lévêque. Saint-Just se trouve donc
confronté à la double hostilité de la seigneurie et des réfor-
mateurs modérés.

ÉLECTIONS DU PREMIER DEGRÉ.

En juin 1791, furent organisées les premières opérations
électorales pour désigner les membres de la prochaine
assemblée nationale, la Législative *. Les communes du
canton de Blérancourt avaient dressé de nouvelles listes de
citoyens actifs.
A l'évidence, la loi fut interprétée avec le plus extrême
libéralisme, sinon transgressée : les inscrits ont augmenté
de près de 25 % dans le canton et à Blérancourt de plus de
50 % !
Convoqués le dimanche 19, dans l'église de Blérancourt,
les citoyens actifs se querellent une fois encore à propos de
Saint-Just : Gellé, le chirurgien Massy et le fermier Labbé
dénoncent à nouveau son âge et demandent son exclusion.
Mais les autres tiennent bon et, « unanimement », le main-
tiennent... Thorin fils et le fermier Lebrasseur, deux alliés
du clan Gellé, sont élus le jour même, mais, le lendemain,
les électeurs boudent les urnes : seuls 141 votants désignent
Saint-Just et trois de ses partisans, ce qui confirme les
scrutins d'octobre-novembre 1790 : dans son canton,

---

* Le code électoral censitaire était complexe. Rassemblés au chef-
lieu de canton, les citoyens actifs (payant une contribution équivalant à trois journées de travail) devaient choisir 1/100ᵉ d'entre eux
(6 pour le canton de Blérancourt) qui seraient « électeurs ». Pour être
« électeur » il fallait payer une contribution équivalant à 10 journées
de travail. Ces « électeurs », convoqués par la suite au chef-lieu de
département, désigneraient les députés à la Législative parmi ceux
qui payaient une contribution d'un marc d'argent, soit 50 francs.

Saint-Just peut compter sur 100 à 150 voix, environ un quart des inscrits. C'est une assise électorale relativement étroite mais cohérente, déterminée et fidèle.

Au cours de ces opérations, l'habileté du futur Conventionnel et des siens fut de gagner du temps le premier jour et de dissuader leurs adversaires de se représenter le lendemain. Mais les nuages s'amoncellent. La validation de son élection, mise en question par le clan Gellé, embarrasse l'administration. De plus, par un malheureux concours de circonstances, c'est le 23 que paraît l'élégante et aimable apologie de la monarchie constitutionnelle, *Esprit de la Révolution et de la Constitution de France*, le lendemain même de l'arrestation de Louis XVI à Varennes !

La lettre à Daubigny.

Saint-Just cherche alors partout des alliés. Sa fameuse lettre à Daubigny du 20 juillet fut sans doute écrite à Noyon, au cours de l'un des fréquents trajets qu'il effectuait vers cette ville. C'est par étourderie ou précipitation (à moins que la transcription ne soit erronée) que la lettre est datée de 1792 : toutes les allusions aux personnes et aux événements se rapportent à l'année 1791 : « Je vous prie, mon cher ami, de venir à la fête », commence-t-il, évoquant la Saint-Pierre, fête patronale de Blérancourt fixée au premier dimanche d'août (et non une cérémonie maçonnique comme on l'a supposé à tort). Il se fait même très pressant : « Je vous en conjure. J'ai proclamé ici le destin que je vous prédis : vous serez un jour un grand homme de la République. » (Coïncidence : au même moment, Daubigny, alors proche de Robespierre, fait une incursion dans l'histoire en portant aux Feuillants, qui ont quitté le club des Jacobins après la fusillade du Champ-de-Mars, un appel au ralliement). « Depuis que je suis ici, poursuit Saint-Just, je suis remué d'une fièvre républicaine qui me dévore et me consume. » (...) « J'envoie à votre frère la *deuxième*. Procurez-vous la dès qu'elle sera prête. Donnez-en à MM. de Lameth et Barnave ; j'y parle d'eux.

Vous m'y trouverez grand quelquefois. » Le sens de cette « deuxième » s'éclaire au dernier paragraphe : « J'ai donné à Clé un mot par lequel je vous prie de ne lui point remettre d'exemplaire de ma lettre. » Daubigny ne connaît donc pas la teneur de cet écrit politique destiné à mettre en valeur le talent de l'auteur et approuvant les frères Lameth et Barnave. Il ne peut s'agir de la « deuxième » édition de l'*Esprit de la Révolution...* parue un mois plus tôt, probablement connue de Daubigny et muette sur Barnave. Il faut supposer que Saint-Just envoie à un « frère » la seconde partie d'un texte appelé à paraître sous forme de lettre et qui ne nous est pas parvenu. Il est tout à fait possible qu'il ait songé à écrire, après les graves événements de juin-juillet 1791, un complément tenant compte des événements récents et corrigeant des idées exprimées six mois plus tôt. Il était d'ailleurs familier des retouches : après *Organt*, il avait d'abord ajouté une clé, puis son *Dialogue* avec M. D... pour attirer l'attention sur la portée politique du poème. L'évocation des Lameth et de Barnave, alors au sommet de leur popularité et intermédiaires actifs entre le Trône et l'Assemblée, orateurs brillants et écoutés, s'explique sans doute par des préoccupations électorales : Saint-Just cherchait certainement à être remarqué par eux.

Redoutant par-dessus tout une indiscrétion du commissionnaire Clé, il recommande à deux reprises, et en termes forts, de ne pas lui confier d'exemplaire de sa lettre : « Je vous le défends très expressément, et si vous le faisiez, je le regarderais comme le trait d'un ennemi... j'espère que Clé reviendra les mains vides ou je ne vous le pardonnerai pas. » Clé, (ou Clef, ou plus souvent Clay) aubergiste à Blérancourt se faisait volontiers le messager de ses concitoyens et Saint-Just entretenait avec lui de bonnes relations. Acquis aux idées nouvelles, Clay passait pour peu sérieux auprès de ses amis, comme Thuillier l'écrivait à Saint-Just en janvier 1793 : « Ta maman te prie de ne pas remettre sa pelisse au citoyen Clef, parce que ce serait perdu. Ne lui remets pas la blouse que je t'avais mandée, car il la vendrait. » En fait, Saint-Just trahit son inquiétude : il veut à tout prix éviter que les autorités picardes soient informées de ses dernières options : « Tant que je n'aurai point un sort qui me mette à l'abri de mon pays, j'ai tout ici à ménager. » Il ressent l'inconfort d'une position en porte-à-faux : à Paris, la plupart des hommes politiques se sont, comme lui-même, définitivement détachés de Louis XVI après sa tentative de fuite du 20 juin ; mais, dans l'Aisne, les autorités rivalisent d'allégeance au souverain : derrière Lévêque, les administrateurs du district de Chauny envoient une adresse à l'Assemblée « pour assurer le roi de leur fidélité, de leur amour » et se féliciter de son « inviolabilité ». Partout dans la région circulent des pétitions en sa faveur.

Le jeune révolutionnaire se trouvait dans une situation particulièrement délicate. Au moment où paraissait son livre plein de ménagements envers la royauté, la brusque évolution des circonstances l'amenait, à l'aube de l'été 1791, à affirmer ses sentiments républicains auprès des gens influents à Paris, tout en s'efforçant de les dissimuler, au moins pour quelque temps, dans son département. Il pouvait redouter que l'*Esprit de la Révolution* d'une part et l'additif de l'autre ne soient utilisés contre lui, ici et là, par les hommes de l'un ou l'autre bord qui lui en voulaient.

Contraint depuis l'enfance à la dissimulation chez les Oratoriens puis envers M. d'Évry, obligé par ambition de mentir sur son âge et sa fortune, astreint à tenir un double langage aux paysans de Blérancourt et aux notables de Chauny, aux provinciaux et aux Parisiens, il sombre soudain, sous l'effet d'une tension intolérable, dans une brutale explosion de sincérité : « Allez voir Desmoulins, écrit-il à Daubigny, embrassez-le pour moi, et dites-lui qu'il ne me reverra jamais, que j'estime son patriotisme, mais que je le méprise, lui, parce que j'ai pénétré son âme et qu'il craint que je le trahisse. Dites-lui qu'il n'abandonne pas la bonne cause, et recommandez-le lui, car il n'a point encore l'audace d'une vertu magnanime. »

Pourquoi évoque-t-il Desmoulins ? Il est rare de rencontrer deux natures aussi dissemblables. Il y avait probablement chez Saint-Just une part de dépit. Dès le mois de mai 1790, il avait écrit au journaliste : « Je suis libre à l'heure qu'il est. Retournerai-je auprès de vous ou resterai-je parmi les sots aristocrates de ce pays-ci ? (...) « Si vous avez besoin de moi, écrivez-moi (...) Si vous avez quelque chose à faire dire à vos gens de Guise, je les reverrai dans huit jours à Laon où j'irai faire un tour pour affaires particulières. » Mais Desmoulins n'avait pas répondu à ses avances.

On sait aussi que Saint-Just brûlait de faire du journalisme à Paris ; il confiait à Beuvin : « J'ai envie d'entreprendre un journal jusqu'à ce que mes vingt-cinq ans me viennent (...) D'ailleurs je voudrais être à Paris pour fréquenter les bibliothèques dont je ne puis plus me passer. » Camille l'aurait-il dissuadé d'embrasser cette carrière ? Saint-Just ne manquait pas d'arguments pour souligner l'évolution politique de son interlocuteur et lui faire sentir combien ses actes s'éloignaient des principes affirmés depuis que son mariage avec Lucile Duplessis lui avait apporté l'amour et l'aisance. Desmoulins, lui, avait trop de talent pour ne pas se prévaloir de son passé et rappeler ses convictions républicaines exprimées dès le premier numéro des *Révolutions de France et de Brabant*, bien avant Robespierre et Marat. Il aimait aussi beaucoup trop la polémique pour ne pas opposer la soudaine « fièvre républicaine » de son jeune censeur aux positions opportunistes soutenues dans l'*Esprit de la Révolution...* ; il pouvait lui reprocher d'avoir justifié la royauté constitutionnelle et la citoyenneté passive et même lui rappeler, narquoisement, qu'au moment où il s'efforçait de se faire élire à vingt-trois ans, il félicitait le législateur d'avoir écarté des urnes « l'homme qui n'a pas vingt-cinq ans, dont l'âme n'est point sevrée ! »

Il y avait trop de scepticisme blasé à l'égard de la politique et de la morale chez l'un, trop de passion chez l'autre. Dès cette époque, se dessinent les premiers contours de ce que seront le dantonisme et le robespierrisme... Chez Saint-Just la blessure était profonde : « Adieu ; je suis au-dessus du malheur. Je supporterai tout ; mais je dirai la vérité. Vous êtes tous des lâches qui ne m'avez point apprécié. Ma palme s'élèvera pourtant et vous obscurcira peut-être. Infâmes que vous êtes, je suis un fourbe, un scélérat, parce que je n'ai pas d'argent à vous donner. Arrachez-moi le cœur et mangez-le ; vous deviendrez ce que vous n'êtes point : grands ». Quels graves griefs Saint-Just pouvait-il nourrir à l'égard de ses anciens amis ?

SAINT-JUST FRANC-MAÇON ?

Certains ont pensé qu'il fallait entendre le mot « frère » utilisé dans sa lettre au figuré, comme en usaient les francs-maçons, et que Saint-Just aurait vainement sollicité le parrainage de ses amis dans une loge parisienne. Pourtant, les indices sont plutôt négatifs. Dans *Organt*, l'auteur raille la célèbre loge des *Neuf-Sœurs* et, plus tard, le Bureau de police du Comité de salut public, qu'il dirigera, tiendra pour suspectes les organisations maçonniques. Rien, en outre, jusqu'ici ne permet d'affirmer que Villain ou Desmoulins aient été maçons ; tout juste sait-on que le père de Camille avait été « premier surveillant » à la loge *Saint-Jean sous le titre de la Franchise* à Guise mais il avait presque aussitôt cessé ses fonctions « à cause de ses absences fréquentes pour affaires ».

A Soissons, la loge des *Frères amis* réunissait quelques grands notables et hauts fonctionnaires de l'Intendance, du reste le plus souvent hostiles à la Révolution. Elle était si fermée qu'en 1781 s'était constituée la loge de *Saint-Julien de l'Aurore* et que le Grand-Orient de Paris, saisi du litige, avait tranché en faveur de la nouvelle loge. Le recrutement étant désormais moins élitiste, plusieurs Blérancourtois comme Constant Meurizet, procureur au bailliage, ou Pierre Gauthier, prieur des Feuillants (les religieux du bourg) entrèrent aux *Frères amis*, mais pas Saint-Just, trop jeune et sans état. De toute façon, l'activité maçonnique déclina à Soissons dès le début de la Révolution et le vénérable précisait dans une « planche » (une lettre) du 26 juillet 1792 à l'Orient de Paris que la loge y était dissoute « depuis plus d'un an ».

Cependant, s'il en avait eu besoin pour la suite de sa carrière, Saint-Just aurait sans doute pu entrer à la loge de *L'Heureuse rencontre de l'union désirée* à Noyon, où la famille Decaisne comptait plusieurs dignitaires. Son propre beau-frère, André François Emmanuel Decaisne, y avait été reçu « le 3e jour du premier mois de l'année de la vraie lumière 5788 » (3 mars 1788). Mais lui-même ne figure pas dans le tableau des « frères » en 1791, peu avant la dispersion de la loge. Cela ne veut pas dire que Saint-Just n'ait pas bénéficié de solidarités liées à la maçonnerie ou du soutien individuel de certains « frères », Decaisne par exemple. Toutefois, parmi les maçons il comptera toujours beaucoup plus d'ennemis que d'amis, à commencer par Beauvisage, seigneur de Guny, de la loge soissonnaise des *Frères amis*, Jean-Baptiste Hébert, affilié à la *Parfaite union* à Laon et plus tard à celle des *Enfants de la vraie lumière* à Chauny, emprisonné comme ex-noble et pour avoir rédigé une adresse favorable au roi. Faut-il aussi rappeler que Brunet d'Évry père et que Potier de Gesvres, jugé et guillotiné le 7 juillet 1794 sur ordre de Saint-Just, avaient été maçons ?

Il est donc douteux que Saint-Just ait cherché à se faire intégrer dans une société dépassée par les événements révolutionnaires aussi bien à Paris qu'en province et dont la plupart des loges avaient cessé leurs activités. En 1791, il savait bien que ce grand corps prestigieux et mystérieux avait perdu toute cohésion. S'il cherchait à se faire remarquer par les Lameth, dont l'un était du Grand-Orient, c'est l'homme politique et non le maçon qui l'attirait.

La vérité est plus simple. En 1788, Daubigny avait deux frères à Paris, l'un qualifié de « bourgeois » et l'autre de « premier valet de chambre de Monsieur le garde des Sceaux ». C'est probablement à l'un d'eux que Saint-Just fit appel pour faire reproduire la fameuse lettre à diffusion confidentielle. La très vive déception qu'il exprime à ses amis, tous deux ardents Jacobins, répond sans doute à leur refus de le présenter au grand club de la rue Saint-Honoré pour de prétendues raisons financières *.

Saint-Just n'en pouvait plus de végéter à Blérancourt — « O Dieu ! Faut-il que Brutus languisse loin de Rome ! » —

___

* Les non-députés pouvaient être admis au club des Jacobins sur présentation de 5 membres. Le droit d'entrée était de 12 livres et la cotisation annuelle de 24.

et le club des Jacobins, véritable séminaire d'hommes politiques, était alors beaucoup plus attirant qu'une loge pour
un aspirant à la députation.

EXCLUSION DE SAINT-JUST.

Tous ces élans désordonnés mettent en relief les sinuosités de sa ligne politique. Mais l'accessoire ne doit pas
masquer l'essentiel et il faut bien constater que l'itinéraire
est comparable à celui de presque tous les révolutionnaires
avancés. Isolé à Blérancourt, sans guide dans un entourage
hostile et propre à le décourager, Saint-Just affirme, dès la
fuite du roi, un républicanisme intransigeant. Il ne changera plus.

Plus de deux mois après leur désignation, les « électeurs » furent convoqués à Laon, le 4 septembre 1791, pour
choisir les députés à la Législative. Un rapporteur exposa
les difficultés soulevées par l'élection de Saint-Just à Blérancourt. Celui-ci avait pourtant écrit au président une
lettre lue en public où il prétendait « avoir justifié de son
âge ». Le lendemain, l'assemblée décida qu'il devrait le
prouver. Le 7, il déposa une nouvelle réclamation en invo-
quant la loi du 27 mars 1791 qui laissait à certains citoyens,
attaqués pour inéligibilité, l'exercice provisoire de leur
mandat. En l'absence de justification, Jean Debry consi-
gnait au procès-verbal : « Nous, président, l'avons [Saint-
Just] rayé de la liste des électeurs. » C'était fini. Le rêve de
participer à l'Assemblée législative s'effondrait.

Quelques jours plus tard, le 18 septembre, alors que l'on
procédait à Chauny à la nomination des nouveaux administrateurs du district, Gellé, électeur suppléant, demanda
à remplacer le titulaire évincé. Pièces à l'appui, il justifia
l'invalidation de Saint-Just et fut admis. Changement
symbolique : l'ancien pouvoir, un instant ébranlé, se raf-
fermissait.

A ces déboires politiques de l'été 1791 se sont probablement ajoutées des déceptions et des frustrations d'ordre
personnel. Depuis son retour à Blérancourt, l'existence

quotidienne rapprochait Saint-Just de Thérèse Gellé-Thorin. Une tradition veut même qu'ils aient entretenu alors une liaison clandestine. Les témoignages indiscutables sur ce qui se passera plus tard lui donnent toutes les apparences de la vraisemblance. Il n'est donc pas à exclure que des griefs d'ordre privé se soient mêlées à l'affrontement sans merci de deux hommes idéologiquement opposés.

CHAPITRE X

Un an encore aux côtés du peuple

A l'automne de 1791, la bataille pour les communaux de Blérancourt rebondit : Grenet, l'ancien seigneur, n'est pas vraiment disposé à les restituer. Face aux siens, déçus, et à ses adversaires, goguenards, Saint-Just se sent ridicule d'avoir, un an plus tôt, crié victoire. Il réalise, en même temps, que les bons sentiments ne parviennent pas toujours à concilier des intérêts opposés. Qui pouvait ressentir plus vivement que lui une telle humiliation ? « Vous connaissez l'homme à qui vous avez affaire, confiait-il à Beuvin, il a le cœur et l'âme élevés. » Il faut de la maturité pour se résigner au cynisme.

Puisque cette première conciliation avait échoué, il fallait donc que le problème fût repris sur de nouvelles bases. Les parties constituèrent alors des rapports et mémoires aux conclusions évidemment contradictoires. Le seigneur s'appuyait sur des déclarations de propriété élaborées au fil du temps, dont certaines remontaient au XVe siècle, et qui n'étaient pas toutes précises. Cette situation multipliait les sujets de contestation, mais les solutions se heurtaient surtout à un principe fondamental. En garantissant la propriété comme un droit naturel et imprescriptible, le nouveau régime était bien embarrassé pour dire le droit. Quelles que soient, ici et là, les volontés réformistes, les subtilités et les artifices juridiques, les propriétaires avaient la plupart du temps les moyens de défendre efficacement leurs intérêts en rassemblant leurs titres et même en puisant dans le nouvel arsenal législatif.

A Blérancourt, Gellé, pour le compte de Grenet, faisait observer qu'une grande partie des terres litigieuses avaient été boisées et tombaient sous le coup de la loi du 22 février 1791 ; celle-ci assurait pleine propriété et libre jouissance des plantations seigneuriales de plus de quarante ans sauf si les communautés souhaitaient les racheter à leur valeur actuelle. Blérancourt ne pouvait supporter une telle dépense. Gellé rappelait aussi que de nombreuses plantations remontaient aux années 1750-1751 et que certaines, apparemment plus récentes, avaient été reconstituées après des destructions avec l'accord total « de la partie la plus saine de la population ». Conseillé par Saint-Just, le procureur de la commune, Monneveux, faisait citer des vieillards ayant effectué de nombreuses plantations après 1752. C'était un dialogue de sourds. Les autorités départementales finirent par autoriser la commune à faire valoir ses droits. Saint-Just fut le défenseur officieux de Blérancourt auprès du tribunal de district à Coucy. Avec une minutie de juriste, il résuma les griefs de la communauté et opposa, aux dénombrements douteux établis unilatéralement par le seigneur, un usage qui remontait à deux siècles.

Très habilement, il arguait de ce que le seigneur et les habitants avaient qualité d'associés dans la propriété et la gestion des communaux : personne ne pouvait en droit s'approprier une partie de ces terres indivises et toute tentative en ce sens, à quelque époque que ce fût, ne pouvait qu'être frappée de nullité ; il reprenait là une argumentation juridique qui avait amené la Constituante à donner aux municipalités la possibilité de recouvrer des parcelles que les seigneurs avaient acquises par triage (reprise en pleine propriété du tiers d'une terre autrefois concédée gratuitement). Certaines plantations conférant une plus-value au domaine commun, leur récupération, admettait-il, donnait lieu à indemnité en faveur du seigneur, encore que celui-ci en eût tiré des bénéfices. Mais, il lui apparaissait inique que le châtelain prétendît à des remboursements de frais de plantation et d'entretien. Ce serait payer, disait-il, « le prix d'un délit qui a détruit le troupeau » (le troupeau de moutons communal était passé de 1 500 à 600 têtes).

Ce plaidoyer trahit l'évolution de Saint-Just. En octobre 1790, il évoquait « la droiture de Mr de Grenet..., la bonté de son cœur » qui méritaient « les sentiments de reconnaissance et d'attachement » de tous ; à présent, il dénonçait les « sinuosités du Sieur Grenet » qui avait, avant la Révolution, multiplié les bonnes paroles, les fausses promesses et les tergiversations et maintenant temporisait. A l'épreuve des réalités, le révolutionnaire se frottait à l'immense capacité de résistance de la noblesse que rien n'avait entamée. Décidément, tout n'était pas conciliable, il était impossible de convaincre les Gellé, les Grenet et les Lauraguais : « Quand un État est assez malheureux pour avoir besoin de violence, il a besoin d'infamie », avait-il écrit en 1790. Le pensait-il toujours, ou bien prenait-il conscience que seule la pression révolutionnaire devait faire plier les privilégiés ?

AVOCAT DE SES COMPATRIOTES.

Saint-Just poursuit ses entreprises dans le cadre de la légalité, multipliant les démarches officieuses auprès du juge de paix de Coucy pour le compte de ses concitoyens : la plupart des différends appelés en conciliation portent d'ailleurs sur des contentieux entre des particuliers et le château. On voit le régisseur Gellé défendre les intérêts de la seigneurie avec une constante âpreté. A Béjot, « bourgeois », il réclame huit années d'arrérages de terrage, c'est-à-dire la redevance d'une partie des récoltes ; il exige de quatre pauvres habitants de multiples droits. On voit Lauraguais, convoqué au bureau de paix pour un rachat de terrage, refuser de s'y rendre puis répondre que les offres sont insuffisantes.

« Bourgeois », marchands, modestes travailleurs (jardiniers, tisserands, tailleurs de pierres, maçons), Saint-Just les défend tous avec le même talent, dévoilant ainsi une

facette jusque-là inconnue de sa personnalité. Avec une
immense bonne volonté et un désir de conciliation qui
place ses adversaires en difficulté, il reconnaît que Béjot ou
Coupet ou Sevestre sont en retard de paiement. D'ailleurs,
lui Saint-Just, qui les représente, est disposé à payer ; il
montre 6 livres. Mais afin d'établir les droits, il serait sou-
haitable de consulter les archives authentifiant ces redevances. Gellé ne l'ayant pas fait, il propose de proroger la
citation ; devant le refus du régisseur, Saint-Just fait
remarquer que celui-ci devra bien devant le tribunal présenter ses pièces. Pourquoi ne pas le faire maintenant ? Le
juge ne pouvait qu'apprécier ce mélange de mesure et de
finesse, mais il était aussi impuissant que le jeune avocat.
Dans le marquisat, seules les suites du 10 août mettront un
terme à l'entreprise seigneuriale.

AUX MÂNES DE MIRABEAU.

   Dépourvu de droits politiques, avocat impuissant,
Saint-Just, n'avait légalement accès qu'à la Garde de Blérancourt. Il s'y accrochait. Le grade de « lieutenant-colonel » que Thuillier lui attribue dans les procès-verbaux et
que lui-même accole quelquefois à son nom masque une
réalité moins flatteuse, comme on peut le constater lors de
la réorganisation de cette milice en février 1792. Encore
une fois, les élections sont soumises à l'influence des gros
fermiers, dont deux sont élus « commandants ». Saint-Just
est seulement « commandant en second ». Cela ne l'empê-
che pas d'exploiter toute occasion et de transformer les
grandes circonstances en manifestations de propagande
politique.
   Le 13 mai 1792, les habitants de Blérancourt étaient
rassemblés au marais pour y planter l'arbre de la Liberté.
La journée, explique le procureur Monneveux, était placée
sous le signe de la liberté pour les citoyens et de l'effroi
pour leurs ennemis. On fit mettre la Garde nationale en
carré et Saint-Just s'adressa à ses concitoyens. Voulant
célébrer le premier anniversaire de la mort de Mirabeau,

dont le prestige était encore intact (du moins en province), il invita l'assistance à le suivre en cortège chez lui pour y quérir un buste du grand homme. On planta l'arbre et Decaisne prononça un discours (probablement rédigé par Saint-Just) : devant l'arbre et sous le regard de Mirabeau, l'orateur s'engagea, au nom de tous, à apporter aux « patriotes » la paix, la liberté, le bonheur et aux tyrans la guerre et la mort. Les ennemis de la Révolution « ont repoussé nos cœurs et nous avons porté chez eux les piques, le fer et la mort » (une vision pour le moins optimiste des premiers combats d'une guerre déclarée depuis trois semaines). L'exemple d'hommes comme Mirabeau ferait triompher leurs principes : oubli de l'intérêt particulier — la correspondance du tribun avec le roi sera découverte plus tard — et fidélité à la loi. « Notre poste véritable aujourd'hui, ajoute Decaisne, est sur la terre ennemie et violatrice de nos droits ; il est à la victoire ou à la mort ! La mort ne sera point pour nous mais pour les tyrans. L'arbre de la Liberté fera le tour de l'univers ; on le plantera à la porte de tous les esclaves et de tous les rois ; et s'ils l'abattent, il tombera sur eux. » Ce martial langage ne dut pas dépayser les Blérancourtois. Depuis l'automne de l'année précédente, ils s'étaient accoutumés à la proximité des soldats qui cantonnaient dans le bourg.

En ce printemps 1792, la population de Blérancourt, unie derrière ses autorités et son curé, adhère avec une certaine ferveur aux manifestations révolutionnaires. Ayant prêté serment à la constitution le 21 novembre 1790, l'abbé Flobert n'a jamais refusé son concours au nouveau régime. Il est de toutes les grandes cérémonies. Le 23 janvier 1791, en présence de Saint-Just, il transfère dans l'église paroissiale les châsses contenant les reliques de saint Côme lorsque le couvent des Feuillants est supprimé. Le 25 septembre 1791, il solennise l'acceptation de la constitution par Louis XVI en célébrant avec les corps constitués, la Garde et « tous les citoyens », la messe et les vêpres, suivies du chant du *Te Deum*. Dès la déclaration de la guerre il participe aux efforts de recrutement pour l'armée. Enfin, à l'issue de la cérémonie du 13 mai, il chante « la messe du Saint-Esprit pour tous les volontaires qui sont sur les frontières ». Saint-Just encourage cette collaboration entre le curé et les autorités favorables à la Révolution, ne perdant pas de vue l'aide que pouvait apporter Flobert aux forces de rénovation. Aucune trace de rupture n'apparaît, du moins jusqu'à son départ à la Convention.

« DE LA NATURE. »

Quand l'action ne l'accapare pas, Saint-Just s'adonne à la réflexion. Il commence la rédaction d'un nouveau traité, *De la Nature, de l'état civile (sic) de la cité ou les règles de l'indépendance du gouvernement.* Le plan prévoyait quatre livres. Deux seulement ont été rédigés, pour l'essentiel au cours des années 1791 et 1792. L'ouvrage est demeuré inachevé faute de temps ou parce que certains développements étaient devenus sans objet après le 10 août.

La lecture de ces quarante pages assez abstraites est difficile parce que Saint-Just donne à certains mots tantôt leur sens habituel, tantôt un sens qui lui est propre. Les idées de ce nouvel ouvrage présentent des analogies avec celles de l'*Esprit de la Révolution...* et même d'*Organt.* Mais la pensée est mûrie, approfondie et plus originale.

L'homme est naturellement sociable, écrit-il, et vivait à l'origine dans un « état social », c'est-à-dire en symbiose avec la nature où n'existaient ni l'élévation ni l'abaissement de la personne, où régnaient l'indépendance et la sûreté et dont étaient proscrites la violence et l'oppression. Chaque individu était assuré de sa « possession », une sorte d'acquis naturel, inaliénable, assurant à chacun la satisfaction de ses besoins et de ses affections. Cette société heureuse avait dû concevoir un « état politique » organisé autour d'une force capable de s'opposer à l'agression d'une société étrangère. Mais cette force a été annexée par un tyran, qui l'a utilisée pour s'assujettir ses semblables, menant ainsi les hommes d'un âge d'or à l'âge actuel. Toutes les lois furent depuis lors des lois de force et de violence sécrétant la dépendance, la domination, l'oppression et façonnant un homme nouveau qualifié de « sauvage ». Malgré des emprunts visibles, Saint-Just s'éloigne sur ce point de Rousseau (« ce grand philosophe a pensé que l'homme avait commencé par être sauvage mais il a fini par là »), et se rapproche de Bernardin de Saint-Pierre. Cette idée de la régression de l'humanité le porte à dénigrer les lois systématiquement. Toutes sont mauvaises, même si elles émanent d'un « contrat social ». Il y a chez le jeune théoricien un côté libertaire.

Les propositions frappent par leur libéralisme. Ses conceptions du mariage tranchent sur les mentalités de l'époque. Les unions doivent se réaliser sans contrainte, les séparations également, dans la mesure du moins où les enfants n'ont pas à en souffrir. Les rapports contractuels entre conjoints ne sont soumis qu'à leur propre volonté. Dans le même esprit, Saint-Just envisage avec mesure les problèmes de l'adultère et ceux de l'inceste.

Enfin, tout en manifestant son opposition formelle aux lois agraires, il voit dans la propriété dont chacun pourrait être doté le moyen d'assurer la conservation de tous les individus et leur attachement à la patrie.

De la Nature... fut médité dans la solitude. Si l'*Esprit des lois* l'inspire encore largement, il copie surtout la démarche et rejette plus de solutions qu'il n'en adopte. Ainsi, il emprunte à Montesquieu la distinction entre les « lois civiles », douces, à l'usage des particuliers et les « lois politiques », propres aux princes qui doivent gouverner par la force, mais il en fait le point de départ d'un système original. Il partage son horreur pour la loi agraire et son optimisme quant aux effets démographiques d'une redistribution de terres. Comme lui, il parle des rapports entre hommes et femmes, mais en tire des conclusions plus souples. Et, on l'a dit, il évoque avec modération la question de l'inceste que Montesquieu flétrissait.

ACQUISITION DE BIENS NATIONAUX.

Mais les événements de l'été 1792 allaient arracher
Saint-Just à ses méditations. Plus que jamais il songeait à
ses ambitions nationales. Le caractère tapageur d'initiatives dont il rehausse certaines manifestations publiques
n'est évidemment pas dépourvu d'arrière-pensées. Avant
les événements imprévisibles du 10 août, qui provoquèrent la désignation anticipée d'une Convention élue au suffrage universel sans aucune condition censitaire, Saint-Just
se préparait à des élections qui devaient intervenir à
l'automne de 1793. Âgé de vingt-six ans, il ne serait plus
confronté à l'obstacle de sa minorité. Mais restaient les
conditions de cens. Dès avril 1790 il s'était livré à une
nouvelle tricherie : avec la complicité de Thuillier, il s'était
fait porter sur les listes comme un contribuable payant
100 livres ! A cette époque, il n'avait pas d'activité rému-
nérée et n'avait pas encore hérité des biens de son père ;
même s'il avait pu en disposer, ils auraient représenté
moins d'une dizaine d'hectares de terre. A Blérancourt, à
l'exception du meunier et du receveur des droits de marchés, personne n'acquittait plus de 100 livres. La falsifica-
tion est d'ailleurs grossière. Le nom de Saint-Just a été
rajouté par Thuillier et le montant de la contribution,
d'abord porté à 200 livres, a été surchargé pour être
ramené à 100 ! Ce truquage a beaucoup contribué à entretenir une illusion sur l'état de richesse de Saint-Just.

Gellé ignorait bien entendu cette fraude, mais il connaissait suffisamment la situation de la famille Saint-Just pour
pouvoir mettre en doute le montant des impositions de
son adversaire. C'est probablement par crainte d'une difficulté de cet ordre que celui-ci acquit des biens nationaux
dans le district de Noyon, achat qui a donné lieu à des
interprétations tendancieuses au lendemain de Thermidor : « Le conspirateur Saint-Just », écrivait l'agent national du district de Chauny chargé de l'enquête, aurait acquis
des biens dans le district de Noyon « sous un nom

emprunté comme, à ce qu'on prétend, il a fait dans la Suisse ».

Saint-Just avait bien acheté le 20 juin 1792, sous son nom et son titre de « commandant du bataillon de la Garde nationale de Blérancourt », huit pièces de pré sises aux environs de Noyon, à Brétigny, Pontoise et Salency, en tout 14 faulx et demie * pour 13 275 livres. Il avait pris comme fondé de pouvoir Augustin Bontems, laboureur à Cuts, qui traitait lui-même directement avec des manouvriers chargés de la fenaison, en particulier un certain Pierre Cardon, « pêcheur de poissons » à Pontoise. Hucher, notaire à Noyon, percevait les fermages de Salency et en faisait transmettre le montant à Saint-Just par Bontems qui réglait au percepteur les contributions du Conventionnel. Mais comme Pierre Cardon et Augustin Bontems achetèrent eux-mêmes des biens nationaux, on a accusé les intéressés d'avoir été des prête-noms pour le compte de Saint-Just.

La malveillance eut d'autant plus de prise que les Bontems s'étaient fait beaucoup d'ennemis à Cuts, où ils avaient animé, dans les années 1780, un groupe de défricheurs, ce qui leur avait valu un procès intenté par la communauté. Les plus irréductibles, comme Augustin Bontems, s'étaient soumis de mauvaise grâce et, à la faveur des troubles révolutionnaires, avaient repris leurs empiètements, surtout à partir de 1790. Les officiers municipaux de Cuts les avaient alors cités devant le tribunal de district de Noyon, qui avait ordonné l'exécution des sentences, mais Saint-Just, au nom du Comité de salut public, était intervenu en leur faveur et avait ordonné une enquête.

Le Conventionnel prenait le parti d'hommes qui s'étaient dressés contre le château et la municipalité complaisante. Comme Gellé était bailli de Cuts, on retrouve dans ce village de l'Oise le prolongement de l'antagonisme Gellé-Saint-Just. Après Thermidor, les officiers municipaux dénonceront les Bontems aux administrateurs du district : « Leurs prétentions n'ont rien qui étonne lorsqu'il demeure constant que le traître Saint-Just était le protec-

* Voir carte en annexe. Une faulx : un peu moins de 43 ares.

teur d'Augustin Bontems avec lequel il était en relation et qui recevait pour lui. »

Ces achats de biens nationaux apparaissent en fait comme des achats de précaution, dans le contexte d'une législation électorale favorable aux propriétaires terriens et aux gros contribuables. La façon dont ils ont été acquittés est plus mystérieuse. L'effort financier était relativement modeste car le paiement pouvait être échelonné sur douze ans et les acquéreurs ne devaient fournir, dans la quinzaine de l'achat, que 12 % du prix. Saint-Just aurait donc dû débourser, en 1792, un peu moins de 1600 livres. Il est possible qu'il ait disposé de son patrimoine en avance d'hoirie, mais il semble plutôt qu'une partie des fonds nécessaires lui ait été prêtée : ainsi, en 1793, rembourse-t-il 400 livres à son ami Lely, de Blérancourt.

Ces acquisitions précédaient de moins de deux mois l'explosion d'août. L'Assemblée supprimait alors, dans sa séance du 10, toute distinction censitaire entre les citoyens. Le 12, elle abaissait l'âge de l'électorat à vingt et un ans, mais maintenait l'éligibilité à vingt-cinq. Le principe de l'élection à deux degrés fut conservé ; le 26 août aurait lieu la désignation des électeurs et le 2 septembre celle des députés. Saint-Just eut 25 ans le 25 août !

LE BENJAMIN DE LA CONVENTION.

Lorsque s'ouvrit, dans l'église de Blérancourt, l'assemblée primaire de canton, Saint-Just n'avait plus guère d'obstacles sur sa route. Gellié, qui avait si obstinément utilisé l'argument de l'âge, dut penser que la chance, cette fois, avait tourné. Vint-il seulement aux urnes ? Malgré la libéralisation du système électoral, l'abstention, comme partout en France, fut massive : 177 citoyens seulement votèrent et 164 désignèrent Saint-Just. C'était le plus grand nombre de partisans qu'il eût jamais rassemblés. Les cinq électeurs élus avec lui étaient tous des siens, en particulier son beau-frère Decaisne et son ami Thuillier.

Dès l'ouverture de l'assemblée pour la nomination des

députés à la Convention le 2 septembre en l'église Saint-Gervais de Soissons, Saint-Just fut élu vice-secrétaire, puis président du premier bureau de vote. Le 5 septembre au matin, il obtint 349 voix sur 600. Succès modeste par rapport à ceux des anciens députés à la Législative Quinette et Debry ou d'hommes très connus comme Thomas Payne ou Condorcet, respectivement élus dans quatre et cinq départements. « M. le président lui a dit deux mots sur ses vertus qui ont devancé son âge », précise le procès-verbal de l'assemblée de Soissons, et Saint-Just a répondu en « marquant à l'assemblée toute sa sensibilité et la plus grande modestie. »

Le 9, Saint-Just écrivait à son beau-frère Adrien Bayard : « Frère, je vous annonce que j'ai été nommé lundi dernier député à la Convention... » Il était bien ému ou bien fatigué pour communiquer avec une erreur de date la nouvelle de son élection qui remontait, en réalité, au mercredi. Il demandait à son parent de lui prêter pendant une quinzaine de jours son logement parisien.

Ainsi se terminait un séjour de près de trois années à Blérancourt. Des années fertiles en événements et en combats, des années d'efforts et de travail au cours desquelles la pensée avait mûri à l'épreuve de l'action. Après Thermidor, son ami Gateau devait promettre d'en révéler l'ampleur : « Je dirai quel était ton zèle à défendre les opprimés et les malheureux quand tu faisais à pied, dans les saisons les plus rigoureuses, des marches pénibles et forcées, pour aller prodiguer tes soins, ton éloquence, ta fortune et ta vie. » Il ne le fera pas, mais chacun peut mesurer ce qu'a pu coûter, en déplacements et sacrifices, une telle activité. Qu'en restait-il ?

Les nouvelles institutions, un moment porteuses d'espoirs, avaient déçu. La Garde nationale n'avait guère été un facteur d'émancipation. La fédération locale n'avait pas dépassé une union de principe entre deux villages sur les douze du canton. La Fédération nationale n'avait donné lieu qu'à un grand spectacle. Saint-Just n'avait pu vaincre. Avait-il su convaincre ? Moins du quart de ses

compatriotes lui apportaient son soutien alors qu'il s'était
dévoué à leur cause avec tant de ténacité.

Mais voilà qu'en un seul jour, le 10 août 1792, l'émeute
avait balayé la royauté et condamné à court terme la plupart des survivances du régime seigneurial. Saint-Just pouvait constater qu'un seul jour de violence révolutionnaire
avait donné à la France ce que trois années d'efforts obs-
tinés n'avaient pu procurer à son village.

Lorsqu'il quitta la Picardie, il méditait cette leçon. Quelques jours plus tard, mêlé à ses collègues de la Convention,
il allait s'en distinguer par sa jeunesse — il était le benjamin de cette assemblée — et aussi par son expérience. Qui,
parmi tous ces bourgeois, avait, comme lui, lutté au coude
à coude pendant trois annés avec le petit peuple ? Face à
tous ceux qui faisaient ou feraient la Révolution « en
haut », qui l'avait faite, autant que lui, « en bas » ?

CHAPITRE XI

Le roi doit mourir

La révolution commence quand le tyran finit.

SAINT-JUST, 27 décembre 1792.

Saint-Just gagna donc Paris, le 18 septembre 1792, deux jours avant l'ouverture de la Convention. Réunie pour la première fois le 20, elle était composée d'une majorité d'hommes qui avaient affirmé leurs sentiments républicains. La plupart des royalistes s'étaient abstenus ou avaient été écartés des assemblées électorales. Quelquefois même, lorsqu'ils avaient été convaincus d'avoir signé des pétitions en faveur du roi, comme à Soissons ou à Paris, ils avaient été exclus. A Paris, le scrutin s'était déroulé publiquement et oralement, enlevant ainsi aux modérés les chance que leur aurait donné le secret : même Marat, qui choquait tant de respectabilités à la Montagne, avait été désigné ! De cette ardente Convention, les Girondins allaient constituer l'élément tempéré alors qu'ils avaient siégé à la gauche de la Législative, bousculé les valeurs modérées et multiplié les attaques contre la royauté.

PROCLAMATION DE LA RÉPUBLIQUE.

Ces députés se savaient mandatés pour mettre un terme à une crise de régime qui couvait depuis la fuite du roi et qu'avait ouverte, le 10 août, la prise sanglante des Tuileries. Leur origine bourgeoise et leur activité politique ne les portaient pas, pour la plupart, à l'indulgence envers le trône. Valmy, le premier succès militaire de la Révolution, acquis opportunément le jour même de leur réunion, les confortait dans leurs convictions. Aussi, lorsque le 21 septembre, le député parisien Collot d'Herbois proposa l'abolition de la royauté, il ne rencontra guère de résistance. Tout au plus Basire, ami de Danton, s'efforça-t-il de tempérer l'enthousiasme en recommandant une discussion. Mais Grégoire, l'évêque constitutionnel de Blois, lui répondit vertement : « Qu'est-il besoin de discuter quand tout le monde est d'accord ? Les rois sont dans l'ordre moral ce que les monstres sont dans l'ordre physique. Les cours sont l'atelier du crime, le foyer de la corruption et la tanière des tyrans. L'histoire des rois est le martyrologe des nations ! » Ducos l'appuya en affirmant que toute explication serait bien inutile « après les lumières qu'a répandues la journée du 10 août ». Cette argumentation sommaire servit de débat. La décision fut prise à l'unanimité. La République était née. Étonnée, sans doute, de sa propre audace et comme pour se convaincre elle-même, la Convention décida de dater désormais les actes officiels non plus de l'an IV de la Liberté mais de l'an I de la République.

Cette victoire trop facile, acquise dans le désordre d'une fin de séance dépeuplée, portait une lourde charge d'ambiguïté. Elle suivait une initiative de Danton qui avait fait condamner, tout aussi unanimement, la dictature et la loi agraire : un coup à gauche, un coup à droite. Mais chacun savait que ce mouvement de balancier trop bien réglé ne pourrait pas camoufler indéfiniment les divergences. Tôt ou tard, au-delà de cette unité de façade, il faudrait bien répondre aux vraies questions : quelle liberté, quelle propriété, quel pouvoir ? Et puisqu'on avait supprimé la royauté, il fallait apporter une réponse à la plus urgente : que faire du roi ? Ce fut l'origine d'un long et douloureux débat qui exacerba les rivalités et les affrontements à la Convention et attisa les haines entre Girondins et Montagnards.

GIRONDINS ET MONTAGNARDS.

Ces groupes n'ont rien à voir avec nos organisations politiques modernes. Si, à cette époque, on discernait un rassemblement d'hommes attachés à faire prévaloir un programme cohérent, on le dénonçait comme une coterie, une sorte de perversion de la démocratie, que l'on appelait péjorativement une faction. Au fil du temps, des députés se sont pourtant rapprochés selon des affinités et ont pris l'habitude de réagir collectivement.

Les partisans de Brissot, baptisés Girondins par Lamartine, ont été présentés comme une émanation de la bourgeoisie côtière, naturellement attachée au libéralisme économique et favorable au commerce maritime. Les Bordelais étaient évidemment sensibles aux intérêts d'un grand port. Mais beaucoup venaient d'autres horizons. Brissot était de Chartres et Condorcet, né à Ribemont, était député de l'Aisne comme Saint-Just. Les Montagnards (qui siégeaient en haut des gradins, d'où leur surnom), de milieux peut-être moins aisés, semblent avoir été plus proches des artisans et des boutiquiers, plus familiers du peuple parisien : beaucoup se sont fait élire à Paris. Mais eux aussi, pour la plupart, sont des partisans convaincus de la propriété, condamnent la loi agraire et prônent un certain libéralisme économique.

Rien en fait ne laisse supposer que ces hommes vont se déchirer cruellement. Presque tous issus de la petite et moyenne bourgeoisie, ils ressentent une même hostilité à l'égard de l'opulence et des grandes fortunes, ils se sont les uns et les autres dressés contre le despotisme et sont sensibles aux valeurs de la démocratie. A quelques notables exceptions près, ils rejettent les croyances religieuses traditionnelles comme autant de superstitions et méprisent les prêtres. Toutefois, leur conduite procède d'intérêts et de tempéraments divergents. Elle est marquée par l'indépendance et l'originalité des plus fortes personnalités. Les relations d'amitié, les rivalités de personnes et les jalousies, l'influence des événements viennent perturber des clivages apparemment logiques. Si les préoccupations économiques sont importantes, elle sont loin d'être déterminantes. Le désir d'être, l'idéalisme, la foi en un messianisme révolutionnaire et les passions l'emportent chez certains dans les deux camps.

Sur la nouvelle Assemblée planait le souvenir affreux des massacres de septembre 1792. Certains faisaient la part belle à la spontanéité qui peut s'emparer en pareille circonstance de foules incontrôlées. Beaucoup même comprenaient la réaction de « patriotes », qui avaient perdu leur sang-froid à l'annonce de l'avance ennemie. Mais tous, au fond d'eux-mêmes, réprouvaient ces « septembrisades » qui bouleversaient leur sensibilité.

Elles devinrent pourtant une machine de guerre. Les Girondins s'efforcèrent d'en faire porter la responsabilité à leurs adversaires. Ils accusaient la Commune de Paris, mise en place le 10 août, d'être l'instigatrice du crime, Marat d'avoir appelé à la justice directe du peuple, Danton, alors ministre, de n'avoir rien tenté pour s'y opposer. Leurs attaques faisaient mouche et impressionnaient ces députés dont la grande masse siégeait à la Plaine, comme on disait alors, c'est-à-dire au centre. La Montagne se trouvait comme éclaboussée de ce sang innocent des prisons, et réduite à la défensive.

Expérimentés, réputés, sûrs d'eux, les Girondins s'imposèrent d'emblée en plaçant les leurs aux postes-clés. Sans discrétion ni délicatesse, ils peuplèrent les bureaux, les secrétariats et les commissions parlementaires. Ce sans-gêne froissait au centre bien des susceptibilités. C'était une grande faute politique que d'ignorer des hommes comme Sieyès ou Barère. Les Girondins avaient acquis l'art de maîtriser les débats parlementaires. Connaissant bien la salle du Manège, exiguë, incommode, avec son acoustique détestable, ils savaient ce qu'il fallait de voix pour se faire entendre d'une tribune centrale hors de la vue de certains députés, ce qu'il fallait de cris et de vociférations pour neutraliser les orateurs de l'opposition timides et délicats.

Ainsi, la situation leur paraissait favorable. Chaque jour

grandissait dans l'opinion l'horreur des tueries de Septembre. Ils entendaient exploiter l'émotion publique et englober dans la même réprobation les exécuteurs des basses œuvres, la Commune de Paris et les députés montagnards les plus en vue.

Tâche délicate. Les septembriseurs et tous ceux qui les couvraient étaient bien souvent ceux-là mêmes qui avaient abattu la royauté. Les Girondins pouvaient-ils prétendre à l'héritage du 14 juillet, du 20 juin, du 10 août sans en assumer les excès ? Tâche dangereuse aussi. La rue parisienne avait été le moteur de la Révolution. Elle avait balayé depuis trois ans tout ce qui s'était opposé à elle. Après avoir habilement exploité son action, la Gironde devait maintenant l'affronter mais, lorsqu'elle parla de réduire Paris à « 1/83e d'influence », elle provoqua une confrontation dans laquelle Saint-Just intervint directement.

A LA MONTAGNE ET AUX JACOBINS.

Saint-Just s'était immédiatement rallié à la Montagne et était très proche de Robespierre. Le jeune homme, on l'a vu, s'était directement adressé au député d'Arras, en août 1790, lorsque le marché franc de Blérancourt semblait menacé. Il est pourtant probable que les deux hommes ne se lièrent qu'au début de la session parlementaire. Sans le moindre pouvoir à ce moment-là, le député d'Arras était la cible de ceux qui cherchaient à lui imputer une responsabilité dans les tueries de Septembre. Mais, riche de sa longue expérience des assemblées et des clubs, il était parvenu à la maturité de son talent. Saint-Just devait beaucoup apprendre de lui quand viendrait le temps des grandes joutes oratoires.

L'occasion ne se fit guère attendre. Les Girondins estimant que la liberté des débats était entravée par les pressions de la rue, le ministre de l'Intérieur, Roland, proposa de lever une garde armée dans tous les départements. Les Montagnards y virent une menace ; ce fut l'objet de la pre-

mière intervention publique de Saint-Just. Comme la discussion avait été ajournée au Manège, c'est aux Jacobins
qu'il lut, le 22 octobre, son discours.

On y retrouve l'un de ses thèmes favoris : les particuliers, les groupes de citoyens, les gouvernements doivent
s'incliner devant la souveraineté populaire. Ce n'est pas
une milice mais le peuple qu'il faut armer. Ceux que l'on
qualifie aujourd'hui d'agitateurs sont ceux que la Cour
traitait hier de factieux. « L'anarchie, citoyens, est la dernière espérance d'un peuple opprimé ; il a le droit de la
préférer à l'esclavage et se passe plutôt de maîtres que de
liberté. » Il faut pourtant éviter la force, poursuit-il,
emprunter les voies de la philosophie et de la persuasion,
réserver la vigueur aux mauvais bergers et toujours se souvenir que la véritable anarchie « n'est point dans le peuple,
mais dans ceux qui règnent ou se disputent l'autorité ».

Ce premier grand discours valut à Saint-Just, selon le
journal des Jacobins, « des applaudissements moins vifs
que mérités ». A la rigueur, ces hommes pouvaient accepter une collusion de circonstance avec le pavé parisien,
mais difficilement approuver une justification des désordres.

Le projet ne fut pas voté. Cependant, sous l'impulsion
des Girondins, de nombreux fédérés affluèrent à Paris. La
tension monta. Saint-Just intervint à nouveau aux Jacobins, le 4 novembre, pour dénoncer les carences gouvernementales : « La cause de tous nos malheurs est dans la
situation politique ; quand les gouvernements sont dis-
sous, ils se remplissent de fripons comme les cadavres de
vers rongeurs. Je demande que le développement du système d'oppression soit toujours à l'ordre du jour ; j'invite
les membres de cette société et les sociétés affiliées à
dénoncer tous les traîtres. »

LE PROCÈS DU ROI.

La grande affaire de la fin de l'année 1792 fut le procès
du roi, car il concentra dramatiquement les effets d'un

double affrontement : celui de l'Assemblée et du roi puis celui de la Gironde et de la Montagne. Il contraignit indirectement tous les Conventionnels à donner une réponse à la question que pose, tôt ou tard, toute révolution : quand faut-il y mettre un terme ? Tous ceux qui souhaitaient en stabiliser les acquis cherchèrent, plus ou moins hypocritement, à sauver le roi afin de ne pas créer l'irrémédiable ; tous ceux qui voulaient aller plus loin virent dans le jugement l'occasion de franchir une étape décisive.

Au lendemain du 10 août, peu de voix se seraient élevées pour prendre la défense de Louis XVI. Mais le temps avait atténué le souvenir du sang versé, la Gironde l'avait bien compris. Aucun de ses membres n'était royaliste mais, pour des raisons d'opportunité politique, elle avait, semble-t-il, conçu le dessein de sauver le souverain. Elle pensait comme Danton : « Si on le juge, il est mort » et redoutait les effets de cette décision. Le caractère sans précédent de ce procès permettait toute sorte de manœuvres. Sous l'influence des Girondins, la Convention temporisa et confia à son comité de Législation l'étude de la procédure à engager. Cela prit plus de trois semaines. Enfin, le 7 novembre, le rapporteur Mailhe en présenta les conclusions : Louis XVI ne pouvait invoquer l'inviolabilité de « la personne du roi » inscrite dans une constitution qu'il avait lui-même violée et serait jugé par l'Assemblée elle-même.

Le 13 novembre, sur propostion de Pétion, on délibéra d'abord sur la question : « Le roi peut-il être jugé ? » Non sans duplicité, Morisson, député de la Vendée, très attaché à la personne royale, exprima combien il lui serait agréable de voir « le tyran sanguinaire » expier ses forfaits mais il n'entrait pas, concluait-il, dans les attributions d'une assemblée législative de juger un roi inviolable et sacré.

TRIPLE INTERVENTION DE SAINT-JUST.

Saint-Just monta alors à la tribune. « J'entreprends, citoyens, de prouver que le roi peut être jugé ; que l'opinion de Morisson, qui concerne l'inviolabilité, et celle du comité qui veut qu'on le juge en citoyen, sont également fausses. » Surpris, les Conventionnels l'écoutaient malgré son jeune âge et son absence de notoriété. Péremptoire, il poursuivait : « Moi je dis (...) que nous avons moins à le juger [le roi] qu'à le combattre », et il s'agaçait que l'on consacrât un temps précieux à un sujet aussi futile, indigne de législateurs réunis pour fonder la république. Trois semaines plus tôt, déjà, aux Jacobins, il avait laissé échapper son mépris : « Les grands revers et les grands coupables intéressent les petites âmes. » A la Convention il lançait de même : « On s'étonnera un jour, qu'au XVIIIe siècle, on ait été moins avancé que du temps de César : là, le tyran fut immolé en plein Sénat sans autre forme que vingt-trois coups de poignard et sans autre loi que la liberté de Rome. » Saint-Just ne laisse pas aux Conventionnels le temps de méditer sa dialectique envoûtante ; il les enferme dans la logique des événements. Si Louis était inviolable, il n'aurait pas été déchu et eux ne seraient pas là. En fait, le roi est un rebelle, car il a constamment violé la constitution dont il devait être le garant. Comment pourrait-il être jugé par les lois qu'il a détruites ? Une constitution est un contrat ; or il n'y a pas de contrat possible entre un peuple et un roi. Toute royauté est une usurpation, un crime : « On ne peut pas régner innocemment. » « On cherche à remuer la pitié ; on achètera bientôt des larmes ».

Ses auditeurs ne connaissent pas tous le long itinéraire qui l'a conduit à ces positions. Hier partisan convaincu d'une monarchie constitutionnelle et adversaire de la peine de mort, il réclame aujourd'hui la tête du roi. Il sait combien les partisans du souverain sont nombreux, puissants, soutenus par de multiples solidarités. Il a pu mesurer aussi, en province, son prestige. Un roi emprisonné ou en exil conservera son aura, éveillera la nostalgie, exploitera les difficultés de ses successeurs et sera une menace permanente pour la République. Il faut à jamais frapper la royauté, car l'établissement de la démocratie passe nécessairement par le sacrifice du roi. Comme pour tout ce qu'il entreprend, il n'envisage pas l'échec et termine : « Peuple, si le roi est jamais absous, souviens-toi que nous ne serions plus dignes de ta confiance, et tu pourras nous accuser de perfidie. »

Plus tard, son condisciple Lejeune devait écrire : « Saint-Just, au choix de ses discours, et surtout à ce talent de l'insinuation qu'il possédait au plus haut degré, entraînait le consentement et le suffrage. » On ne retint pas ce que son éloquence portait de reniement des idées humanistes, d'excès et de rhétorique ; elle fut applaudie chez les Montagnards et chez de nombreux Girondins. Pour Michelet, les tribunes « sentirent la main d'un maître et frémirent de joie ». Le journal jacobin *Le Républicain* en fit un compte rendu élogieux : « Un mot. Un seul mot sur les rois : il servira d'avis aux peuples qui en connaissent encore : " on ne peut pas régner innocemment ". C'est toi, Saint-Just, qui annonças si simplement cette grande et éternelle vérité. » Dans *Le Patriote français*, Brissot lui rendait également hommage : « Parmi des idées exagérées, qui décèle la jeunesse de l'orateur, il y a dans ce discours des détails lumineux, un talent qui peut honorer la France. » Au-delà des divergences politiques, des hommes tels que Brissot ou Vergniaud admiraient le nouveau venu, mais ce coup d'éclat faisait de l'ombre à leur propre éloquence et restreignait leur marge de manœuvre. Michelet notera : « Il avait eu cette puissance de donner le ton pour tout le procès. Il détermina le diapason. On continua de chanter au ton de Saint-Just. »

L'hypothèse de la trahison du roi rebondit quelques jours plus tard lorsque le serrurier Gamain vint révéler l'existence d'une armoire de fer qu'il avait dissimulée, à la demande du monarque, dans un des murs des Tuileries. Les papiers qu'on en sortit n'apportèrent pas la preuve formelle d'un appel à l'étranger, mais ils confirmèrent les relations de la Cour avec des émigrés et certains députés à la Législative dont les services étaient rétribués par l'intendant de la Liste civile. Ces pièces s'ajoutaient à de multiples présomptions et démontraient l'aversion de Louis XVI pour la Révolution et sa volonté de la mystifier. Cette découverte confortait l'analyse de Saint-Just.

Le 3 décembre, Robespierre demanda à son tour la mort sans jugement. Son discours, semblable à celui de Saint-Just, était remarquable de forme, mais en raison sans doute d'un sentiment de déjà entendu, des médiocres qualités oratoires de l'intervenant, il ne produisit pas une impression aussi forte que celui de son jeune collègue. La leçon ne fut pas perdue.

Les deux orateurs montagnards restaient toutefois isolés sur leurs positions extrêmes. Marat, lui, souhaitait un procès solennel qui écarterait à l'avance les accusations d'assassinat. C'était aussi l'opinion de la Convention qui décida de juger Louis XVI elle-même. Le revers subi par Saint-Just et Robespierre n'était qu'apparent, car leur position excessive, présentée avec éclat, avait eu un effet d'entraînement : le procès ne put être ajourné. Il débuta le 11 décembre et poussa la Gironde à de multiples manœuvres, en particulier pour accréditer l'idée que les principaux chefs montagnards (Robespierre, Marat, Danton) aspiraient à la dictature. Dès le 4 décembre, le Girondin Buzot avait proposé de décréter la peine de mort contre quiconque tenterait de rétablir la royauté « sous quelque dénomination que ce soit ». La formule montrait bien que l'orateur ne visait pas les véritables royalistes, mais les députés de la Montagne. Le 16, l'attaque fut dirigée contre Philippe-Égalité, ci-devant duc d'Orléans, député de Paris qui siégeait dans les rangs de la Montagne. Malgré son comportement ambigu il disposait de soutiens dans toutes les travées, y compris à l'extrême gauche, auprès de Camille Desmoulins et de Marat. Buzot, encore lui, insinua qu'après l'exécution de Louis XVI, Orléans revendiquerait le trône et qu'il fallait l'exiler tant sa popularité pouvait en faire un mortel danger pour la Révolution.

Au-delà des multiples liens que le prince avait tissés par son action politique et ses subsides, la motion de Buzot plaçait la Montagne dans un grand embarras : qui la rejetterait serait taxé de sympathie pour les Bourbons. En dissociant la personne du roi du principe monarchique, elle désamorçait l'argumentation simplificatrice de Robespierre et de Saint-Just et distillait le doute dans l'esprit de ceux qui assimilaient la mort de Louis XVI à la fin de la tyrannie. Saint-Just comprit que cette discussion pouvait provoquer de fratricides affrontements. Seule comptait pour l'instant l'élimination du roi. Le 16 décembre, il intervint à nouveau et déclara que le projet lui semblait inopportun : « On affecte, en ce moment, de lier le sort d'Orléans à celui du roi, dit-il, c'est pour les sauver tous peut-être ou du moins amortir le jugement de Louis Capet. » Il demanda qu'on sursoie au bannissement de la famille d'Orléans jusqu'au lendemain du jugement de Louis XVI.

Moreau, député de Saône-et-Loire, provoqua les rires en répliquant ironiquement : « Saint-Just... vous dit : " Ce moment n'est pas favorable pour chasser les tyrans " ; et gracieusement il vous propose de les garder tous dans votre sein. » Les rieurs se rendaient-ils compte qu'en maintenant Philippe parmi les députés, Saint-Just venait d'assurer une voix — et quelle voix ! — aux partisans de la mort de Louis XVI ?

Le 26 décembre, Louis XVI comparut pour la seconde fois et son avocat, Romain de Sèze, prononça un plaidoyer émouvant. Il rappela le passé libéral du roi. Monté sur le trône à vingt ans, le souverain avait tenté d'accomplir sa mission avec justice et bonté et de faire œuvre de réformateur, notamment en appelant Turgot. Depuis son arrivée, Louis impressionnait par son humilité et sa dignité grandies par les épreuves de sa longue incarcération. Il avait puisé dans sa foi ardente des ressources qui sublimaient un caractère jusque-là bien terne. En toute occasion, il opposait le calme aux outrages, la patience aux provocations.

L'habileté de l'avocat et le comportement royal pouvaient attendrir les Français et certains de leurs représentants : la Montagne sentit le danger. C'est encore Saint-Just qu'elle délégua pour ramener sur le terrain politique un débat que les raisons du cœur menaçaient de dévoyer. L'assemblée était sous l'influence de la plaidoierie de De Sèze lorsqu'il prit la parole (le 27 décembre).

Saint-Just rappelle l'hostilité sournoise et l'hypocrisie du roi à l'égard du nouveau régime : « Il a toujours affecté de marcher avec tous les partis, comme il paraît aujourd'hui marcher avec ses juges mêmes. » Il dénonce ensuite l'aval que le roi a donné aux abus ecclésiastiques et féodaux, les artifices qu'il a opposés aux lois réformatrices, son despotisme dissimulé sous de flatteuses et doucereuses paroles. Il évoque encore le 10 août : « On frémit lorsqu'on songe qu'un seul mot de sa bouche eût arrêté le sang. Défenseurs du roi, que demandez-vous ? Si le roi est innocent, le peuple est coupable. »

Un tiers des Conventionnels étaient juristes. Le légalisme était chez eux une seconde nature. De Sèze le savait et les avait troublés en lançant : « ... Je cherche parmi vous des juges et je n'y trouve que des accusateurs. Vous voulez prononcer sur le sort de Louis et c'est vous-mêmes qui l'accusez... » Saint-Just s'adresse à ceux qui se sentaient mal à l'aise d'être juge et partie : ils ne peuvent réserver leurs rigueurs au peuple et leur sensibilité au roi. Après avoir demandé l'exil des Bourbons, pouvaient-ils se laisser aller à l'injustice jusqu'à ménager « le seul d'entre eux qui fût coupable » ? Pouvaient-ils exercer la loi martiale contre les tyrans du monde et épargner le leur ? Ils sont la légitimité populaire, et l'appel au peuple serait inutile et dangereux : « Il n'y a pas loin de la grâce du tyran à la grâce de la tyrannie. » Il les contraint enfin à prendre leurs responsabilités en demandant que chacun monte à la tribune pour dire si « Louis est ou n'est pas convaincu ».

Ce discours valut à Saint-Just un nouveau triomphe. Les applaudissements de ses partisans furent si chaleureux qu'ils provoquèrent un avertissement du président, Barère : « Je rappelle aux citoyens que c'est ici une sorte de cérémonie funèbre ; les applaudissements et les murmures sont défendus. »

La Gironde se résolut à en appeler au peuple. Tous ses chefs intervinrent, mais sans concertation et sans accord sur les modalités de l'appel. Les uns, comme Salle, voulaient s'en remettre aux assemblées primaires et d'autres, comme Vergniaud et Buzot, entendaient proposer aux départements la ratification de la sentence. Ils se rendaient pourtant compte qu'une décision désavouée par le pays

aurait porté un coup terrible à l'Assemblée. Incohérence ?
Saint-Just l'a cru. Il avait écrit sur son agenda : « Le côté
droit voulait la mort du roi, et cependant les sots de ce côté
défendaient Louis ; c'est ce qui faisait dire à Fabre : " Ils
désirent la mort du roi, parce que sa vie est un obstacle à
leur ambition ; mais ils veulent conserver pour eux des
apparences d'humanité. Ils marchent ainsi d'une manière
sourde à leurs desseins ". »

LE VOTE.

Il est peu probable que la Gironde ait été spécialement
préoccupée par le sort personnel du roi. Certes, elle savait
que sa mort provoquerait un élargissement du conflit avec
l'Europe, mais elle s'inquiétait surtout de l'influence crois-
sante de la Montagne, soutenue par le peuple parisien dont
les sections pétitionnaient depuis la découverte de
l'armoire de fer, le 20 novembre. Les amis de Buzot disposaient d'une situation dominante en province et ten-
taient d'y entraîner le débat. Mais de nombreux députés
pensaient que cette solution n'était pas bonne et pouvait
conduire la Révolution à l'impasse. C'est finalement
Barère qui emporta la décision. Dans un remarquable discours, le représentant des Hautes-Pyrénées démontra que
le pouvoir devait rester à la Convention. Avec lui, ce 4 janvier 1793, la plus grande partie de la Plaine bascula et
apporta la majorité à la Montagne. La Gironde venait de
perdre une grande bataille.
   Saint-Just vota pour la mort du roi, contre l'appel au
peuple et contre le sursis, alors que la majorité des douze
députés de l'Aisne se prononçait pour l'appel au peuple ou
le sursis : Condorcet avait demandé « la peine de la loi la
plus sévère après la mort » et avait répondu au sujet du
sursis : « Je n'ai pas de voix ». Avec Saint-Just, seuls Quinette, ancien notaire à Soissons, et Le Carlier, ancien président du district de Chauny, réclamèrent la plus grande
rigueur. Comme si la géographie du département pesait sur
le vote...

Ce procès bouleversa en quelques jours les positions politiques fragilement établies par plus de trois ans de révolution. La Gironde, hier dominatrice, perdit tout prestige. N'ayant cessé de louvoyer, ses porte-parole ne purent sans se déconsidérer émettre d'autre vote que la mort du roi, dont ils ne voulaient pourtant pas. Répugnant à retomber dans le néant, les modérés et les hésitants durent s'engager par ce baptême du sang qui allait les lier durablement.

SAINT-JUST ET L'ISSUE DU PROCÈS.

Au cours de ces deux mois d'affrontement, Saint-Just et Barère avaient tenu les premiers rôles. L'exécution de Louis XVI et ce qui s'ensuivit découlèrent de l'union de fait de ces deux hommes. Barère avait entraîné le centre et Saint-Just avait donné un redoutable écho à la volonté de Robespierre. Cette convergence esquissait une alliance Plaine-Montagne pouvant relancer l'action révolutionnaire. « La révolution ne commence que quand le tyran finit » avait dit Saint-Just. La fin du « tyran » cimentait effectivement un groupe nouveau : celui des régicides. En guillotinant Louis XVI, ils avaient pulvérisé la vieille formule : « le roi est mort, vive le roi » pour affirmer : « le roi est mort, vive le peuple ». Le pouvoir avait changé d'essence. Saint-Just eut-il conscience que les représentants du peuple souverain incarnaient le nouveau pouvoir et devenaient à leur tour inviolables et sacrés ?

Dans l'immédiat, tout n'allait pas de soi. Bien qu'ils appartiennent à la même classe sociale, qu'ils aient reçu la même éducation et qu'ils partagent les mêmes valeurs, les régicides, venus de multiples horizons, étaient de sensibilités très différentes. Le consensus abrupt de janvier 1793 avait quelque chose d'artificiel et rassemblait des volontés fermes et vacillantes. En immolant le roi, ils avaient affermi une république ; il allait leur falloir maintenant s'accorder pour définir laquelle.

CHAPITRE XII

Écarter la Gironde

Il est nécessaire qu'il n'y ait dans l'État qu'une seule volonté.

SAINT-JUST, 28 janvier 1793.

S'UNIR POUR VAINCRE.

Quel homme politique n'a rêvé de rassembler tout un peuple dans une même œuvre ? Depuis 1789, la Révolution en avait offert l'illusion à travers les embrassades du 4 août 1789 ou les solennités du 14 juillet 1790. Saint-Just avait vécu ces espoirs qui s'étaient évanouis. Il en attribuait l'échec aux fourberies du trône et de ses soutiens. Il envisageait l'unité comme la première obligation du nouveau régime. Sans en avoir probablement mesuré tous les obstacles, il pensait pouvoir rassembler les citoyens libres autour d'une bonne constitution. Le jeune député n'imaginait pas les dissensions et les rivalités qu'allaient étaler, à la Convention et dans ses coulisses, tous ces hommes ardemment attachés à la Révolution. Il n'était pourtant pas sans percevoir, dans cette Assemblée bruissante des accents de toutes les régions françaises, d'étonnantes différences. Calme et laconique, il ne côtoyait pas toujours sans agacement les méridionaux de la Gironde qui emplissaient la vie politique de leur insouciante gaieté et de leurs éclats de voix. Sobre et discret, il n'appréciait guère ceux qui passaient une partie de leur temps dans le salon de Mme Roland ou celui des Valazé. Mais dans l'intérêt de la Révolution, comme la quasi-totalité des membres de l'Assemblée, il surmontait ses impatiences.

La perspective de leurs divisions provoquait chez ceux-ci une sorte de vertige qui les paralysait au seuil de la rupture. De plus, ils se savaient confrontés à un double danger : les monarchistes, soutenus par une coalition d'armées étrangères menaçaient et le peuple de Paris inquiétait. Énervée par une situation alimentaire toujours précaire, la rue était sensible à toutes les provocations. Dans ces conditions, les députés s'affrontaient mais, pendant longtemps, ils n'osèrent se frapper, d'autant que c'eût été violer un principe fondamental de la démocratie : l'immunité des élus du peuple. Ne pouvant s'exclure, ils étaient donc condamnés à s'unir. Saint-Just, en évoquant, le 22 janvier 1793, la précarité de la situation militaire, les rappela à la réalité : « Oubliez-vous vous-mêmes. La révolution française est placée entre un arc de triomphe et un écueil qui nous briserait tous. Votre intérêt vous commande de ne point vous diviser. Quelles que soient ici les différences d'opinions, les tyrans n'admettent point ces différences entre nous. Nous vaincrons tous, ou nous périrons tous. »

SAINT-JUST MIS EN CAUSE PAR LA RUE.

Les Montagnards sont proches du peuple de Paris mais ils ne songent pas encore à s'en faire un allié contre la partie la plus modérée de la Convention. L'incident qui mit en cause Saint-Just en février 1793 est, à cet égard, significatif. Le ravitaillement de la capitale étant toujours déficient, un groupe de pétitionnaires exigea avec hauteur d'être reçu à l'Assemblée. Choquée par la violence et l'arrogance du ton, la Convention refusa d'abord de les recevoir. Ils insistèrent, il fallut les entendre. Ils lurent alors une longue pétition vraisemblablement écrite par Jacques Roux, le « curé rouge » de la section des Gravilliers : « Citoyens législateurs, ce n'est pas assez d'avoir déclaré que nous sommes républicains français. Il faut encore que le peuple soit heureux ; il faut encore qu'il ait du pain, car là où il n'y a pas de pain, il n'y a plus de lois, plus de liberté, plus de république... » Et ils exigèrent que le blé soit taxé et que les contrevenants soient punis de dix ans de prison et les récidivistes exécutés. L'attaque était essentiellement dirigée contre les partisans de la liberté du commerce mais visait aussi les Montagnards qui pourtant avaient sur ce problème des positions moins tranchées. « On vous a dit, s'indignaient les pétitionnaires, qu'une bonne loi sur les subsistances est impossible. » Or Saint-Just avait affirmé le 29 novembre 1792 : « On ne peut point faire de lois contre ces abus, l'abondance est le résultat de toutes les lois ensemble. » Un tract des sections parisiennes le mettait directement en cause : « Quand le peuple sait que dans les assemblées populaires les orateurs qui haranguent et débitent les plus beaux discours et les meilleures leçons soupent bien tous les jours... de ce nombre est le citoyen Saint-Just : levez haut le masque odieux dont il se couvre. »

Saint-Just pouvait être légitimement indigné. Il n'a pas laissé, comme certains (Danton par exemple) le souvenir d'un viveur à l'affût des soupers fins. Et s'il avait bien soutenu qu'une réglementation brutale risquerait de couper de la Révolution les paysans, les marchands de blé et les acheteurs de biens nationaux, il avait affirmé son hostilité à une absolue liberté des échanges.

En fait, les sections de Paris s'attaquaient, à travers Saint-Just, à la gauche de la Convention. L'incident révélait un conflit de fond sur la démocratie et pas seulement une divergence d'appréciation politique. La redoutable force qui s'était manifestée lors des grandes « journées » révolutionnaires resurgissait à la Convention et étalait avec insolence ses aspirations. En mettant en cause le député de l'Aisne dont la réputation, assise sur quelques interventions brillantes, dépassait maintenant le cercle de ses amis, elle s'en prenait à l'Assemblée elle-même.

Saint-Just n'était point homme à subir sans répondre à ses détracteurs ; il alla s'expliquer devant les émeutiers. L'un des pétitionnaires révéla : « Ce matin, arrivé dans cette enceinte, nous nous sommes entretenus avec un de vos membres ; il nous a dit, qu'après la lecture de la pétition, il faudrait demander que la Convention s'occupât, toute affaire cessante, de faire une loi sur les subsistances pour la République entière. (...) On m'a dit qu'il s'appelle Saint-Just ; mais je ne le connais pas. »

« Quand je suis entré ce matin dans cette assemblée, déclara Saint-Just, on distribuait une pétition des quarante-huit sections de Paris, dans laquelle je suis cité de manière désavantageuse. Je fus à la salle des conférences, où je demandai à celui qui devait porter la parole si j'avais démérité dans l'esprit des auteurs de la pétition : il me dit que non ; qu'il me regardait comme un très bon patriote (...) Je lui dis : " Quelle que soit votre position, je vous invite à ne point agir avec violence ; calmez-vous et demandez une loi générale. Si la Convention ajourne votre proposition, alors je demanderai la parole, et je suivrai le fil des vues que j'ai déjà présentées. " Citoyens, je n'ai point dit autre chose. » Ce soutien aux revendications populaires, dans la stricte légalité d'une république naissante, mit un terme aux débats.

Les préoccupations premières de la Montagne étaient de ne pas heurter les possédants et de ne pas désorganiser davantage le système de distribution, si imparfait qu'il fût. Au début de l'an I de la République, Robespierre, Saint-Just et même Marat répugnaient à s'engager dans les voies d'une violence aux conséquences imprévisibles. Mais la guerre et ses contraintes allaient leur imposer un changement radical de politique.

MISSION DANS L'AISNE ET LES ARDENNES.

Dès le mois de février 1793, après que la Convention lui eut déclaré la guerre, l'Angleterre débarqua sur le continent un corps expéditionnaire, qui n'était pas en soi bien redoutable, mais annonçait que les hostilités allaient reprendre et s'intensifier. La Convention, qui avait travaillé jusque-là dans l'euphorie des victoires de l'automne, allait devoir faire face aux exigences d'un long effort militaire. Dumouriez en Belgique avait laissé les Austro-Prussiens s'établir solidement entre l'armée du Nord-Est de Custine et la sienne. Les troupes françaises, mal vêtues, mal nourries, avaient indisposé par leurs pillages les populations des régions occupées ; de nombreux volontaires avaient quitté le service en toute légalité ou même avaient déserté. De 400 000 hommes à la fin de 1792, les effectifs du ministre Beurnonville s'étaient réduits de près de la moitié alors que Saxe-Cobourg s'apprêtait à lancer une grande contre-offensive.

Devant la montée des périls, la Convention décrète, le 23 février 1793, la levée de 300 000 hommes et, le 9 mars, décide d'envoyer dans toute la France 82 représentants du peuple, constitués en équipes de deux membres, chaque équipe étant responsable de deux départements. Investis de pouvoirs étendus sur les autorités civiles et militaires, les représentants ont mandat d'enquêter et même d'ordonner des arrestations de suspects afin de hâter la levée.

Saint-Just est envoyé avec Jean-Louis Deville, député de la Marne, dans l'Aisne et les Ardennes. C'est une mission de confiance car le nord de cette région avait vu passer la guerre quelques mois plus tôt et se trouvait exposé à une attaque austro-prussienne. Alors âgé de trente-cinq ans, avocat à Reims avant la Révolution, Deville avait habité, dit-on, avec Saint-Just chez le boulanger Fouet en 1787 et 1788. Tous deux s'étaient retrouvés sur les bancs de la Montagne à la Convention et avaient eu la même attitude lors du procès du roi. La jeunesse de l'un était compensée par la maturité de l'autre.

Contrairement à ce que l'on a longtemps cru, les deux représentants se rendirent bien dans l'Aisne, où leur présence est attestée par plusieurs documents. De Soissons, le 15 mars, le chef de légion Pirlot, commissaire du département, écrit que « les citoyens Saint-Just et Deville, membres de la Convention nationale, sont arrivés aujourd'hui à une heure et demie » et que l'après-midi a été consacré à une longue conversation sur les modalités de recrutement. Après avoir critiqué l'injustice des levées, les deux Conventionnels se sont rendus aux raisons du commissaire et signé l'état qu'il avait préparé.

Conformément aux instructions, Pirlot avait déjà commencé les opérations de recrutement, mais trois volontaires seulement s'étaient inscrits. Les représentants organisèrent alors le lendemain, dans la cathédrale, une assemblée publique qui s'ouvrit aux accents de la *Marseillaise*. Saint-Just prononça un discours « pathétique et capable de réchauffer le civisme des patriotes les moins ardents », puis engagea chacun à venir déposer « sur l'autel de la patrie un don patriotique pour donner des secours aux citoyens qui marcheraient à sa défense ». En une heure et demie 4 000 livres furent collectées.

Mais Saint-Just pouvait constater le peu d'empressement à s'engager. Les accents de la *Marseillaise* et les paroles émouvantes entraînaient moins l'adhésion que les arguments économiques. Seule la perspective d'une prime substantielle retenait l'attention. Saint-Just jugeait donc équitable de faire participer l'ensemble des citoyens à l'amélioration des faibles avantages que la République voulait offrir aux volontaires. Par leur présence, les Conventionnels faisaient pression sur les Soissonnais ; il ne s'agit, pour l'instant, que de contrainte morale. Mais déjà l'opération reposait sur le principe de la solidarité nationale mis en œuvre plus tard en Alsace, de façon plus systématique et brutale.

Le 20 mars, les députés Beffroy, Quinette, Debry et Condorcet annonçaient au Conseil permanent de Laon l'arrivée de Saint-Just et Deville. Mais les deux hommes, en possession de « renseignements particuliers », avaient décidé de poursuivre leur mission en direction de l'Argonne et de visiter les places fortes de la vallée de la Meuse. En outre, comme la moitié des champs n'avait pas été ensemencée à cause de la guerre, ils s'efforcèrent de trouver de l'avoine et de l'orge pour les semailles de printemps et ouvrirent les greniers des émigrés aux paysans du district de Granpré. Ils devançaient ainsi de quelques jours la Convention qui autorisa, le 25 mars, l'ensemencement des terres des émigrés et confisqua leurs greniers au profit de la nation.

Après avoir contrôlé les places de Sedan, Mézières, Charleville et Givet, les deux commissaires se séparèrent probablement car, le 28 mars, Pirlot informe le département d'un nouveau passage de Saint-Just à Soissons : « [Il] est venu ce matin à 8 heures au district et j'ai eu avec lui une conversation détaillée sur les objets qui nous manquent pour le départ des volontaires. Il y a ici dans les magasins de la République plusieurs effets qui nous seraient bien nécessaires mais les commissaires des guerres nous ont fait observer qu'ils ne pouvaient ouvrir leur magasin que par ordre du ministre. Le citoyen Saint-Just nous a promis d'en faire son rapport à la Convention mais tous ces retards nous arrêtent. »

Dans l'Aisne et les Ardennes, la levée s'effectua sans enthousiasme mais sans passion. Le contingent n'était pas toujours de qualité : s'étaient présentés des estropiés, des débiles flattés par la soudaine considération dont ils étaient l'objet ou simplement alléchés par la prime. Certains désertèrent dans les jours suivants. Il fallut déjouer les supercheries et exiger des autorités locales le remplacement des tricheurs, besogne qui absorba l'activité des agents nationaux pendant plusieurs mois. Mais dans l'ensemble la levée fut réalisée dans des conditions convenables ; nulle part on n'entendit ces cris de « Pas de tirement, à bas la milice ! » qui avaient allumé l'incendie vendéen dès le début du mois de mars.

En revanche, l'équipement et l'encadrement des recrues pâtirent d'un grand désordre. Les hommes ne devaient rejoindre leurs unités qu'une fois habillés et armés, mais les administrations locales manquaient de ressources. Saint-Just avait constaté à Soissons, et sans doute aussi dans d'autres villes, que les équipements, disponibles dans les magasins, ne pouvaient être distribués sans l'accord du ministre de la Guerre. Il avait écrit plusieurs fois à Beurnonville mais n'en avait reçu aucune réponse. Mesurant alors les limites de ce qu'il peut entreprendre, il met un terme à sa mission et rentre à Paris.

Le 31 mars, il anime la séance du club des Jacobins : « J'annonce à la société que Beurnonville est un traître. Citoyens, je n'ai pas trouvé un seul homme de bien dans le gouvernement, je n'ai trouvé de bon que le peuple. » Il expose les déficiences qu'il a constatées. Pas d'armes, pas de munitions en suffisance. Il a cru bon de revenir à Paris pour en rendre compte au comité de défense générale et menace, au cas où ses avis seraient négligés, de retourner dans les départements et de faire exécuter les mesures qui s'imposent.

Le jugement de Saint-Just est d'une grande sévérité. Beurnonville méritait sans doute un qualificatif plus approprié et nuancé que celui de traître : après cette accusation, le ministre de la guerre se rendit sur le front pour s'opposer aux menées suspectes de Dumouriez, qui le fit arrêter et livrer à l'ennemi comme otage. Ministre depuis deux mois seulement, il n'avait pas eu le temps de maîtriser la situation. Pouvait-on lui en tenir grief ? Pache, son prédécesseur, avait été remplacé pour incapacité et Bouchotte, son successeur, fut à son tour très discuté. Tout était à faire. Il fallait à la fois mettre en place des structures pour répondre à l'effort de guerre et résister à une coalition d'ennemis extérieurs et intérieurs. Cela supposait une concentration d'autorité dont Beurnonville ne disposait aucunement, pas plus que Bouchotte après lui. Dans ce domaine comme dans d'autres, la fonction finit par échoir au Comité de salut public qui se subordonna de plus en plus le ministère.

Au cours de sa mission, Saint-Just avait saisi la gravité de la situation. Sa violence à l'égard de Beurnonville exprimait peut-être une antipathie personnelle mais surtout sa colère et son angoisse. La Révolution n'avait pas les moyens de sa politique ; les Girondins avaient engagé la guerre sans en imposer les contraintes.

LA « RÉVOLUTION DU 2 JUIN ».

Au même moment s'accumulent les nouvelles catastrophiques. Le 12 mars, lors des opérations de recrutement à Saint-Florent-le-Vieil, ont éclaté les premiers troubles de ce qui va devenir la guerre de Vendée. Sur le front belge, le 18, les Impériaux écrasent les armées françaises à Neerwinden. Dumouriez, qui manifestait depuis longtemps déjà une grande indépendance d'allure, négocie secrètement avec Cobourg, tente vainement d'entraîner son armée contre Paris et, le 5 avril, finit par se réfugier chez l'ennemi avec le fils de Philippe-Égalité. Sur le Rhin, Custine laisse enfermer plus de la moitié de son armée, soit 25 000 hommes, dans Mayence, évacue la rive gauche du Rhin et se replie à Landau. La seule bonne nouvelle de cette campagne de printemps aura été la résistance de l'armée aux entreprises félonnes de Dumouriez : elle sauve momentanément la Révolution.

Ces événements dramatiques aggravèrent les divergences de fond à la Convention. Les Girondins qui, non sans légèreté, avaient précipité le pays dans l'aventure militaire, constataient qu'elle alimentait la dynamique révolutionnaire. Ils voulaient maintenant la paix à l'extérieur et à l'intérieur dans la stabilité des avantages acquis. En attendant, ils poursuivaient la guerre avec mollesse. Les Montagnards au contraire, derrière Robespierre et Saint-Just, voulaient poursuivre la Révolution, mais comprenaient la nécessité d'un appui populaire. « Il faut très impérieusement faire vivre le pauvre, écrit Jean Bon Saint-André à Barère le 26 mars, si vous voulez qu'il vous aide à achever la Révolution. Dans les cas extraordinaires, il ne faut voir que la grande loi de salut public. » Le danger contre la patrie radicalisait les oppositions politiques. L'âpreté de la lutte contraignit les adversaires à s'engager davantage. Chacun dut choisir son camp. Chaque camp dut compter les siens. Par souci d'efficacité, beaucoup perdirent toute retenue. Des itinéraires, jusque-là inimaginables, allaient se dessiner : certains pactiseraient avec les forces populaires, d'autres se retrouveraient au coude à coude avec les contre-révolutionnaires les plus acharnés. C'est au terme de l'affrontement que la distinction entre les Girondins et les Montagnards prit tout son sens. Les uns et les autres furent acculés à des choix souvent fort éloignés de leurs véritables aspirations : les intérêts « de classe » de Robespierre étaient certainement plus proches de ceux de Brissot que de ceux de la sans-culotterie ; Brissot, de son côté, avait presque tout en commun avec Robespierre, presque rien avec le royalisme.

Pour l'heure, c'était l'impasse. Chaque camp était pénétré d'une ardente nécessité : éliminer l'autre. Chaque député percevait une atteinte à la représentation souveraine comme une menace pour la liberté en général et comme un danger personnel. Ainsi, Robespierre s'était-il opposé, le 27 janvier 1793, à l'invalidation des députés girondins au profit de leurs suppléants.

La Gironde pourtant passe à l'offensive. A la suite de la trahison de Dumouriez, elle demande le 1er avril que les députés complices de l'ennemi ne soient plus protégés par l'immunité parlementaire. La proposition vise Danton, dont les relations avec le général félon étaient étroites, et peut-être aussi Robespierre, qui avait fait preuve d'indulgence à son égard...

Ce dernier contre-attaque le 3 : « La première mesure de salut public à prendre est de décréter d'accusation tous ceux qui sont prévenus de complicité avec Dumouriez et notamment Brissot. » Le 5, le club des Jacobins, alors présidé par Marat, réclame à son tour la révocation par le peuple des députés girondins. Ceux-ci ripostent par la voix de Guadet, qui obtient le 12 un décret d'accusation contre Marat ; « l'ami du peuple » sera, quelques jours plus tard, triomphalement acquitté et, le 15, Pache, le maire de Paris, à la tête d'une délégation des sections, demande à la Convention l'expulsion de vingt-deux chefs girondins. L'insurrection parisienne devait dénouer la situation un mois et demi plus tard, le 31 mai et le 2 juin 1793 : 80 000 personnes investirent les Tuileries et c'est sous la menace des canons d'Hanriot, chef de la Garde nationale, que l'Assemblée décréta par acclamations l'arrestation à leur domicile de vingt-neuf députés girondins.

SAINT-JUST ET LES GIRONDINS.

Certains Montagnards jouent un rôle important dans cette phase capitale de la Révolution. Marat tout particulièrement, qui « parle comme le mandataire de l'insurrection... et dispose de la représentation nationale », ainsi que le remarque G. Lefebvre. Couthon aussi, qui se fait porter à la tribune pour proposer le décret de proscription.

Quant à Saint-Just, l'agression contre des membres de la représentation nationale allait à l'encontre de ses principes constamment affirmés et, à aucun moment, son nom n'apparaît au cours des débats et des péripéties de cet épisode dramatique. Sa discrétion ne saurait pour autant être interprétée comme une réprobation. Non seulement il fut, par la suite, chargé du rapport contre les Girondins, mais lorsqu'il dut choisir son camp, il le fit résolument. Après le 2 juin, à l'instigation de Condorcet, neuf des douze députés de l'Aisne envoyèrent une adresse de protestation dans leur département et réagirent très vivement lorsqu'ils furent menacés d'arrestation : « Après quatre ans de révolution, les principes seraient-ils méconnus à tel point que les représentants du peuple ne pussent exprimer leur opinion sans s'exposer à compromettre leur liberté individuelle ? » Leur collègue Beffroy, « en ce moment représentant du peuple près de l'armée du Nord », partageait leurs sentiments, ajoutaient-ils, et Quinette, le onzième, était alors prisonnier à Spielberg en Moravie. Saint-Just fut donc le seul des députés de l'Aisne à ne pas s'associer à la protestation de Condorcet.

La journée du 2 juin, si elle avait libéré l'Assemblée paralysée par les affrontements partisans, avait porté un terrible coup aux principes de la démocratie : Robespierre avait admis que le peuple se soulevât pour faire pression sur ses représentants. Mais cette insurrection, soutenue militairement par la Garde, est lourde de menaces. « Le 2 juin, écrit Michelet, contient en lui Fructidor et Brumaire. » Encore qu'il reconnaisse : « La politique girondine, aux premiers mois de 1793, était impuissante, aveugle : elle eût perdu la France. » Beaucoup de ceux qui avaient mesuré la gravité de la situation en Vendée et aux frontières légitimèrent ces redoutables décisions au nom de la raison d'État.

Saint-Just, avec d'autres, en porte la responsabilité : il n'avait pas supporté la perspective d'un écrasement de la République par les trônes étrangers. Mais par son choix, il donnait à penser qu'un véritable régime parlementaire était voué à l'impuissance dans les circonstances difficiles et foulait aux pieds la nouvelle légitimité que, plus que quiconque, il avait contribué à mettre en place sur la dépouille du roi. Première atteinte portée à la démocratie par les démocrates eux-mêmes, le 2 juin devenait symbole d'efficacité et de liberté brisée. Dans l'immédiat, ses conséquences vont peser sur ce nouveau pouvoir, désormais grand ouvert à Saint-Just.

CHAPITRE XIII

Indulgence ou rigueur ?

> *Fasse la destinée que nous ayons vu les derniers orages de la liberté.*
>
> SAINT-JUST, 8 juillet 1793.

L'exclusion des chefs girondins plongea le pays dans le désordre. De nombreux départements se dressaient contre la « populace » parisienne et les prétentions dictatoriales de leurs meneurs. Afin de prouver à tous que la République était enfin sortie de la paralysie parlementaire et qu'elle était à l'aube d'une ère libérale, les Montagnards décidèrent de se consacrer d'urgence à l'élaboration d'une constitution.

SAINT-JUST ET LA CONSTITUTION DE L'AN II.

Une commission, composée de Ramel, Mathieu, Couthon, Saint-Just et Hérault, fut mise en place et déposa le 10 juin un projet qui fut voté le 24. Saint-Just conserva de ces travaux un souvenir amer qu'il exprima plus tard : « Nous nous rappelons qu'Hérault fut avec dégoût le témoin des travaux de ceux qui tracèrent le plan de constitution dont il se fit adroitement le rapporteur déhonté. »
Les juristes de la commission jugeaient des capacités techniques de Saint-Just sur le discours et le projet de

constitution qu'il avait présentés à la Convention le 24 avril 1793. Ils regardèrent probablement avec condescendance et incrédulité ce jeune homme qui parlait de vertu à tout propos, entendait, tel Lycurgue à Sparte, confier aux vieillards un rôle stabilisateur dans la société, voulait que les lois contre les traîtres à la patrie eussent des effets rétroactifs et écrivait le droit comme un poète : « Le peuple français vote la liberté du monde ! » Il est probable que même ses amis n'appréciaient pas tous ces élans anti-conformistes.

Le plan girondin, présenté par Condorcet à la Convention les 15 et 16 février, servit de document de base ; certains articles (d'ailleurs déjà votés avant le 31 mai) furent même intégralement conservés. Mais le texte définitif était profondément marqué par l'empreinte montagnarde. Placée en préambule, la *Déclaration des Droits de l'Homme et du Citoyen* reprend souvent mot pour mot un texte proposé par Robespierre le 24 avril 1793 : l'invocation à l'Être suprême et plusieurs articles, notamment ceux sur l'oppression et le droit à l'insurrection, ont été directement inspirés par le député de Paris.

Les idées de Saint-Just sont très proches de celles de son ami, mais restent frappées au coin de son style inimitable. Entendant conjurer le péril prétorien il déclare : « Il n'y a point de généralissime. » Au nom de l'égalité, il affirme le principe d'une société sans maîtres ni domestiques : la nouvelle loi organique « ne reconnaît point de domesticité ». Enfin, les rapports de la République avec les nations étrangères sont placés sous le signe de la rigidité et de l'intransigeance : « [Le peuple français] ne fait point la paix avec un ennemi qui occupe son territoire », article que tous les modérés de l'Assemblée trouvèrent excessif et dangereux. Ainsi Sébastien Mercier : « Avez-vous fait un traité avec la victoire ? » Il fut toutefois voté.

Quant à l'organisation des pouvoirs publics, elle se conforme aux propositions de Saint-Just dans son discours du 24 avril. Le pouvoir législatif est renforcé. Élu à l'échelon national, il aura prestige et légitimité et pourra ainsi dominer les exécutifs départementaux. De nombreux recours directs au peuple sont en outre prévus. Le grand nombre d'illettrés et d'abstentionnistes eût sans doute faussé le déroulement de ces consultations fréquentes. Toujours adepte des solutions radicales, Saint-Just avait en conséquence proposé que le vote fût obligatoire sous peine d'amende, mais on ne l'avait pas suivi. Pour la Montagne, cette référence constante et directe au peuple présentait tous les avantages. Conforme à leurs principes, elle permettrait aux Robespierristes, par le truchement des Jacobins et de leurs nombreuses sociétés, d'influencer les électeurs.

En pleine crise girondine, la nouvelle constitution, qui devait être soumise à l'approbation populaire, démontrait au pays l'efficacité et la volonté démocratique des Montagnards. Comme elle ne fut jamais appliquée, on a parfois soupçonné ses auteurs d'avoir voulu réaliser une simple opération de séduction politique. Les nouveaux maîtres, à la vérité, en avaient bien besoin. Les difficultés s'accumulaient et tout d'abord la liquidation de l'affaire girondine liée à la révolte d'un grand nombre de départements.

AGGRAVATION DU CONFLIT.

Après le 2 juin, trente-deux Girondins avaient été inculpés et mis en état d'arrestation à leur domicile. Les gendarmes s'acquittaient de leur mission avec plus de bonhomie que de rigueur. Vergniaud, par exemple, avait été vu en ville et même attablé dans une auberge en train de boire avec son garde ! Cette réclusion laissait aux inculpés une liberté dont chacun usait. Valazé écrivit à la Convention pour rejeter d'avance une amnistie que des indiscrétions calculées laissaient prévoir. De son côté, Vergniaud exigeait au plus tôt de l'Assemblée le rapport du Comité de salut public, traitait ses adversaires d'agitateurs et réclamait la tête de Lhuillier, procureur général syndic de la Seine et de Hassenfratz, membre de la Commune. Leurs amis en liberté harcelaient aussi la Montagne, stigmatisant la censure de la Commune sur le courrier destiné à la province. Ils exigeaient que la Convention entende par priorité le rapport contre les inculpés... Le 2 juin n'avait pas eu les résultats escomptés. Robespierre en espérait une union, mais celle-ci tardait à se réaliser : « Je n'ai plus la vigueur, dit-il aux Jacobins le 12 juin, pour combattre les intrigues de l'aristocratie. Épuisé par quatre années de travaux pénibles et infructueux... » C'est à ce moment-là que les chefs girondins commirent d'incroyables maladresses qui devaient les perdre.

Des mouvements insurrectionnels avaient éclaté à Lyon, Bordeaux et Marseille et de nombreuses administrations locales s'étaient déclarées en état de rébellion contre la capitale. Inculpés ou non, une bonne vingtaine de Girondins, exaspérés, s'enfuirent afin de structurer la résistance dans le pays, d'armer leurs partisans et de marcher sur Paris. Chasset et Birotteau se rendirent à Lyon, Grangeneuve à Bordeaux, Rabaut Saint-Étienne à Nîmes, mais la plupart convergèrent vers la Normandie pour mettre sur pied une « assemblée des départements réunis », embryon d'un véritable contre-pouvoir.

Au moment où les chefs les plus en vue de la Montagne, Robespierre et Danton, étaient comme frappés de lassitude, Saint-Just propose de se rendre au cœur de la révolte. Le 17 juin, il se fait déléguer, avec Lindet, Lejeune et Duroy, dans l'Eure et dans la Somme. Il aurait confié à Garat : « Je crois qu'on peut mener les hommes avec un cheveu. » Mais les protestations de loyalisme d'une députation normande engagèrent le Comité à rapporter son décret. Il fallait prioritairement et définitivement régler le problème girondin à Paris. Le 19 juin, le Comité de salut public confia à Saint-Just l'ingrate mission de liquider cette affaire délicate.

Un procureur partial.

Saint-Just devait convaincre les Conventionnels de la culpabilité des accusés, puis arrêter le degré de sévérité dans la répression. C'était un exercice périlleux et labo-

rieux puisqu'à la première lecture du rapport, le 24 juin, le
Comité ajourna son vote et n'adopta le texte que le 2 juillet, non sans l'avoir amendé.

C'est le 8 juillet que le député de l'Aisne demande aux
membres de la Convention de sacrifier une partie des
leurs, en évoquant des précédents : Marat déféré devant le
tribunal révolutionnaire et Philippe-Égalité (dont le fils
s'était compromis dans la trahison de Dumouriez) arrêté.
Il révèle ensuite que la République vient d'échapper à une
conjuration ourdie par le général Dillon. Il n'y a rien à
prouver, il suffit de narrer, dit-il : un soulèvement s'apprêtait à restaurer l'ancienne constitution et la monarchie au
profit du fils Capet et de sa mère. Opportunément, la
Convention a déjoué le complot. Confrontée au péril, elle a
frappé fort, confondant coupables et égarés, car « rien ne
ressemble à la vertu comme un grand crime ». Le 2 juin a
empêché le retour de la tyrannie comme le 10 août avait
abattu le tyran. Tout l'art de l'orateur est dans l'amalgame
entre la « faction » girondine et des traîtres véritables
comme Dillon et Dumouriez.

En introduisant à la Convention un esprit de parti, poursuit-il, les Girondins la vouèrent à une paralysie du pouvoir. Ils firent traîner le procès du roi sous prétexte de lui
donner de la solennité. Ils accréditèrent l'idée que le peuple
de Paris et ses représentants étaient des fauteurs d'anarchie ; « Buzot déclama contre l'anarchie, et ce fut lui qui la
créa. On calme l'anarchie par la sagesse du gouvernement ;
on l'irrite par des clameurs qui sont toujours sans fruit. »
Ils s'opposèrent aussi par toutes sortes de moyens à l'élaboration d'une constitution propre à donner du nerf au
pouvoir. Ils accablèrent les démocrates en les présentant
comme des « triumvirs » exerçant une dictature, en leur
imputant les massacres de Septembre, alors qu'eux-
mêmes, au pouvoir, ne les avaient pas empêchés. Ils alar-
mèrent les propriétaires en répandant de faux bruits de
désordres et d'assassinats. Leurs calomnies ont allumé
l'incendie en Normandie, à Bordeaux, à Lyon et à Marseille. Des patriotes trompés ont ainsi pris les armes contre
la République, apportant leur renfort à l'ennemi vendéen.

Ils ont aussi exploité le danger régnant aux frontières pour éloigner de Paris les bons citoyens et n'ont pas saisi toutes les propositions de paix. A plusieurs reprises, Saint-Just dénonce les intelligences nouées entre les ennemis de l'intérieur et de l'extérieur : « Dans les révolutions, ceux qui sont les amis d'un traître sont légitimement suspects. »

Bien qu'il y ait sans doute eu peu de rapports entre Dillon et les Girondins, Saint-Just présente les desseins du général avec une étonnante précision, jamais confirmée par la suite : « Le projet était dirigé par plusieurs chefs. Ils sont arrêtés. Ces chefs avaient sous eux douze généraux, dont chacun était chargé de s'emparer de l'esprit de quatre sections. »

« ... On devait s'emparer, à la même heure, du canon d'alarme et l'enclouer, et s'emparer, par la voie de force, de ceux de la Maison commune et du Temple, de ceux de toutes les sections, qui leur devaient être livrés, soit par une attaque, soit par les affidés de la ligue. On devait proclamer le fils du feu roi, Louis XVII, et sa mère régente.

« Le projet étant mis à exécution, les individus composant cette ligue devaient se nommer de droit gardes du corps, et ceux qui se seraient distingués dans cette action auraient été décorés d'un ruban moiré blanc auquel serait supendue une médaille représentant un aigle renversant l'anarchie. »

Saint-Just peut-il croire à ce qu'il dit ? L'accusation est si énorme qu'elle provoque des interruptions à droite. « La dénonciation de ces faits et les pièces à l'appui seront livrées à l'impression », poursuit imperturbablement le rapporteur. Elles ne le furent jamais : les archives n'ont rien livré de tel. Ce projet de restauration paraissait bien hypothétique. Les relations de Dillon avec les Girondins n'étaient alors pas plus voyantes que son amitié avec Desmoulins. Saint-Just croit bon d'ajouter, en s'appuyant sur une affiche-pamphlet appelant au meurtre et répandue dans Paris, que les Girondins projetaient d'immoler une partie de la Convention. L'accusation, là aussi, paraît grossière. Fut-elle prise au sérieux ? Témoigne-t-elle de la psychose de peur qui s'était emparée des députés à la perspective d'une victoire des armées étrangères ?

Ce long réquisitoire n'aurait essentiellement reposé que sur des présomptions si les Girondins ne s'étaient pas enfuis dans les départements. Cette faute politique donnait une singulière consistance au dossier : le « grand crime », jusque-là fort insidieux, voire imaginaire, apparaît alors à tous comme une grande trahison.

Elle fit basculer la Plaine, en portant le discrédit sur les Girondins. (Et pour longtemps : jusqu'à ce que le talent de Lamartine, un demi-siècle plus tard, un auréole d'une gloire posthume.) Saint-Just pouvait dire : « Ils ne partageront point avec vous l'amour du monde. » Accablés par les royalistes, rejetés par les révolutionnaires, désemparés, certains iront jusqu'à la compromission contre-révolutionnaire.

Les conclusions du réquisitoire sont pourtant étonnantes de modération. Saint-Just réclame la mise en accusation de quatorze hommes seulement : neuf qui sont en fuite et cinq « complices ». Certains, durement mis en cause dans le rapport, comme Brissot ou Valazé, ne sont pas mentionnés dans le décret et tous les autres, « plutôt trompés que coupables », sont rappelés à la Convention.

Les raisons qui ont déterminé le Comité dans ses choix n'apparaissent pas toujours avec clarté. Louvet, l'un de ceux qui furent mis en accusation, écrivait : « Il n'appartient qu'à M. de Saint-Just de calomnier avec autant de gentillesse et de tourner en calembours aussi délicats les ordures du Père Duchesne, les atrocités de Marat et les rhapsodies de Robespierre. » Saint-Just attaquait surtout les fuyards. Le *Mercure Universel* relate, d'ailleurs, qu'après avoir cité trois ou quatre noms, il avait employé l'expression *et caetera,* formulation maladroite qui avait suscité les murmures de la droite. L'orateur avait alors fait remarquer qu'il s'agissait des représentants en fuite. En fait, l'opinion que les Montagnards les plus influents se faisaient du degré de « patriotisme » de leurs adversaires a surtout compté. La qualité des votes dans le procès du roi et les attitudes passées à l'égard de Marat et Robespierre ont été déterminantes.

Redoutable précédent.

Le rapport contre les trente-deux était surtout un acte politique qui réduisait l'influence de la Gironde et arrachait la Convention à l'immobilisme où l'avait plongé l'affrontement entre la « droite » et la « gauche ». Il donnait à la Montagne une franche liberté d'action. Celle-ci eût probablement souhaité pratiquer une ample clémence si la Gironde avait accepté le coup de force du 2 juin. Mais au fil des jours, la liste des hommes qui se placèrent ostensiblement hors-la-loi s'allongea. Le Comité dut assumer les conséquences de sa politique jusqu'à emprisonner et menacer du Tribunal soixante-quinze députés qui avaient protesté contre les événements du 2 juin.

Malgré sa modération, le rapport de Saint-Just radicalisa les oppositions et introduisit, dans la Montagne elle-même, des germes de division, car l'Assemblée était peuplée d'homme unis par des alliances familiales et des liens d'ordre économique, psychologique, culturel : frapper l'un, c'était souvent atteindre l'autre.

Ainsi l'attaque contre Dillon exaspéra-t-elle Camille Desmoulins. Camille, qui estimait le général, manifesta sa mauvaise humeur dès le 10 juillet, lors du renouvellement du Comité de salut public, en reprochant sèchement leur incompétence aux membres sortants. Le lendemain, lorsque Cambon revint sur la conspiration et demanda à la Convention de ratifier l'arrestation de Dillon, Desmoulins l'interrompit brutalement : « Il n'y a rien d'absurde comme la fable qu'on vient de débiter », et tenta de faire tourner le débat en faveur de son ami ; « Je demande, répliqua Billaud-Varenne, qu'il ne soit pas permis à Camille de se déshonorer ». « Si Desmoulins veut devenir le défenseur officieux de Dillon, renchérit Legendre, qu'il aille au Tribunal révolutionnaire. » On passa à autre chose, mais l'incident n'était pas clos. Emporté par sa verve de pamphlétaire, Desmoulins s'en prit à certains de ses propres amis politiques, accusant Billaud-Varenne de lâcheté, ridiculisant Legendre qui n'avait « que le petit défaut de se croire après dîner le plus grand personnage de la République », mordant enfin Saint-Just : « Après Legendre, le membre de la Convention qui a la plus grande idée de lui-même, c'est Saint-Just. » Raillant la raideur du jeune Conventionnel il ajoutait : « Ce qui est assommant pour la vanité de celui-ci, c'est qu'il avait publié, il y a quelques années, un poème épique en vingt-quatre chants intitulé *Argant**. Or, Rivarol et Champcenetz, au microscope de qui il n'y a pas un seul vers, pas un hémistiche en France qui ait échappé, et qui n'ait fait coucher son auteur sur l'*Almanach des grands hommes,* avaient eu beau aller à la découverte, eux qui avaient trouvé sous les herbes jusqu'au plus petit ciron en littérature, n'avaient point vu le poème épique en vingt-quatre chants de Saint-Just. Après une telle mésaventure, comment peut-on se montrer ? »

Pourquoi infliger à cet homme orgueilleux une telle blessure ? Était-ce seulement de l'agressivité ? L'affaire Desmoulins-Dillon révélait, en fait, les liens de l'un des tout premiers républicains de la Révolution avec un noble libéral, accusé de complot et mort sur l'échafaud en criant : « Vive le roi ». Elle illustrait l'attitude équivoque de ces bourgeois qui fournissaient le personnel révolutionnaire : leur ascension sociale les avait souvent rapprochés des anciennes classes privilégiées au détriment de la résolution idéologique des convictions. Dans l'effervescence, les hommes était souvent seuls, car les clubs n'avaient pas l'efficacité des partis modernes habitués à arrêter une stratégie, à dénouer les dangers possibles et à susciter des réflexes collectifs. L'expérience était là pour prouver que les meilleurs et les plus sûrs pouvaient fléchir. « Les ennemis de la République sont dans ses entrailles », concluait Saint-Just.

On s'est demandé pourquoi il avait assumé cette ingrate tâche de procureur général. N'y voir qu'ambition, vanité ou férocité serait bien sommaire. Parmi l'entourage de

_____
* La déformation est-elle volontaire ?

Robespierre, le député de l'Aisne s'était rapidement imposé comme l'un de ses collaborateurs les plus écoutés. Son efficacité avait été telle dans le procès du roi qu'elle fut naturellement mise au service de la Montagne dans le procès des Girondins. Il pouvait espérer sortir de cette déplaisante « spécialisation », quand la soudaine foucade de Desmoulins fit apparaître que les besognes de cet ordre ne lui manqueraient pas par la suite.

Il reste à relever que, malgré ses nombreuses et brillantes interventions dans le procès des Trente-Deux, Saint-Just n'avait été élu au Comité de salut public, le 10 juillet, qu'en avant-dernière position, avec 124 voix alors que Couthon et Jean Bon Saint-André en avaient obtenu 176 et 192. Il n'avait accepté que par devoir ce rôle d'accusateur, porteur d'impopularité, que les ambitieux fuyaient : « J'ai attaqué des hommes que personne n'eût osé attaquer, disait-il, tout concourrait à rendre criminel celui qui l'eût osé ; moi seul j'ai dû remplir ce dangereux message, c'est au plus jeune de mourir et de prouver son courage et sa vertu. »

CHAPITRE XIV

Durcir la Révolution

Il est une vérité éternelle dont il est important de convaincre les hommes. C'est que le plus mortel que les peuples aient à redouter est le gouvernement.

MARAT, 8 octobre 1789.

Un peuple n'a qu'un ennemi dangereux, c'est son gouvernement.

SAINT-JUST, 10 octobre 1793.

Dans le même temps où une grandiose Fédération était organisée pour fêter la nouvelle constitution, le 10 août 1793, la pression des armées étrangères et les menées contre-révolutionnaires se conjuguaient pour imposer un gouvernement fort alors que les nouvelles institutions avaient prévu un exécutif faible. Ce gouvernement trouva son origine dans un « Comité de Défense nationale », mis en place au lendemain du 10 août 1792 et transformé, après la trahison de Dumouriez, en un « Comité de salut public ». Composé essentiellement de membres de la Plaine renouvelés chaque mois, le Comité devait faire la liaison entre le Conseil exécutif et l'Assemblée pour activer l'action ministérielle. Ses pouvoirs, mal définis, s'accrurent à la faveur de l'insurrection du 2 juin 1793.

Saint-Just au Grand Comité.

C'est à ce moment-là que Saint-Just y entra. Officiellement, il n'était que l'un des cinq hommes chargés de rédiger une constitution. Mais, quelques jours plus tard, il participait à toutes les délibérations. Le 13 juin, le Comité, réorganisé en six sections, lui confia l'une d'elles : la correspondance générale. Le 15, il entra dans une commission créée pour diriger l'armée levée contre les rebelles de l'intérieur. Dès cette époque, donc, et avant Robespierre, Saint-Just se trouvait investi de très hautes fonctions gouvernementales.

Mais le Comité de salut public ne prit son aspect définitif qu'après la violente attaque de Camille Desmoulins au moment de l'affaire Dillon : le 10 juillet, il fut renouvelé et réduit à neuf membres : Jean Bon Saint-André, Barère, Gasparin, Couthon, Hérault de Séchelles, Thuriot, Prieur (de la Marne), Saint-Just, Robert Lindet. Danton n'en fut plus et Gasparin, solidaire de Custine, décrété d'accusation, démissionna. Puis Robespierre y entra le 27 juillet. Enfin, le 14 août, deux remarquables spécialistes des problèmes militaires : Carnot et Prieur (de la Côte-d'Or) se joignirent à eux. Le 6 septembre, ce fut le tour de Billaud-Varenne et Collot d'Herbois dont l'audience était grande dans les milieux sans-culottes ; le dantoniste Thuriot, très isolé, partit. C'est donc cette équipe de douze membres, réduite à onze après l'exécution de Hérault de Séchelles, qui forma le fameux « Grand Comité » et gouverna pendant un an.

C'étaient tous des hommes de caractère. Un noyau de Montagnards avec Robespierre, Saint-Just, Couthon, Jean Bon Saint-André et Prieur de la Marne dominait une gauche animée par Billaud-Varenne et Collot d'Herbois, toujours prêts à soutenir les revendications du petit peuple parisien, et une droite dont Prieur de la Côte-d'Or, Carnot, Lindet, ardents partisans de la Révolution mais plus modérés, étaient les représentants. Lindet, rescapé du premier Comité, répugnait au terrorisme et refusera d'associer sa signature à celle de ses collègues sur l'ordre d'arrestation de Danton. Barère se trouvait au centre : certains ont qualifié ce Gascon courtois de caméléon, mais il fut pourtant un élément d'union. Ses textes, modèles d'intelligence et d'habileté, parvenaient souvent à recueillir l'assentiment de tous. Si Robespierre fut l'âme du Comité, Barère y joua un rôle déterminant dans les grandes occasions.

La distinction entre les « travailleurs » et les « politiques », surtout soulignée par les Thermidoriens pour décerner la louange ou le blâme, est assez arbitraire. En fait, le mérite de tous fut grand et celui des « politiques », qui assurèrent un lien actif entre le Comité, les clubs et la Convention, permit au gouvernement de durer.

Une spécialisation souple s'imposa. Pour sa part, Saint-Just consacra une grande partie de son temps aux affaires militaires, notamment en passant 146 jours en mission aux armées. Il partagea aussi des responsabilités policières, surtout quand fut créé le Bureau de police du Comité. Mais chacun avait droit de regard et d'intervention sur toute question.

Le Comité s'était installé au pavillon de Flore. Harassés par quinze à dix-huit heures de travail quotidien, soumis à une tension permanente et énervés par des querelles et des rivalités de personnes, la plupart des membres résistèrent mal à ce régime épuisant.

Lorsque Saint-Just accède aux responsabilités gouvernementales, le climat s'est encore alourdi. Depuis le mois de juin 1793, la crise s'aggrave et une avalanche d'événements catastrophiques s'abat sur le nouveau pouvoir. Le responsable de la commission chargée de mater les rebelles de l'intérieur n'allait manquer ni de soucis ni de besogne.

La révolte « fédéraliste » s'étend alors sur la plus grande partie du territoire, dans l'Ouest et le Sud surtout : soixante départements sont touchés. Elle se nourrit des rancœurs et des mécontentements d'une coalition hétéroclite de partisans de l'Ancien Régime, de libéraux, de monarchistes constitutionnels, de catholiques attachés aux prêtres réfractaires et de démocrates indignés par le coup de force du 2 juin contre l'Assemblée. A Lyon, les Jacobins sont traqués et Chalier, le maire, idole du petit peuple, est décapité. Le royaliste Précy organise la défense de la ville et fait appel au roi de Sardaigne. Marseille, Toulon et la Corse, qui a fait sécession sous le commandement de Paoli, demandent l'aide des Anglais. Les forces de la République préviennent la menace à Marseille (25 août) mais, le 29, Toulon se livre avec son escadre à l'Angleterre.

L'une des conséquences indirectes de l'insurrection fédéraliste est l'assassinat de Marat, le 13 juillet, par Charlotte Corday, une jeune Normande en relations avec les Girondins. Certes, la santé de l'Ami du peuple était très altérée et ses jours comptés, mais la Montagne perdait avec lui le seul des siens qui eût véritablement l'oreille du peuple parisien et qui, grâce à la lucidité de certaines de ses vues et sa popularité, représentait un atout non négligeable. Voilà pourquoi Saint-Just déplore cette mort à plusieurs reprises.

En Vendée, les nouvelles ne sont pas bonnes non plus. Après s'être emparés de Fontenay le 26 mai, les insurgés tentent de s'organiser. Mais ils sont attachés à leur région et à leurs chefs et répugnent à entreprendre de lointaines expéditions. L'armée « catholique et royale » s'empare néanmoins de Saumur le 9 juin, échoue devant Nantes le 29, puis écrase le 5 juillet les républicains de Westermann à Châtillon-sur-Sèvre et, le 13, ceux de Santerre à Vihiers.

A la Convention, Barère ne peut que prophétiser la riposte nationale : « Les forêts seront abattues, les repaires des bandits seront détruits, les récoltes seront coupées pour être portées sur les derrières de l'armée et les bestiaux seront saisis. Les femmes, les enfants et les vieillards seront conduits dans l'intérieur. »

Aux frontières, les défaites du printemps et la trahison de Dumouriez entraînent une longue série de revers. Bien qu'elle dispose de deux fois plus d'hommes que ses adversaires la Révolution manque de techniciens expérimentés. Les officiers chevronnés sont, presque tous, des nobles de l'Ancien Régime, dont le zèle est bien souvent douteux : « La noblesse contre laquelle on se bat dirige cette guerre,

dans le succès de laquelle elle a tout à perdre » remarque
Barère. Valenciennes tombe le 23 juillet, Mayence le 28.
Cambrai ne doit son salut qu'à la mésentente entre les
Austro-Hanovriens de Cobourg et de York. En Savoie, les
Sardes s'apprêtent à pénétrer dans la Maurienne et la
Tarentaise. De leur côté, les Espagnols forcent les Pyrénées
et s'avancent vers Perpignan et Bayonne. Au moment où
Robespierre entre au Comité de salut public, la Républi-
que n'est plus qu'une « citadelle assiégée ».

Ces revers aggravent les effets de la crise économique.
Partout, essentiellement dans les grandes villes, on souffre
des insuffisances du ravitaillement. L'approvisionnement
de Paris, concurrencé par celui des armées, est assuré dans
des conditions précaires. Sous l'effet de la dépréciation
monétaire et de la rareté des subsistances, les prix ne ces-
sent de monter et la production est désorganisée ; de nombreux travailleurs sont sans emploi.

Par l'intermédiaire du club des Jacobins, Robespierre,
Saint-Just et les Montagnards jouissent d'un grand prestige
mais doivent assumer l'impopularité des mesures de
rigueur qu'impose toute politique dans les temps difficiles.
Dès lors, les sans-culottes écoutent volontiers ceux qui pré-
conisent une répression accrue contre les suspects, la réquisition des grains, la taxation des prix et la distribution de
secours aux indigents aux frais des riches. Ceux qu'on
appelle les Enragés, conduits par Jacques Roux, Varlet et
Leclerc, n'ont d'influence réelle que sur quelques sections
parisiennes et de rares villes de province, ils ne disposent
d'aucun relais à l'Assemblée ou au gouvernement, d'aucun
club. Les Cordeliers sont, en revanche, plus menaçants ;
leur club, galvanisé par Momoro, d'origine espagnole, est
ouvert aux plus humbles. La disparition de Marat élargit
leur crédit et leurs membres, qui sont en place, en profitent
pour accroître le nombre de leurs obligés. Ainsi, Vincent,
secrétaire général du ministre de la Guerre Bouchotte, pratique une « révolution des emplois * ». Donnant la préfé-

* Le nombre des commis du ministère passera de 143 en 1789 à
plus de 1800 en 1794.

rence au zèle « patriotique » plutôt qu'à la compétence, il recrute les fonctionnaires du ministère parmi les sans-culottes, ce qui lui vaut la considération des faubourgs et la vénération d'une clientèle reconnaissante. Un autre adjoint de Bouchotte, Ronsin, ancien auteur dramatique nommé général par une promotion foudroyante, sera chef de l'armée révolutionnaire. Le ministère devient un bastion cordelier.

Les Cordeliers rencontrent en outre bien des sympathies à la Commune de Paris, où le maire Pache et le procureur Chaumette ne leur sont pas hostiles. Ainsi, ils ont favorisé l'élection d'Hanriot à la tête de la Garde nationale. Quant au substitut du procureur, Hébert, journaliste du *Père Duchesne,* il a capté l'héritage de Marat et son audience est grande dans la sans-culotterie. Ambitieux et arriviste, déçu peut-être d'avoir été écarté de la députation à la Convention, puis du ministère de l'Intérieur, il se livre à la surenchère.

Disposant d'antennes au gouvernement, dans l'armée, dans la presse, dans les sociétés de pensée, ces hommes constituent un danger stimulant pour les Montagnards. Traités d'endormeurs, ceux-ci réagissent afin de conserver un soutien populaire qui est une de leurs forces. Pour peu que leur notoriété vienne à s'altérer ou que la pression des événements les y oblige, les Robespierristes se voient contraints de se rapprocher des sans-culottes et d'adopter des mesures chères à la rue, telles la taxation et la réquisition, mesures qui pourtant ne correspondent pas toujours à leurs propres objectifs.

LE SURSAUT.

Sous l'effet de ces menaces multiples, le gouvernement allait s'affermir et se durcir.

Le Comité et la Convention prirent d'abord une série de mesures en faveur des paysans : le 17 juillet, abolition sans indemnité de tout ce qui subsistait des droits seigneuriaux. On ne peut douter que Saint-Just ait appuyé cette décision qui mettait enfin un terme légal au long conflit qui l'avait opposé, deux années durant, à Grenet à Blérancourt, à Beaumé à Vassens, à Lauraguais à Manicamp. D'un trait de plume, il remportait cette victoire qui s'était refusée à ses inlassables efforts sur le terrain. Ces dispositions pouvaient certes, si elles étaient correctement appliquées, apporter un profit substantiel à la petite paysannerie, mais rien aux sans-culottes. Le Comité, où siégeait maintenant Robespierre aux côtés de Saint-Just et Couthon, dut céder davantage aux prétentions des révolutionnaires avancés.

Les premières victimes en furent les militaires suspects et les Girondins. Le 28 juillet, Custine fut décrété d'accusation et les Conventionnels en fuite mis hors-la-loi. Le 1er août, la reine, qu'on présentait souvent comme un sujet de négociation ou de complot, était déférée au Tribunal révolutionnaire et la destruction des tombeaux royaux de Saint-Denis fut décidée. Enfin, le 4, Kellermann reçut l'ordre d'assiéger Lyon. Mais l'ennemi approchait. Le 12 août, la Convention décréta l'internement des suspects, sous prétexte de risques d'espionnage ! Le 23, elle vota la « levée en masse » et Barère lançait sa fameuse apostrophe : « Dès ce moment, jusqu'à celui où les ennemis auront été chassés du territoire de la République, tous les Français sont en réquisition permanente pour le service des armées. Les jeunes gens iront au combat ; les hommes mariés forgeront les armes et transporteront les subsistances ; les femmes feront des tentes, des habits et serviront dans les hôpitaux ; les enfants mettront le vieux linge en charpie, les vieillards se feront porter sur les places publiques pour exciter le courage des guerriers, prêcher la haine des rois et l'unité de la République. » Cinq jours plus tard, Custine, symbole de la défaite et de la trahison, était guillotiné.

La sécheresse du mois d'août aggravait les difficultés de cette période qui précède la nouvelle récolte. Paris a faim. Le 4 septembre, l'effervescence gagne les sections et, le 5, les sans-culottes en armes investissent la Convention pour exiger l'organisation d'une armée révolutionnaire, la rigueur à l'égard des suspects et une politique dirigiste en matière économique.

Avec l'aide des Jacobins et de la Commune, le Comité parvient à contrôler le mouvement : le 5 septembre, il met la terreur « à l'ordre du jour ». Le 6, il s'adjoint, on l'a vu, Billaud-Varenne et Collot d'Herbois, porte-parole des manifestants et, le 9, il crée l'armée destinée à ravitailler Paris et à châtier les traîtres. Le 11, la taxation des grains et fourrages est uniformisée sur l'ensemble du territoire. Le 17, une nouvelle loi définit les suspects de façon ambiguë et confère ainsi une grande puissance aux comités révolutionnaires habilités à délivrer les certificats de civisme. Enfin, du 22 au 29, est discuté le Maximum général des prix et des salaires.

Au début de septembre, l'administration de l'Aisne, encombrée de prisonniers et de suspects, s'effraie que l'ennemi approche. Le 2, le procureur général syndic Pottofeux s'adresse directement à Saint-Just. Le 5ᵉ régiment, explique-t-il, « a refusé de marcher à l'ennemi ». Il demande des bannières portant l'inscription : « Le peuple français debout contre les tyrans. » Saint-Just — ce n'est pourtant pas dans ses habitudes — ne répond pas. Il est « retenu dans son lit par une maladie », explique un commissaire dépêché à Paris.

Faite d'un agrégat de Conventionnels soupçonnés de concussion avec des banquiers et des affairistes, de députés écartés du Comité de sûreté générale, de représentants en mission froissés d'avoir été rappelés, l'opposition relève la tête. Les uns reprochent au Comité son intransigeance, les autres sa faiblesse. Cette coalition de mécontentements personnels serait sans doute restée inoffensive sans la « faction » dantoniste. Après avoir occupé une place de premier plan dans le gouvernement depuis le début de la Convention, Danton, soit par lassitude, soit par tactique, a pris ses distances à l'égard du pouvoir en quittant volontairement le Comité de salut public (10 juillet 1793). Il s'est réfugié dans la vie domestique auprès d'une jeunesse de seize ans qu'il vient d'épouser. Ses partisans, pas toujours bien inspirés, vont pendant son semi-effacement conduire l'opposition. Ainsi, son ami Delacroix joint sa voix à celles des Hébertistes et des Enragés pour réclamer l'application de la constitution, ce qui impliquait la dissolution de la Convention, des comités et l'organisation de nouvelles élections. En pleine guerre, cette initiative trahissait en réalité les divergences fondamentales qui séparaient les Dantonistes et les Robespierristes.

Les premiers manifestent une impatience soudaine contre les rigueurs du pouvoir et engagent une campagne en faveur de l'indulgence. Le 20 septembre, Thuriot démissionne avec éclat du Comité de salut public et quelques jours plus tard s'en prend devant la Convention à l'économie dirigée, à la complaisance envers les sans-culottes et à la méfiance pour les élites : « On cherche maintenant à accréditer dans toute la République qu'elle ne peut se soutenir si l'on n'élève pas à toutes les places des hommes de sang (...) Il faut arrêter ce torrent impétueux qui nous entraîne à la barbarie. » La Convention l'applaudit chaleureusement et envoie au Comité Briez, naguère chargé de mission à l'armée du Nord et présent à Valenciennes lorsque la place capitula.

Le 25, Robespierre se précipite à la tribune : « Celui qui était à Valenciennes lorsque l'ennemi y est entré n'est pas fait pour être membre du Comité de salut public. Ce membre ne répondra jamais à cette question : " Pourquoi n'êtes vous mort ? " » Il aurait, lui, préféré le sacrifice à la lâcheté. C'est la faiblesse pour les traîtres qui nous perd, poursuit-il, il faut que « le gouvernement prenne de la consistance » et puisse compter sur la « confiance illimitée » de l'Assemblée. Convaincue par Robespierre ou feignant de l'être, la Convention conserve alors sa confiance au Comité, ce qui revient à le reconnaître comme gouvernement. La fermeté l'emporte donc, l'opposition est neutralisée. Sa défaite laisse les coudées franches à ses adversaires qui vont pouvoir justifier la suspension de la constitution, une tâche qui incombe à Saint-Just, le 10 octobre 1793.

L'orateur démasque la contre-révolution qui sévit, comme l'avait déjà remarqué Marat quatre ans plus tôt, jusque dans le « gouvernement » : il s'agit de tous ceux — hauts dirigeants ou modestes fonctionnaires — qui ont des responsabilités dans la conduite des affaires et l'application des lois. « Les lois sont révolutionnaires ; ceux qui les exécutent ne le sont pas. » L'armée est dans un triste état, poursuit-il. Les généraux sont coupés de la nation, les chefs, corrompus par les habitudes passées, sont souvent peu assidus, débauchés et méprisants à l'égard de la troupe. Or « un soldat malheureux est plus malheureux que les autres hommes » ; l'administration fourmille de malhonnêtes : « on vole la ration des chevaux. » Et Saint-Just définit l'autorité nouvelle : « Les représentants du peuple aux armées doivent être les pères et les amis du soldat. Ils doivent coucher sous la tente, ils doivent être présents aux exercices militaires, ils doivent être peu familiers avec les généraux, afin que le soldat ait plus de confiance dans leur justice et leur impartialité, quand il les aborde. Le soldat doit les trouver jour et nuit prêts à l'entendre. Les représentants doivent manger seuls. Ils doivent être frugaux et se souvenir qu'ils répondent du salut public et que la chute éternelle des rois est préférable à la mollesse passagère. »

Pour mettre un terme aux abus, Saint-Just propose de donner inlassablement l'exemple de la vertu et d'exercer la rigueur contre les corrompus et les voleurs : « Ceux qui font les révolutions dans le monde ne doivent dormir que dans le tombeau. »

Parallèlement, Saint-Just s'en prend à la conception que se font du service public les agents de l'État : « Tel qu'on le fait il n'est pas vertu, il est métier. » Il accable l'Administration surpeuplée de fonctionnaires coûteux et inefficaces : « Le ministère est un monde de papier ; je ne sais point comment Rome et l'Égypte se gouvernaient sans cette ressource ; on pensait beaucoup, on écrivait peu. La prolixité de la correspondance et des ordres du gouvernement est une marque de son inertie, il est impossible que l'on gouverne sans laconisme. » Les choix sont aveugles ou dominés par l'intrigue : « On achète les places. (...) On chasse un fripon d'une administration, il entre dans une autre. » Les ennemis de la Révolution ont mis la main sur la gestion de l'État, accaparant et volant le Trésor public. On croit entendre Marat, neuf mois plus tôt : « Tous les intrigants de l'État ont été en l'air pour briguer les emplois et devenir fonctionnaires publics ; c'est-à-dire pour devenir oppresseurs et vampires du peuple. »

Saint-Just propose alors d'établir un lourd impôt sur ceux qui disposent du superflu après qu'ils aient volé les deniers publics, fondé leur fortune sur la taxation et profité de l'inflation pour rembourser l'État en espèces dévalorisées. Ce prélèvement dégonflera les disponibilités privées, éliminera des marchés la concurrence déloyale qu'y rencontre l'État ; il entraînera une baisse des prix pour le plus grand intérêt du peuple.

Travaux forcés pour les nobles.

Dans le même sens, il est nécessaire de diminuer le coût des transports en améliorant la qualité des voies. Le Comité évoque l'affectation des suspects emprisonnés aux travaux publics : remise en état des routes, percement des canaux de Saint-Quentin et d'Orléans, entretien des rivières, transport de bois pour la marine. Barère, dans ses *Mémoires,* prétend que cette proposition émanait de Saint-Just. Indignés, ses collègues auraient alors objecté qu'on ne pouvait agir à Paris comme Marius à Rome : « Eh bien ! aurait répliqué Saint-Just, Marius était plus politique et plus homme d'État que vous ne le serez jamais. J'ai voulu essayer les forces, le tempérament et l'opinion du Comité de salut public. Vous n'êtes pas de taille à lutter contre la noblesse puisque vous ne savez pas la détruire, c'est elle qui dévorera la Révolution. Je me retire du Comité. »

Sur le fond, Barère dit vrai. Le projet a bien été non seulement débattu au Comité mais encore adopté, puis annulé, comme en témoignent les minutes des débats : un article 14, barré, était ainsi libellé : « Tous les hommes suspects seront employés à creuser les canaux et à rétablir les chemins. » Pourquoi douter de l'affirmation de Barère, puisqu'à la tribune Saint-Just avait présenté le projet avec faveur : « Il serait juste que le peuple régnât à son tour sur

ses oppresseurs et que la sueur baignât l'orgueil de leur
front. » Le député de l'Aisne connaissait bien la capacité de
résistance de la noblesse, il la craignait et ne perdit jamais
une occasion de l'abaisser. On peut encore lire dans la
minute du rapport sur les factions de l'étranger, sous la
plume de Thuillier : « La Convention nationale voue à
l'exécration et la noblesse et les Bourbons et les ennemis de
la Révolution. » Cette phrase a été également rayée mais
ne laisse aucun doute sur les sentiments de leur auteur.

L'ANGLETERRE.

Délaissant ce sujet de controverse, Saint-Just se préoc-
cupe bientôt de contrôler les importations. Six jours plus
tard, il ne se contente plus d'allusions : le 16 octobre, il
présente à la Convention la loi contre les Anglais. L'Angleterre, dit-il, n'exporte que des produits ouvrés et enrichit
ainsi ses fabricants, ce qui « avilit nos manufactures ». Il
cite l'exemple « d'autres pays étrangers » qui fournissent
des matières premières indispensables à l'économie française : cuirs, métaux, bois.
    C'est à tort qu'on a décelé des relents de nationalisme
xénophobe dans ce rapport. Saint-Just dénonce essentiellement l'asphyxie économique dont est menacé l'État
révolutionnaire ; il accable les Anglais et non pas tous les
étrangers. Il se garde d'ailleurs de confondre tous les Britanniques dans une même réprobation : « Toutes les lois
que vous ferez contre le commerce de l'Angleterre seront
des lois dignes de la reconnaissance du peuple anglais, également opprimé par la noblesse, par le ministère et par les
commerçants. » De même, le conflit engagé par le gouvernement de Londres contre la France au lendemain de l'exécution de Louis XVI est dirigé davantage contre le régime
que contre le peuple français.

SUSPENDRE LES « LOIS DOUCES ».

Sur le plan proprement politique, Saint-Just entend donner à la Révolution les moyens d'agir en concentrant l'autorité dans les mains de la Convention : « Le gouvernement provisoire de la France est révolutionnaire jusqu'à la paix » fait-il décréter. Le Comité de salut public surveillera désormais le Conseil exécutif provisoire, les ministres, les généraux et l'Administration. Il contrôlera l'activité de l'armée révolutionnaire et recensera les productions de grains de chaque district pour ajuster les disponibilités aux besoins. Par raison d'État, Saint-Just remet en quelques mains des moyens capables à la fois de refouler les armées étrangères et d'étouffer la démocratie. Les « lois douces » seront pour les « amis de la liberté » dans la cité future. Quelqu'un eut-il à ce moment-là un regard vers l'arche de cèdre déposée aux pieds du président et contenant le texte de la Constitution ?

L'heure est donc à la sévérité dans les paroles et dans les actes. Le 16 octobre, la Révolution brandit à la face du monde le supplice de Marie-Antoinette. Beaucoup, même parmi ceux qui réprouvaient la conduite de la reine, en furent horrifiés. Vilate, juré au Tribunal révolutionnaire, rapporte qu'au soir de cette journée Saint-Just aurait déclaré : « Les mœurs gagneront à cet acte de justice nationale. » Vilate est un personnage flagorneur et véreux dont les confidences sont suspectes, mais comment douter que Saint-Just n'ait approuvé cette condamnation, lui qui avait lancé le même jour : « Votre Comité a pensé que la meilleure représaille envers l'Autriche était de mettre l'échafaud et l'infamie dans sa famille. »

A l'Assemblée, tout le monde comprend qu'engagé dans la guerre le gouvernement soit contraint de se doter de moyens exceptionnels, et cherche à neutraliser les tentatives d'intelligences avec l'ennemi. Mais Saint-Just entend le faire avec une fermeté plus farouche encore et exhorte ses collègues « à punir non seulement les traîtres mais les

indifférents mêmes ». Or, au sein d'un peuple sans grande
éducation politique, les indifférents sont nombreux. Certes, le but d'une loi terroriste est d'effrayer, mais son application implique au sommet une volonté et une inflexibilité
difficiles à exercer par un gouvernement collégial où les
Robespierristes sont minoritaires. Saint-Just est-il
conscient que la répression impitoyable sur toutes les vel-
léités d'opposition est le prix de son efficacité ? Se rend-il
compte qu'elle est vouée à multiplier les martyrs au risque
de susciter à terme un « front de compassion » ? Voit-il
que s'il est facile de s'y engager il est redoutablement délicat d'en sortir ?

CHAPITRE XV

Les amours et les amis

L'amour est la recherche du bonheur.
Celui qui dit qu'il ne croit pas à l'amitié est
banni.

SAINT-JUST.

Dans une longue lettre du 2 septembre 1793, Thuillier écrivait à Saint-Just : « J'ai des nouvelles de la femme Thorin et tu passes toujours pour l'avoir enlevée. Elle demeure à l'hôtel des Tuileries, vis-à-vis des Jacobins, rue Saint-Honoré. Il est instant, pour effacer de l'opinion publique la calomnie que l'on a fait imprimer dans le cœur des honnêtes gens, de faire tout ce qu'il convient pour conserver l'estime et l'honneur que tu avais avant cet enlèvement. Tu ne te fais pas idée de tout ceci, mais il mérite ton attention... Adieu mon ami ; la poste me presse. Fais pour l'ami ce que tu lui as promis. »

Cet avertissement intervenait un peu plus d'un mois après le scandale qui avait secoué Blérancourt, quand Thérèse Gellé-Thorin avait quitté le domicile conjugal le 25 juillet et s'était installée à Paris. Les amours de Saint-Just ont donné lieu à une abondante littérature, mais les sources indiscutables, rares et ambiguës, n'en disent pas bien long. Quelques allusions épistolaires, quelques témoignages de circonstance, souvent fort douteux, une page de carnet pouvant passer pour un récit autobiographique, c'est tout.

La vie privée des hommes célèbres est livrée à tous et souvent manipulée sans respect : c'est particulièrement vrai pour Saint-Just, à qui l'on a « fait les poches » avant de le conduire au supplice. Les moyens manquant pour aborder cet aspect de son existence, les procédés les plus contestables ont été employés. On a fait confiance à des témoignages fantaisistes ou à des ragots, pour certains recueillis plusieurs décennies sinon plus d'un siècle après. Surtout, on a pratiqué un amalgame entre la fugue à Paris, l'inspiration « érotique » d'*Organt* et la liaison avec Mme Thorin.

Les meilleurs historiens ont parfois accrédité l'idée que le libertinage avait tenu dans la jeunesse de Saint-Just une place démesurée ; Georges Lefebvre lui-même, rendant compte des travaux de l'Américain Curtis, parle d'« excitation sexuelle » !

La légende noire prend racine dans la fugue de septembre 1786, lorsque Saint-Just, passionné de théâtre, avait arpenté le quartier du Palais-Royal que fréquentaient les artistes et les gens du spectacle. Installé dans un modeste hôtel de la rue Fromenteau qui en comptait plusieurs, pas toujours de la meilleure réputation, il habitait, prétend Taine, la « rue des prostituées ». Comme, d'autre part, *Organt* fait, à deux reprises, allusion à la « vérole », il n'en a pas fallu davantage pour y voir une confidence autobiographique. Les interprétations approximatives de ce poème pallient les lacunes des sources et ont fortement contribué à créer l'image d'un Saint-Just libertin ou « excité ».

La vérité oblige à dire que Saint-Just, avant la Révolution, séjourna peu à Paris, si l'on excepte sa détention rigoureuse chez la Sainte-Colombe : trois semaines entre le 15 septembre et le début octobre 1786, quelques voyages et enfin un séjour au moment de la parution d'*Organt*, en juin 1789, dans l'effervescence des débuts de la Révolution. C'est peu pour se perdre dans le stupre. Saint-Just fut aussi délégué de son district à la fête de la Fédération le 14 juillet 1790. On ne peut évidemment ajouter foi à la fable de la liaison qu'il aurait nouée, à cette occasion, avec la Du Barry vieillissante. Il est certes séduisant pour les échotiers de prolonger la carrière féconde d'une favorite en la faisant passer des bras de Louis XV à ceux de Saint-Just, mais c'est si peu vraisemblable que, même E. Fleury, qui puise l'anecdote dans les *Mémoires* apocryphes de la Du Barry, la livre au conditionnel. Celle-ci présente au moins l'intérêt de montrer que les plumitifs de la Révolution changèrent de cibles mais non de méthodes. Elle rejoint les confidences fantaisistes d'un Lamothe-Langon, écrivain du XIXe siècle spécialisé dans la rédaction de médiocres romans historiques, qui raconte comment Saint-Just fut fessé par Hérault pour les beaux yeux de l'actrice Claire Lacombe. Et cette ancienne comédienne qui se serait fait appeler Mme de Saint-Just en souvenir de sa liaison avec le Conventionnel ? Hamel, qui rapporte le fait, reste allusif et avoue ne pas savoir ce qu'il faut en penser.

En réalité, le travail écrasant auquel étaient astreints les membres du Comité de salut public leur aurait, à supposer qu'ils l'eussent souhaité, laissé peu de temps à consacrer au libertinage. Leurs moments de détente étaient rares et leur vie privée soumise aux exigences de la vie politique. Que n'eût révélé Danton, renseigné par mille espions, lui qui, à son procès, ne put qu'évoquer misérablement les « bains turcs » fréquentés par Saint-Just !

THÉRÈSE GELLÉ.

On chercherait vainement la preuve formelle d'une liaison entre Saint-Just et Thérèse Gellé-Thorin. Mais les on-dit, l'abandon par Thérèse du domicile conjugal et la lettre de Thuillier sont autant de présomptions concordantes. On serait même tenté d'établir un lien entre cette fugue du 25 juillet et la mission « d'intérêt public » que le Comité confie à Saint-Just le 18 juillet dans l'Aisne et qui n'a laissé nulle trace dans les archives. Avec ou sans l'assentiment du Conventionnel, pour le rejoindre ou non, Thérèse Thorin s'installe à Paris et obtiendra le divorce le 21 messidor an II (9 juillet 1794). Or, aussitôt après Thermidor, elle reviendra à Blérancourt chez ses parents, parmi ceux qu'elle a défiés et à proximité de son ancien mari rapidement remarié. N'est-ce point l'aveu, chez cette femme de caractère, d'un grand rêve brisé ?

Mal réinsérée dans un milieu dont elle avait bravé les normes, en proie à des problèmes d'argent, à des dissensions d'héritage avec sa sœur et son beau-frère, probablement ébranlée par des blessures de toutes sortes, elle achèvera sa douloureuse existence dans son village natal à l'âge de trente-neuf ans. A coup sûr, Saint-Just a beaucoup compté pour elle. Par amour elle lui a tout sacrifié et lui est, en grande partie, redevable de son tragique destin.

Quant au Conventionnel, il écrit à Thuillier : « Où diable as-tu rêvé ce que tu mandes de la citoyenne Thorin ? Je te prie d'assurer tous ceux qui t'en parleront que je ne suis pour rien dans tout cela (...) Adieu, si l'histoire que tu m'as faite t'est reproduite, tu voudras bien rendre témoignage à la vérité. » Cette lettre non datée peut apparaître comme une réponse à celle du 2 septembre. Or, dans ce même courrier, Saint-Just propose à son ami l'emploi d'administrateur des subsistances que celui-ci occupe déjà depuis une quinzaine de jours au moment où il écrit sa lettre. La réponse de Saint-Just n'est donc pas de septembre, mais de la fin de juillet ou du début d'août. Cette précision chronologique ne change pas grand-chose sur le fond mais prouve que le sujet avait déjà été abordé, et surtout que la supplique de Thuillier : « Fais pour l'ami tout ce que tu lui as promis » ne peut s'appliquer à une demande de poste. Témoin des conséquences de cette affaire, Thuillier fait appel aux sentiments et à la raison de Saint-Just pour le convaincre « de faire tout ce qu'il convient pour conserver l'estime et l'honneur » dont il jouissait « avant cet enlèvement ».

Saint-Just nie donc avoir enlevé la citoyenne Thorin. Il est possible qu'il ne mente pas sur ce point et que Thérèse ait pris sa décision seule. Néanmoins, sa phrase, trop laconique et ambiguë pour démontrer sa bonne foi, ressemble à ces démentis officiels, rédigés à dessein de façon équivoque et qui masquent mal un grand embarras.

L'hôtel des Tuileries où logeait Thérèse était tout proche

du pavillon de Flore et à quelques centaines de mètres de l'hôtel des États-Unis, rue Gaillon, où habitait Saint-Just ; celui-ci passait forcément à proximité en se rendant au Comité de salut public ou aux Jacobins. Pouvait-il ignorer le sort de Thérèse ?

La démarche de Thuillier, le comportement de Thérèse et les dénégations gênées de Saint-Just imposent l'idée qu'une liaison a bien existé. L'ancien greffier blérancourtois laisse un témoignage de mentalité sur le climat social dans lequel elle dut être vécue : « l'enlèvement » d'une femme mariée passait pour un acte scandaleux susceptible de causer la perte de « l'estime et de l'honneur » des « honnêtes gens », c'est-à-dire des sympathisants du changement. Le corps social faisait passer certains principes de vie privée avant ses convictions politiques (trois ans plus tôt, Saint-Just lui-même s'était prudemment prononcé contre le divorce). Thuillier, de son côté, feint de ne pas croire à la culpabilité de son ami en parlant de « calomnie » et Saint-Just fait une réponse incomplète et peu explicite.

Un « enlèvement » n'est pas un adultère et l'infidélité de Thérèse n'a pas provoqué chez tous la même réprobation. Mais, d'une façon générale, l'inconduite, surtout d'une femme, suscitait la désapprobation : la liaison de Saint-Just et de Mme Thorin, inévitablement remarquée à Blérancourt, aura dû se heurter à de nombreuses difficultés. Cette situation bloquée se compliquait d'un conflit politique. Dès les premiers événements révolutionnaires, on l'a vu, le père et le mari de la jeune femme s'étaient presque systématiquement opposés aux entreprises de Saint-Just. C'est donc dans les pires conditions que les deux jeunes gens se seraient rencontrés à Blérancourt dans les années 1790-1792. Elle aurait vécu dans la mauvaise conscience et l'angoisse d'un scandale et lui aurait redouté à chaque instant que soient compromis ses projets politiques. Sur l'un de ses carnets, Saint-Just avait écrit : « L'amour est la recherche du bonheur. » Avec tous ces obstacles était-il possible ?

Et pourtant, Saint-Just semble avoir cru aux vertus

familiales et avoir souhaité fonder un foyer. Son ami Gateau rapporte, qu'il « soupirait après le terme de la Révolution pour... jouir du repos de la vie privée dans un asile champêtre, avec une personne que le ciel semblait lui avoir destinée pour compagne, et dont il s'était plu lui-même à former l'esprit et le cœur, loin des regards empoisonnés des habitants des villes ».

On peut remarquer que cette compagne correspond assez bien à Thérèse. Lejeune, lui aussi, affirme qu'à Laon, un an avant son élection à la Convention, Saint-Just lui aurait confié : « Pour moi, mon ambition se borne à vivre un jour à la campagne dans les limites que la nature a marquées. Une épouse, des enfants pour mon cœur, l'étude pour mes loisirs, mon superflu pour mes bons voisins s'ils sont pauvres. » Était-il déterminé à se marier rapidement et à régulariser une situation scandaleuse, puisque la loi sur le divorce, votée par la Législative le 20 septembre 1792, lui en offrait la possibilité ? La procédure prévue en cas d'abandon du domicile conjugal par l'un des époux exigeait bien moins d'un an, et la Convention la libéralisa encore par la suite. Or, Thérèse Thorin ne quitta Blérancourt que dix mois après ce vote et n'obtint le divorce qu'à la veille de Thermidor, soit près d'un an après son installation à Paris. Il semble difficile d'imputer ces lenteurs aux seules formalités administratives.

En fait, si l'hypothèque légale était levée, d'autres contraintes, dues à la radicalisation des oppositions politiques de l'an II, entrèrent probablement en jeu. Le père, la mère, le mari et le beau-frère de Thérèse étaient emprisonnés et menacés dans leur vie. Pouvait-elle écarter de sa pensée les geôles où croupissaient les siens ? Saint-Just pouvait-il les protéger ? Pouvait-il faire libérer un Antoine Gellé, dont il connaissait l'acharnement contre-révolutionnaire, sans avoir le sentiment de commettre un acte incivique, une injustice et d'agir pour convenance personnelle ?

Si cette liaison fut renouée à Paris, les nécessités de la politique et la bienséance imposaient la plus grande discrétion. Dans ces conditions, il est difficile de savoir si Saint-

Just l'a considérée comme une survivance épisodique ou comme le prologue d'un projet plus sérieux. La documentation digne de foi est rare, mais elle existe.

Une allusion directe aux deux filles d'Antoine Gellé est faite par Villain Daubigny dans ses *Principaux événements, pour et contre la Révolution, dont les détails ont été ignorés jusqu'à maintenant*. Accompagnées de la citoyenne Pigné de Blérancourt, sœur du citoyen Beaumé, lui aussi incarcéré, elles sollicitaient «journellement et infructueusement la liberté de leur père, de leur mère, celle de leurs maris et de leurs frères ». « Toutes trois, ajoute-t-il, malgré les dépenses effrayantes, les peines incalculables, les rebuffades et les désagréments de toutes espèces qu'elles eurent à essuyer et à vaincre, le firent avec courage, une activité et une convenance que rien ne put altérer ni suspendre. » Villain, témoin privilégié, l'un des mieux placés pour connaître la vie privée de Saint-Just, est si trouble qu'on ne peut en attendre la moindre sincérité. Dans ce pamphlet, écrit pendant la réaction thermidorienne, son principal souci est de charger Saint-Just en s'attirant la bienveillance de ses adversaires tels Gellé. Tout en signalant que le Conventionnel s'est « efforcé de devenir le gendre» de l'ancien notaire, Villain se garde d'exploiter la rumeur d'enlèvement et de liaison. En flétrissant la mémoire de Saint-Just, il pouvait du même coup avilir Thérèse Gellé et craindre de courroucer son père.

Ainsi, les amours de Saint-Just et de Mme Thorin transparaissent plus qu'ils n'apparaissent. Les papiers de la famille Le Bas, en revanche, apportent la certitude qu'une aventure s'est ébauchée entre le Conventionnel et Henriette Le Bas.

HENRIETTE LE BAS.

Les amis les plus intimes de Robespierre avaient leurs entrées dans la maison de son logeur, Duplay, un entrepreneur de menuiserie cossu, et trouvaient détente et réconfort dans une atmosphère de chaude intimité républicaine. On y conversait, on y organisait quelquefois des soirées de lecture ou des auditions de musique. Là passèrent des hommes brûlant de passion politique comme Buonarroti, des artistes comme Prudhon et beaucoup de Conventionnels. C'était un endroit discret pour tous ceux qui souhaitaient rencontrer Robespierre. Bien des amitiés s'y confirmèrent (ainsi celle de Saint-Just et Le Bas), des unions s'y scellèrent même : Le Bas épousa Elisabeth, la plus jeune des filles Duplay, en septembre 1793.

Philippe Le Bas, député du Pas-de-Calais à la Convention, s'était d'emblée rapproché de Robespierre, son compatriote. Les charges que lui imposaient les travaux parlementaires, puis ceux du Comité de sûreté générale, lui laissaient si peu de loisirs que, pour donner une compagne à sa femme, enceinte dès le début de leur mariage, il invita sa plus jeune sœur Henriette à venir s'installer auprès d'elle. L'intimité qui unit Saint-Just à Henriette remonte donc à cette époque.

Les rapports entre Saint-Just et Henriette, alors âgée de dix-huit ans, s'apparentent davantage, semble-t-il, à une idylle fugace qu'à une liaison tapageuse. D'ailleurs, sous le toit austère des Duplay, des débordements n'auraient pas été tolérés. Dans ce milieu fermé, en vue, et fortement politisé, de tels liens, si ténus fussent-ils, devenaient fatalement compromettants. La moindre brouille domestique pouvait entraîner de graves conséquences politiques. On le vit bien lorsqu'à la veille de sa seconde mission à l'armée du Nord, Saint-Just rompit. Le Bas en conçut les plus vives appréhensions et c'est avec un soulagement visible qu'il écrit à sa femme le 2 mai 1794 : « Nous sommes actuellement très bons amis, Saint-Just et moi ; il n'a été question de rien. Nous avons sur-le-champ agi ensemble à l'ordinaire. »

Les raisons de cette rupture restent floues. Selon E. Hamel, qui recueillit les confidences d'Élisabeth Le Bas, Saint-Just se serait offusqué de ce qu'Henriette « avait contracté la mauvaise habitude de prendre du tabac ». Ce n'est qu'un mauvais prétexte.

Il n'est pas douteux que l'entourage des jeunes gens était favorable à ce rapprochement et qu'après en avoir espéré une rapide et heureuse union, il s'inquiéta de ne rien voir aboutir. Les familles politiques, plus contraignantes encore que les familles unies par le sang, prétendent parler au nom de valeurs collectives qui dépassent les destins individuels. Robespierre ou Duplay peut-être intervinrent puisque Le Bas écrit à sa femme le 2 mai : « Recommande à Henriette de ne plus être si triste mais il est possible qu'une voix plus puissante que la mienne ait parlé. Tant mieux ! » Il semble que, placé devant une alternative, Saint-Just ait répugné à s'engager et préféré rompre.

Les proches ne perdirent pas pour autant l'espoir d'une réconciliation. Le 14 mai, Le Bas évoque le sort d'Henriette dans une lettre à sa femme : « Je n'ose parler d'elle à Saint-Just. C'est un homme si singulier. » Et deux jours plus tard : « Je n'ai avec Saint-Just aucune conversation qui ait pour objet mes affections domestiques ou les siennes (...) Embrasse Henriette pour moi ». Le 17 mai, il rapporte cet incident révélateur : « J'ai reçu, aujourd'hui, ma chère amie, une lettre d'Henriette adressée à Saint-Just et à moi. Saint-Just l'avait ouverte et lue ; il me l'a rendue, sans me dire autre chose, si ce n'est qu'elle était pour moi seul. » Enfin le 22 mai : « Mes compliments à la famille, à Henriette. La personne que tu sais est toujours de même. »

Visiblement, Saint-Just, souhaitant maintenir avec Le Bas de bons rapports, a poliment esquivé, pendant une quinzaine de jours, toutes les occasions d'évoquer cette question. Puis, manifestement agacé par son insistance, il lui a fait définitivement comprendre que le sort d'Henriette n'avait plus rien de commun avec le sien. Le Bas n'en reparla plus.

Sa décision était-elle irrévocable ? Élisabeth Le Bas a toujours prétendu que seules les circonstances politiques avaient été responsables de l'ajournement du mariage. Hamel écrit qu'un « léger nuage » s'était élevé entre eux mais que, sans les événements de Thermidor, Henriette et Saint-Just se seraient mariés. Élisabeth éprouvait une grande affection pour l'ami de son mari et aurait, sans aucun doute, apprécié qu'il entrât dans la famille. Cela rend son témoignage suspect.

Ainsi, Mme Thorin aurait été momentanément délaissée au profit d'Henriette. Mais cette amourette de six mois, épanouie pourtant dans l'atmosphère politique complice du cercle Duplay, ne semble pas avoir bouleversé l'horizon sentimental de Saint-Just. En revanche, sa longue et douloureuse aventure avec Thérèse a probablement occupé une place importante dans le mûrissement de sa pensée. Une pensée à la fois généreuse et pessimiste.

SAINT-JUST ET LES FEMMES.

Les idées de Saint-Just sur l'amour, les femmes et le mariage se sont certes façonnées sous l'influence culturelle du moment, mais aussi de son expérience propre. Dans l'*Esprit de la Révolution...*, il exprime sa compassion pour la fille abusée (« un préjugé la déshonore, elle n'est que malheureuse ») et pour l'enfant illégitime que les lois persécutent au lieu de consoler. C'est peut-être le mariage d'intérêt auquel a été contrainte Thérèse qui le poussera à concevoir et ébaucher une législation où dominent le respect des sentiments et de la liberté. Les *Fragments d'Institutions républicaines,* composés pour l'essentiel au cours des années 1793-1794, sont à cet égard révélateurs : les époux, écrit-il, « ne s'unissent point par contrat mais par tendresse ». En toutes circonstances, les parents doivent renoncer aux pressions : « Nul ne peut troubler l'inclination de son enfant. » « Ceux qui s'aiment sont époux », affirme-t-il à deux reprises. Mais cette liberté n'a aucunement pour objet de favoriser le libertinage, car l'union conjugale a pour fin la procréation et la constitution d'une famille : « Les époux, qui n'ont point eu d'enfants pendant les sept premières années de leur union et qui n'en ont point adopté, sont séparés par la loi, et doivent se quitter. » N'est-ce pas le cas de Thérèse ? Saint-Just perçoit parfaitement les contraintes imposées par l'enfant à des unions contractées de façon si libérale. « L'homme et la femme qui s'aiment sont époux ; s'ils n'ont point d'enfants, ils peuvent tenir leur engagement secret ; mais si l'épouse devient grosse, ils sont tenus de déclarer au magistrat qu'ils sont époux. »

Ces quelques idées sont le fruit d'une évolution. En 1790, il écrivait avec optimisme : « Chez les peuples vraiment libres, les femmes sont libres et adorées et mènent une vie aussi douce que le mérite leur faiblesse intéressante. » Mais quelques années plus tard, il tranchait : « Dans les jours de fêtes une vierge ne peut paraître en public après 10 ans sans sa mère ou son père ou son tuteur. » Comme si la liberté, subitement corsetée, avait été immolée à la rigidité des mœurs.

Ce sont des sentiments tout aussi mitigés qu'il exprime dans quelques notes jetées sur une page de son carnet : « Pour être heureux avec les femmes, il faut... les laisser absolument libres... Celui qui veut rendre une femme contente doit l'abandonner à elle-même. » « Il est dangereux d'être trop empressé auprès des femmes et de les assouvir. Il faut de l'indifférence pour les enflammer et elles s'accoutument autant à se passer de caresses excessives qu'elles s'en dégoûtent à la fin. Laissez-leur toujours des désirs, et en les traitant avec peu d'empressement, vous y gagnez cela que pour peu qu'elles se refroidissent, le moindre feu les réveille, au lieu que si vous avez dès lors épuisé tout, elles demandent encore davantage ou se dégoûtent. » Ce jeu était déjà celui d'Arlequin-Diogène. Au cours de sa vie, Saint-Just s'est souvent contraint à l'indifférence et à l'impassibilité, et pas seulement avec les femmes.

Ses véritables émotions, il les a sans doute livrées dans ce récit d'un amour malheureux, probablement autobiographique, où chacun des deux partenaires ne peut rejoindre l'autre * : « Elle arrivait à pas très lents. Elle entra, l'embrassa, lui pressa la main. Il lui reprocha doucement sa

---

* Page de carnet, conservée à la Bibliothèque nationale sous la cote : Nouv. acq. fr. : 24 158, saisie chez Saint-Just après son arrestation.

longue absence et son silence. Elle ne répondit rien. Il la
conduisit par la main et, arrivé dans son appartement, il lui
prodigua les plus tendres caresses. Elle souriait et ne proférait pas une parole. Ils se reposèrent tous les deux sur un
lit, elle ne goûta point de plaisir, mais prit beaucoup de
part à celui de son ami. Elle passa ses mains sur sa peau
autour de son corps, elle croisa ses jambes sur les siennes. Il
lui demanda si elle ne l'aimait plus. Elle l'embrassa et
garda un profond silence. " Que j'ouvre ta bouche, ajouta-
t-il, par un baiser. " Elle sourit. Ensuite, il lui fit reproche
de ce qu'elle ne lui avait point écrit. " Je devais venir,
répondit-elle — Autrefois, quand tu venais, tu m'apportais
plusieurs lettres. " Elle ne répondit rien. " Je te fuirai ", lui
dit-il. Elle ne dit mot. " Pourquoi es-tu aussi triste ? —
Parce que tu m'as dit que tu me fuirais — Tu étais triste
auparavant. " Elle ne dit rien. « Mais, ajouta-t-il, par où
finirons-nous ? Il faudra nous séparer, tu ne penses donc
point à l'avenir. — Je n'y pense plus. Je ne sais pourquoi. Il
me semble que je te verrai toujours ici. — Tu deviens
indifférente, mais pourquoi tant de tristesse. — Tu veux
que je te suive. Je ne pourrai jamais m'y résoudre. Je te le
promettrai pour t'engager à faire ton avancement. Nous
verrons ensuite, mais je ne pourrai jamais m'y résoudre,
voilà ce qui m'afflige, j'y pense toujours — Dans ce cas
oublions-nous sur-le-champ. Allons, prends courage.
Puisqu'il faut nous séparer un jour épargnons-nous plus de
regrets. Adieu, j'aurai une autre femme. Je t'amènerai mes
petits enfants, tu les aimeras comme les tiens — Non,
s'écria-t-elle, je ne veux pas. " Et elle fondit en larmes en le
pressant plusieurs fois. " Surmontons notre faiblesse ",
poursuivit-il, et il lui répéta qu'il prendrait une femme qui
lui ressemblerait et qu'il lui amènerait ses petits enfants.
" Tu vois, comme je sais prendre mon parti. Je le prendrais
de même si tu étais infidèle. Tu n'es point jalouse ? — Non.
— Tu m'aimes ? — Oui, je t'aime — Eh bien, il faut
s'oublier, nous séparer et ne nous plus revoir. " Elle pleure.
Il ne tarda pas à lui montrer qu'il l'aimait toujours de
même, il lui fit promettre de revenir le surlendemain, elle
emporta le secret de sa tristesse. Étant sortie, elle fut assez

tranquille et elle alla. Elle promit à son ami de lui dire bien des choses. Elle en avait écrit autant à son ami et, quand il le lui demanda, elle ne répondit rien. Il lui dit en partant : " Trois choses t'affligent, ce que tu m'a confié l'autre fois. » Elle voulut savoir [*deux mots illisibles*] pas. Il la reconduisit et s'embrassèrent tendrement.

« Il se disait à lui-même : ou elle se défie de moi ou elle est jalouse, ou elle a un dessein qu'elle n'ose me confier. »

On aimerait identifier la femme dont il est question, mais ce serait hasardeux, même si l'on pense irrésistiblement à Thérèse Gellé. L'unique certitude qu'apporte ce récit, le seul témoignage émanant de Saint-Just sur sa vie privée, est qu'il souffrait d'une tragique difficulté à communiquer. Peut-être parce que ses tentatives furent malheureuses, Saint-Just ne semble pas avoir trouvé d'épanouissement dans l'amour. Il reporta sa sensibilité, son besoin de donner et de recevoir dans l'amitié, au point de la concevoir comme un élément moteur de l'organisation sociale.

SAINT-JUST ET SES AMIS.

La personnalité rayonnante de Saint-Just attirait par son « talent d'insinuation » et cette « physionomie honnête qui donnait un nouveau prix à toutes ses paroles », comme dit son compatriote Lejeune. Ayant beaucoup à donner, il allait vers les autres. Mais, en même temps, sa réserve et une certaine austérité imposaient respect et distance.

A chacune des étapes de son existence, Saint-Just s'est lié avec des personnalités de tempérament, de culture et de milieux très différents. Certaines lui sont supérieures, d'autres quelquefois très inférieures, le plaçant tantôt en situation seconde, tantôt en position dominante. Ses choix sont guidés par des critères moraux ou idéologiques. C'est avec beaucoup de mesure que l'amitié est reçue et avec spontanéité et naïveté qu'elle est généreusement offerte. Elle s'accompagne d'admiration dont Saint-Just est à la

fois l'objet et le sujet : Thuillier l'admire et il admire
Robespierre. A ses yeux, l'amitié engage fortement, sa rupture dépasse la simple déception : incapable de passer de
l'amitié à l'indifférence, il réagit avec l'hostilité la plus
vive. Le crime de lèse-amitié est inexpiable.

Lorsqu'il lui faut travailler après son séjour chez la
Sainte-Colombe, il sollicite Rigaux, un ami de collège, qui
lui trouve un emploi. Saint-Just accueille la nouvelle sans
surprise : « Voici la réponse de Rigaux telle que je l'attendais. » Amitié oblige ! Au cours de sa carrière politique, il
se souviendra d'amis soissonnais et les engagera, comme
ce Lejeune nommé, en 1794, chef des bureaux de surveillance et de police générale près du Comité de salut public.
Mais, preuve que Saint-Just s'est bien enraciné dans le
milieu de sa jeunesse, ce sont surtout les Blérancourtois qui
occuperont la plus large place dans le cercle, somme toute
assez étroit, des amis. Bien avant la Révolution le trio
Saint-Just, Thuillier et Daubigny est uni de liens fraternels.
Leur éducation n'est pourtant pas la même, les deux derniers n'ont pas fréquenté le collège de Soissons et ont été
formés dans l'étude de Mᵉ Gellé. Seul Thuillier vit en per-
manence à Blérancourt, Saint-Just y rejoint périodiquement sa famille et Villain vient de temps en temps chez sa
mère. Tous trois nourrissent une commune hostilité à
l'égard de Gellé qui a séparé sa fille de Saint-Just et a
renvoyé de son étude Villain et Thuillier. Cette aversion
personnelle sans grandeur trouvera peu à peu de plus
nobles justifications quand le régisseur se fera le symbole
et le suppôt d'un régime honni de presque tous.

L'amitié de Saint-Just et de Thuillier représente une
sorte de rêve accompli. Chacun peut attendre à peu près
tout de l'autre. Saint-Just peut compter en politique sur le
total dévouement de Thuillier dont il assure par la suite la
carrière (les Thermidoriens le désigneront toujours comme
le « séide » du Conventionnel.)

Du secrétariat de la municipalité de Blérancourt, Thuillier seconde Saint-Just avec ardeur ; plus tard, comme
administrateur du district de Chauny, il le renseigne très
précisément et très régulièrement sur l'évolution des affai-

res locales. S'il y manque, Saint-Just, soucieux d'êtré à l'écoute de son milieu, le presse : « Tu ne me donnes aucune nouvelle, tu ne me dis rien de toi-même ni des opinions. Tu sais cependant quelle était notre manière sage de nous tout dire. » Thuillier se plaint de son nouvel état : « Je te prie de me chercher ce qu'il me convient et m'en donner avis sur-le-champ, afin que je quitte ce pays ingrat et peu reconnaissant des sacrifices que j'ai fait pour lui ainsi que toi. » A quoi son correspondant répond : « Porte-toi bien ; conduis-toi bien, dis-moi si tu es toujours poursuivi par les ennemis de la Révolution. » Dans l'été 1793, il lui fait la proposition tant attendue : « Te plaît-il d'être administrateur des achats et subsistances de l'armée ? Écris-moi là-dessus. On a reconnu en toi les qualités, la probité et l'intelligence nécessaires. » Gateau, un autre ami du député de l'Aisne, est également nommé à ce poste le 14 août 1793. Contrôlant et surveillant de nombreux agents militaires, provoquant par leurs fonctions des réactions d'hostilité et de haine, ils seront des censeurs sévères conformes à l'image que s'en faisait leur illustre ami.

Thuillier était d'une grande naïveté, manquait parfois de sens politique et ne maîtrisait pas toujours très bien ses nouveaux pouvoirs. Comme beaucoup, il était grisé par sa subite réussite et harcelait Saint-Just de sollicitations pour lui-même et pour son entourage. Celui-ci lui prodiguait mises en garde et conseils avec une constante patience. Thuillier l'écoutait comme un oracle et lui obéissait immédiatement. Toutefois, ce petit homme au visage rond ne manquait pas de personnalité et dissimulait derrière ses yeux bleus une grande détermination. Bien guidé, il agissait avec dévouement quoique obscurément. C'est probablement à lui que Saint-Just destine ce billet ni daté ni signé : « Écris-moi tous les jours ce que tu fais par rapport aux subsistances. Ne te lasse point. Les besoins sont immenses. Envoie trois ou quatre commissaires de tous côtés et envoie au maire l'état de tes marchés à mesure. Je t'en prie. » On n'a pas toujours bien apprécié la part que prirent Thuillier et Gateau dans les succès remportés aux armées par le Conventionnel.

L'ancien greffier de Blérancourt, hébergé par son ami, lui servait occasionnellement de secrétaire. Il ne se consola jamais de la fin tragique de Saint-Just et mourut, probablement empoisonné dans sa prison, moins de deux mois après lui.

Le cas de Villain Daubigny est différent. On sait qu'il fut au début de 1790, à Blérancourt, une sorte de « conseiller technique » pour le jeune révolutionnaire. Mais, dès l'année suivante, leurs relations s'assombrirent comme l'atteste la fameuse lettre où Saint-Just exprimait du dépit de ne pas en recevoir d'aide. Peut-être éprouvait-il déjà des doutes sur son honnêteté et sa sincérité. Daubigny joua un rôle important dans les événements du 10 août 1792 et manifesta sa bravoure au cours de l'assaut des Tuileries. Mais, dès ce jour, il fut accusé d'avoir volé une grosse somme d'argent dans le château. L'affaire ne fut jamais éclaircie... Robespierre, qui l'avait remarqué depuis des années aux Jacobins, le fit pourtant entrer au ministère de la Guerre, et sa nomination provoqua une très vive réaction à la Convention. Mais les accusateurs de Daubigny étaient ceux-là mêmes qui s'en prenaient au Comité de salut public. Du coup Robespierre prit sa défense et Saint-Just également : « Je joins avec plaisir mon témoignage à celui de Robespierre et je déclare que j'ai toujours connu Daubigny comme un homme de bien. Il est de mon pays. Je l'ai vu vendre ses effets pour fournir à la subsistance de sa mère qu'il a nourrie pendant quinze ans. En un mot, je ne connais pas de meilleur ami, de plus ardent patriote, de citoyen plus estimable que Daubigny. »

Après Thermidor, Villain fut un des accusateurs les plus durs et les plus acharnés de Saint-Just. Le premier serait-il un ingrat et le second une dupe ? L'affaire est plus complexe. Villain était très proche de Robespierre, et aussi de Danton ; il avait également des amis chez les Hébertistes des comités de section. Sa position, comme souvent, semble s'être précisée à mesure que ses ambitions furent déçues, que les purges de Germinal et les événements de Thermidor suscitèrent des volte-face.

Saint-Just était-il naïf au point de penser qu'un bon fils serait nécessairement un bon citoyen ? C'est possible. Mais il faut aussi comprendre que Daubigny connaissait bien la vie de son compatriote et aurait pu exploiter politiquement toutes ses erreurs de jeunesse : le « vol » de l'argenterie et la fugue à Paris, les polissonneries d'*Organt*, les accents royalistes de l'*Esprit de la Révolution*... Il aurait pu dénoncer (même si lui aussi les avait préconisés) les moyens contestables qu'il avait employés à Blérancourt au début de la Révolution. Il aurait pu mettre un terme à sa carrière politique. « ...Indigné des horribles vexations qu'il avait commises contre différentes personnes de mon pays, écrit d'ailleurs Villain en l'an III, pour satisfaire à des haines particulières, je l'avais menacé de lui arracher le masque et de renverser l'échafaudage de prétendues vertus et de mœurs spartiates dont il affectait le langage et les dehors. » « Je donnerai des détails sur la vie privée de cet homme qui, jeune encore, avait déjà perfectionné l'art d'opprimer le peuple par la terreur et l'effroi, qui ne le cèdent en rien à ceux qu'offrent tous les tyrans ses modèles », précise-t-il dans une note.

Otage de Villain, Saint-Just ne pouvait ni l'ignorer ni l'attaquer et dut le subir après l'avoir sollicité puis protégé. Il est probable que les liens se sont relâchés dès les premiers mois de 1794 : Daubigny semble ne plus faire partie du cercle des proches du Conventionnel.

Ce n'est pas le cas de Gateau, qui déclare avoir fait la connaissance de Saint-Just en 1788. Les deux hommes se sont probablement rencontrés à Reims à la faculté de Droit et se sont retrouvés à Paris, où Gateau s'est installé en mai 1791. Son nom est étroitement associé à ceux de Thuillier, dont il fut le collègue à l'administration des Subsistances et de Daubigny, avec lequel il entretint une correspondance suivie. Généreux, enthousiaste et chaleureux, Gateau s'est lié avec des hommes aussi divers que les Montagnards Saint-Just, Villain, des Girondins comme Carra et Girey-Dupré ou encore des Hébertistes tels Vincent. Il n'était pas non plus insensible à l'expansion de ses propres affaires comme l'attestent plusieurs de ses lettres. Épicurien,

Gateau est de tempérament beaucoup plus dantoniste que robespierriste. Il trouve ses limites dans son absence de sens politique, mais sa conscience professionnelle et sa fidélité sont émouvantes : ainsi a-t-il le courage de témoigner en faveur de Vincent au procès des Hébertistes et de ne pas diffamer Saint-Just après Thermidor malgré une très dure détention pendant quatorze mois.

Contrairement à Thuillier, Gateau ne fut pas un ami exclusif et inconditionnel de Saint-Just ; personne, pourtant n'a contribué autant que lui à sa renommée du vivant du Conventionnel comme après sa mort. Ainsi, de Strasbourg, il écrivait à Daubigny le 27 brumaire an II : « ...Il était temps que Saint-Just vînt auprès de cette malheureuse armée... il a tout vivifié, ranimé, régénéré... Quel maître-bougre que ce garçon-là ! La collection de ses arrêtés sera sans contredit un des plus beaux monuments historiques de la Révolution. » Cette affectueuse admiration traversa les épreuves et l'infortune politique. Pendant sa détention, Gateau rédigea, en faveur de son ami mort, un vibrant éloge que Briot, en 1800, inséra dans la première édition des *Fragments d'Institutions républicaines* : « Cher Saint-Just, si je dois échapper aux proscriptions qui ensanglantent ma patrie, je pourrai dérouler un jour ta vie entière aux yeux de la France et de la postérité... je dirai quel était ton zèle à défendre les opprimés et les malheureux... Je dirai quelles furent tes mœurs austères, et je révélerai les secrets de ta conduite privée... »

Ce sont aussi des liens régionaux qui rapprochèrent Saint-Just de Charles Gervais, natif de Manicamp, et dont le père, pauvre paysan, avait constamment appuyé le futur Conventionnel dans son conflit avec Lauraguais. Le jeune Charles avait quitté son village pour pratiquer le commerce du bois à Saint-Domingue. Mais, expulsé de l'île en décembre 1792, il vint affirmer à la Convention qu'il était l'objet des intrigues d'aristocrates, puis rentra chez ses parents à Manicamp. Il animait le comité de surveillance de Chauny quand fut votée la loi du 9 mars 1794 (19 ventôse an II) menaçant d'arrestation ceux qui avaient participé à des assemblées coloniales : Saint-Just le protégea et lui fit attribuer à la mi-juin, une place de comptable à la Commission d'Agriculture et des Arts. Tardive et discrète, cette amitié a échappé à l'observation, mais c'est probablement grâce à elle que Saint-Just put mesurer mieux que quiconque la complexité des questions coloniales.

Bien d'autres amitiés se sont nouées au fil des jours, même si, faute de documents, on les soupçonne plus qu'on ne les décèle. On sent pourtant bien la présence d'une centaine de partisans dévoués et actifs dans les réunions politiques difficiles ; on perçoit l'enthousiasme d'humbles jardiniers venus témoigner dans l'affaire des communaux et affirmer les usages immémoriaux de Blérancourt ; on sait combien fut chaleureux le concours d'Honnoré, le vieux maire du bourg, qui favorisa l'action et la carrière du jeune révolutionnaire.

Saint-Just manifestait en général une extrême bienveillance envers ses amis. A Thuillier, il offre une montre en or ; il s'efforce de procurer des places à ses fidèles, toujours prêt à leur rendre service quand c'est compatible avec sa morale politique. Il écrit à un « citoyen et ami » (sans doute Garot) le 8 juillet 1793 : « ... J'ai peu de loisir, je fais ce que je puis pour répondre à votre confiance, et pourvu que je rende compte au peuple de mes moments, l'amitié ne sera pas plus sévère. Je vais m'occuper avec le Cen Charmier de l'affaire du citoyen Bailli que je vous prie d'assurer de mon sincère attachement... » Il ne cède que très rarement à des sollicitations douteuses ou contraires au bien public. Lorsque Gateau demande l'élargissement d'un certain Dubois, son collègue à la Commission d'Agriculture, arrêté à cause de ses rapports professionnels avec Malesherbes, le défenseur de Louis XVI, il interroge : « Se sont-ils vus depuis la Révolution ? » Il tempère Thuillier qui, non content d'avoir inlassablement demandé pour lui-même, ne peut se retenir d'aider ses parents et ses amis. C'est probablement à lui que Saint-Just écrit le 21 septembre 1793 : « Je te recommande, mon ami, de t'acquitter de ta mission selon mon cœur, c'est-à-dire avec une justice inflexible. Ne passer rien à aucun fripon. La République est la première considération de toutes. Notre sensibilité doit être tout entière pour elle. Monnevieux désire être placé, je t'invite d'être utile avec discernement à tes compatriotes. J'embrasse Gateau et toi. »

Quand le député de l'Aisne arrive à Paris, le cercle de ses amis s'élargit. A la Convention, il rencontre Philippe Le Bas. La froideur et l'intransigeance de l'un contrastaient avec la spontanéité et la chaleur de l'autre, mais ils avaient la même sensibilité que le premier refoulait et que le second extériorisait. « Saint-Just est bien portant, écrivait Philippe à sa femme, le 1er février 1794 ; quand nous avons du mal, notre amitié nous le fait supporter mieux. » Mais le 16 mai, il se plaignait : ...Je suis seul avec mon cœur... « Schillichem [un chien qu'il avait adopté en Alsace] me caresse beaucoup et je le lui rends bien ». La rupture de la liaison entre Saint-Just et Henriette, la sœur de Philippe, n'était peut-être pas étrangère à ces propos désenchantés. Mais l'amitié des deux hommes n'en fut pas vraiment altérée.

C'est à Paris aussi que Saint-Just se rapprocha de celui qui allait avoir une influence déterminante sur son destin. Ce n'était pas un choix opportuniste dicté par l'arrivisme. Si Saint-Just avait seulement souhaité faire carrière il se serait tourné vers la Gironde qui distribuait les places ou vers Danton. Le talent de Robespierre avait mûri à l'épreuve des quatre premières années de la Révolution, mais son caractère difficile et son intransigeance l'avaient isolé. La poignée de Montagnards qui l'entouraient ne semblait guère appelée à jouer les premiers rôles. En allant vers lui, il empruntait une voie étroite, pavée de dangers.

Les deux hommes avaient en commun une soif d'absolu et brûlaient du même idéal. Ils tenaient au pouvoir sans aimer la fortune, désintéressement d'autant plus remarquable qu'il était rare.

Contrairement à Saint-Just, Robespierre avait été un premier de classe. Pour compenser la médiocrité de ses origines, il avait trouvé son accomplissement dans la rhétorique et l'art oratoire. A l'Assemblée, comme naguère au collège Louis-le-Grand, ses devoirs, ses rapports étaient presque toujours excellents et dépourvus de ces défauts voyants que l'on reprochait à Saint-Just. Il excellait dans les clubs que Saint-Just fuyait. Son extraordinaire subtilité d'esprit en faisait un remarquable tacticien parlementaire, évoluant avec aisance entre les travées de la Montagne et de la Plaine, sachant trouver des formules souples, avancer des propositions puis les reprendre si nécessaire. Nul ne sut mieux profiter des événements, ressaisir des situations compromises, manœuvrer au coup par coup avec habileté et fermeté. Saint-Just, au contraire, était obnubilé par la réalisation immédiate de ses objectifs et voulait exploiter une situation dont les siècles étaient avares pour traduire en actes les mesures envisagées.

Robespierre s'imposait à ses pairs tout en se distinguant des masses. Il avait certes fréquenté et aidé le petit peuple d'Arras (ainsi, il avait rédigé le cahier de doléances des savetiers mineurs), mais il eut ensuite peu de contacts directs avec les sans-culottes parisiens et presque aucun avec le monde rural. Saint-Just ne connaissait pas mieux le peuple de la capitale. En revanche, pendant trois ans il avait partagé les luttes et les espoirs des paysans. Il était donc naturellement porté à prolonger la réflexion politique par l'action. Robespierre et Saint-Just se complétaient donc admirablement et perçurent très vite ce que leurs efforts gagneraient en efficacité s'ils se répartissaient les tâches selon leurs aptitudes. Leurs esprits en vinrent parfois à se mêler si étroitement qu'il est souvent impossible de dissocier l'influence de chacun dans une décision.

Naturellement, cette amitié profonde ne permit pas toujours de dominer les divergences de vues ou les heurts de caractères. De neuf ans plus âgé, Robespierre dut parfois être agacé par les simplismes de Saint-Just et ce dernier fut sans doute irrité par le formalisme tâtillon, les entêtements et les rancunes mesquines de son aîné. Chacun savait déceler les défaillances de l'autre. Exacerbés par les difficultés à surmonter et les fatigues du combat, ces tempéraments abrupts ont été par moments en désaccord sur des points précis. De plus, au cours des vingt-deux mois pendant lesquels ils œuvrèrent ensemble, leurs rapports évoluèrent. Saint-Just, qui avait accompli presque tout le chemin vers Robespierre, imposa progressivement sa personnalité et son style et devint chaque jour plus indispensable à mesure que déclinaient la santé, la perspicacité et le crédit de l'Incorruptible. Sur la fin, Saint-Just semble même avoir été plus conciliant et avoir mieux mesuré, sans pouvoir en persuader Robespierre, la nécessité de l'union au sein du Comité de salut public. On a beaucoup spéculé sur l'ampleur des divergences entre les deux hommes, mais force est de constater que le dernier discours de Saint-Just — celui-là même qu'on l'empêcha de prononcer — est un vibrant hommage à l'ami et un exemple de fidélité rare dans l'Histoire.

L'intimité de ces deux hommes de caractère était si étroite que certains sont allés jusqu'à suggérer qu'elle fut de nature homosexuelle. Saint-Just, qui n'a jamais hésité à s'exprimer sur les sujets les plus délicats, a dénoncé, au moins à deux reprises, dans *Organt,* ces mœurs qui lui apparaissaient comme l'un des vices propres à la classe des aristocrates.

AMITIÉ ET SOCIÉTÉ.

Beaucoup plus que l'amour, contrarié, c'est l'amitié qui a ensoleillé la courte vie du député de l'Aisne. Elle lui a valu bien des concours chaleureux et des marques de dévouement. En dépit de certaines déconvenues, elle lui apparaît comme une des rares valeurs susceptibles d'échapper à l'usure, à la corruption, aux compromissions. Il imagine d'en faire l'un des axes d'une nouvelle société ; comme en témoignent les notes des *Fragments d'Institutions républicaines,* il entend même assimiler légalement les rapports d'amitié à ceux de la parenté.

Obligation sociale, l'amitié procède du libre choix ; une fois nouée, elle sera « officialisée » par une déclaration solennelle et rompue par un compte rendu public au Temple. Les amis se prêteront témoignage dans les contrats et arbitrages, dans les différends avec des tiers. Organisant les funérailles et prenant en tutelle les orphelins des disparus, ils seront mutuellement responsables de leurs crimes. Les hommes liés d'amitié entretiennent des rapports privilégiés : engagés verbalement, ils ne se feront pas de procès et, à la guerre, combattront côte à côte. La mort ne les séparera jamais et ils seront « enfermés dans le même tombeau ».

Ces idées étaient une résurgence de l'Antiquité. Depuis le XIVe siècle les juristes y avaient renoncé ; au XVIIIe, elles étaient totalement anachroniques. Saint-Just, probablement, ne souhaitait pas substituer des relations d'amitié aux rapports légaux, mais simplement conférer à la loi une dimension éthique et affective. En réunissant des hommes inégaux par la fortune et par l'intelligence, l'amitié transcenderait les différences et deviendrait un moyen d'intégration et de concorde sociales.

Comme toujours, Saint-Just ne s'est pas contenté d'émettre des idées. Son amitié avec Thuillier, Gateau, Robespierre et d'autres fut féconde. Au milieu des difficultés, l'amitié leur a apporté le réconfort et, dans les pires moments, la force de subir les épreuves. Les dernières heures de Saint-Just furent toutes de fidélité à Robespierre et de recueillement auprès de la dépouille de Le Bas (qui aurait pu sauver sa vie, mais revendiqua l'honneur de partager le sort des proscrits). Alors que tous reniaient Saint-Just, Gateau endura un long emprisonnement et Thuillier en mourut.

En voulant procurer aux hommes plus que le pain, Saint-Just s'est peut-être bercé d'illusions et a trop misé sur les vertus de l'amitié. Mais, conscient de l'isolement de l'individu, il fut spontanément porté à exalter la fraternité sociale. Quoique exprimées de façon naïve et maladroite, ces préoccupations ne sauraient faire sourire.

CHAPITRE XVI

Sauver Strasbourg

Nous n'avons d'entrailles que pour la patrie.

SAINT-JUST

Le 18 juillet 1793, le Comité de salut public avait confié à Saint-Just une mission « d'intérêt public » dans l'Aisne, l'Oise et la Somme ; si toutefois elle eut lieu, elle fut courte, discrète et même secrète puisque apparemment il ne quitta guère le pavillon de Flore à ce moment-là et que, le 1ᵉʳ août, Collot d'Herbois, Isoré, Lequinio et Lejeune furent, précisément, envoyés dans l'Aisne et l'Oise.

MISSION À L'ARMÉE DU RHIN.

•

Écrivant à Thuillier à la fin de juillet : « Je vais, je crois, aller ces jours-ci aux armées », Saint-Just envisageait-il d'accompagner Le Bas qui partit le 2 août ? Pensait-il y être envoyé à la place de Carnot, qui y fut délégué le 25 septembre ? C'est seulement en octobre qu'il fut investi de responsabilités qui devaient le retenir à l'armée du Rhin pendant deux mois et demi.

Parmi les pièces rassemblées en l'an III contre lui, on trouve ce témoignage de Broendlé, secrétaire du district de Strasbourg : « Les représentants [*Saint-Just et Le Bas*] veulent sacrifier six mille citoyens de Strasbourg... On battrait la générale, toute la Garde nationale serait sous les armes, les six mille marcheraient vers le Rhin, embarqueraient... On tirerait de nos batteries quelques coups de canon sur la rive gauche opposée pour engager l'ennemi au combat et à mitraille sur les bateaux ; ceux-ci seraient entre deux feux et ne pourraient échapper. (...) Heureusement les choses en sont restées là. » Malgré cette dernière phrase rassurante, le texte a permis à certains d'assimiler Saint-Just au sinistre Carrier de Nantes.

Pour d'autres, il a rejoint dans l'histoire le petit nombre des sauveurs de la patrie menacée : Michelet, qui pourtant ne l'aime guère et ne le trouve pas assez démocrate, se laisse aller à l'enthousiasme : « Saint-Just apparut non comme un représentant mais comme un roi, comme un dieu. Armé de pouvoirs immenses sur deux armées, cinq départements, il se trouva plus grand encore que sa haute et fière nature. Dans ses écrits, ses paroles, dans ses moindres actes, en tout éclatait le héros... »

En redonnant l'avantage à l'armée du Nord, la victoire de Wattignies avait ramené Carnot au Comité de salut public, et Saint-Just, qui avait piaffé d'impatience tout l'été, se fit déléguer, avec Le Bas, à l'armée du Rhin dès le lendemain.

Malgré de fortes convictions et son engagement dans le cercle des Robespierristes, Le Bas était de tempérament modéré. Sa personnalité attirait la sympathie, jusque chez ses adversaires. Ainsi avait-il su, au cours d'une précédente mission, rester en bons termes avec son collègue Duquesnoy, dont les heurts avec Carnot devaient trahir le caractère redoutable. Mais il répugnait à quitter les siens. Élisabeth, sa femme, pensait que Robespierre l'avait associé à Saint-Just pour des raisons politiques : « Robespierre envoyait Le Bas avec Saint-Just en mission parce qu'il savait Le Bas calme et juste, quoique ardent, et capable de modérer Saint-Just dont le caractère véhément et passionné aurait été quelquefois nuisible aux intérêts de la patrie. »

Au cours de ces missions, Le Bas semble avoir été un brillant second plein d'admiration et de respect à l'égard de son collègue : « Je suis très content de Saint-Just, écrivait-il à sa femme le 1er novembre 1793, il a des talents que j'admire et d'excellentes qualités. » L'accord entre les deux hommes fut presque toujours parfait en Alsace et, plus tard, en dépit de la déconvenue amoureuse d'Henriette, sœur de Philippe, il persista.

La banalité de l'ordre de mission du 17 octobre contraste avec l'importance des deux représentants. Membres du Comité de salut public et du Comité de sûreté générale, ils sont une émanation du gouvernement de fait. C'est que la situation à l'Est, assez comparable à celle qu'avait trouvée Carnot dans le Nord un mois plus tôt, justifiait bien l'intervention d'instances gouvernementales. (Carte en annexe p. 375).

Après la capitulation de Mayence, le 28 juillet 1793, les Austro-Prussiens avaient, en effet, lancé une puissante offensive qui partout avait fait plier les forces révolutionnaires. Malgré la destitution du général en chef, Landremont, et la nomination de Carlenc, les défaites avaient continué de s'accumuler. Face à Wurmser, l'armée du Rhin avait abandonné Wissembourg, Lauterbourg et Haguenau le 13 octobre. La forteresse de Landau avait été investie ; les Autrichiens campaient à quelques lieues de Strasbourg et un parti hostile menaçait de leur livrer la ville. Quant à l'armée de la Moselle, battue à Pirmasens le 14 septembre, elle s'était repliée sur Sarrebrück et Sarreguemines ; la place de Bitche, encerclée, ne pouvait plus assurer la défense de Saverne et des cols environnants. La moyenne Alsace et la porte de Lorraine étaient menacées.

Avec 100 000 hommes, le Comité de salut public croyait que la supériorité de ses effectifs devait lui donner la victoire. Carnot s'étonnait : « Il est inconcevable qu'avec cette force prodigieuse dans un pays que l'art et la nature se sont réunis à rendre inexpugnable, on ait à craindre de succomber sous les coups de l'ennemi. » Mais, à peine arrivés sur place, Saint-Just et Le Bas éclairent le Comité : « Les 100 000 hommes dont vous parlez sont répartis depuis Huningue jusqu'à Landau et Fort-Vauban. (...) Nous avons eu la bêtise de nous disperser dans des garnisons (...) et nos forces sont nulles » (3 novembre). La dissémination des troupes et la perte des lignes de Wissembourg avaient réduit l'effectif opérationnel de l'armée du Rhin à environ 40 000 hommes et l'armée de la Moselle en comptait 36 000. Il fallait donc acheminer des renforts sur l'ensemble du front, réorganiser les forces disponibles, faire de nouvelles levées et fournir un considérable effort de logistique et d'intendance.

De plus, le temps pressait, car les garnisons de Bitche et surtout de Landau, dont la chute aurait des effets désastreux, ne pourraient tenir indéfiniment.

UNE AUTORITÉ CONTESTÉE.

Sur le rapport de Saint-Just et Le Bas, le Comité renonça à exploiter la victoire de Wattignies dans le Nord pour faire porter tous ses efforts sur l'Est. Les deux représentants furent chargés d'adapter et de surveiller l'application des plans mis au point par Carnot. Celui-ci ayant décidé de concentrer toutes les forces disponibles à Bouquenom (Bukenheim) afin de lancer une opération sur Bitche puis de débloquer Landau. Saint-Just proposa d'attaquer en même temps le flanc de l'armée ennemie dans la région de Saverne et de tenter de le poursuivre dans le Brisgau par Kehl : « ... Nous marcherons de tous côtés comme le tonnerre sans nous arrêter, sans laisser respirer l'ennemi. » Carnot reçut la suggestion avec courtoisie, mais il s'en tint à l'attaque de Bitche et conseilla d'attendre la retraite de l'ennemi pour engager un autre mouvement.

Cet échange de lettres laisse supposer que Saint-Just et Le Bas disposaient sur le terrain d'une autorité sans partage. Or douze commissaires étaient déjà en fonction à l'armée de l'Est, sans compter ceux qui se trouvaient dans la Moselle, la Meurthe et les Vosges et ils disposaient des mêmes pouvoirs. Mallarmé, Guyardin et Lacoste s'offusquèrent de voir Saint-Just et Le Bas se faire appeler « députés extraordinaires », quand bien même fussent-ils membres du Comité et eussent-ils accès aux secrets gouvernementaux. De plus, et bien qu'il eût laissé pousser sa moustache pour durcir et vieillir son visage, Saint-Just

n'en demeurait pas moins le benjamin de l'Assemblée.
Voulant imposer l'autorité du Comité, il traitait ses interlocuteurs avec distance : « Nul n'osait les aborder sans
trembler », confia plus tard Monet, le maire de Strasbourg.
Et E. Quinet rappelle que Baudot, également représentant
en Alsace, disait de Saint-Just quarante ans après : « Son
souvenir me fait encore frissonner. »

Saint-Just et Le Bas, constatant que les interventions des
représentants se chevauchaient quand elles ne s'opposaient pas, suggérèrent, dès le lendemain de leur arrivée à
Strasbourg, que deux suffiraient à les seconder. Mais leur
proposition ne fut guère suivie d'effets, bien au contraire.
Début novembre, ils apprirent que Hérault de Séchelles,
soupçonné de trahison au Comité, venait d'être chargé
d'une mission de surveillance et de ravitaillement des unités de réserve dans le Haut-Rhin. Le 5, Le Bas exprimait
vivement à Robespierre son mécontentement : non seulement les représentants n'étaient pas rappelés, mais on
envoyait un personnage aussi suspect que Hérault. De son
côté, Saint-Just manifestait une rancœur désabusée : « La
confiance n'a plus de prix lorsqu'on la partage avec des
hommes corrompus ; alors on fait son devoir par le seul
amour de la patrie, et ce sentiment est plus pur. Je
t'embrasse mon ami. »

Pourtant la Convention avait finalement adopté le
3 novembre un décret rappelant la plupart des commissaires et nommait ou maintenait auprès des armées Lemane,
Baudot, Ehrmann et Lacoste (du Cantal) avec les « mêmes
pouvoirs que les autres représentants envoyés près des
armées ». C'était loin de donner satisfaction à Saint-Just et
à Le Bas, même si Robespierre et Carnot avaient joint ces
mots à la notification : « Gardez-vous de l'impatience,
nous vous soutenons. »

Ces tergiversations montrent que la Convention ne
tenait pas à laisser toute liberté en Alsace aux amis de
Robespierre. Les représentants rappelés rejoignirent
l'Assemblée à contre-cœur, sans hâte, et pour certains en
plusieurs semaines. De leur côté, Lacoste et Baudot, forts
de pouvoirs aussi étendus que ceux de Saint-Just et de Le

Bas, agirent avec beaucoup d'indépendance. Ce manque de cohésion profitait d'une définition très floue du commandement. La médiocrité des généraux était également un grave sujet de préoccupation. Depuis le début de la guerre, la trahison et l'incompétence avaient instauré un climat de suspicion : les chefs étaient chargés de tous les péchés en cas d'échec. Mais, peu à peu, une nouvelle génération d'officiers s'affirma qui joignait à ses convictions républicaines une grande valeur technique : la relève intervint précisément en brumaire an II au moment où Saint-Just et Le Bas mettaient le pied en Alsace. Pichegru fut nommé général en chef de l'armée du Rhin et accueilli, le 26, par Saint-Just et Le Bas : « Pichegru arrive à l'instant, annoncèrent-ils au Comité ; c'est un homme résolu, nous allons l'installer et frapper. » Quatre jours plus tôt, Hoche avait, de son côté, reçu le commandement de l'armée de la Moselle, avec le grade de général de division.

Cette différence de grade entre les deux hommes indiquait que le Comité se réservait la possibilité de subordonner Hoche à Pichegru, le jeune chef de vingt-cinq ans au « vétéran » de trente-deux, comme l'explique très clairement le ministre Bouchotte à Saint-Just dans une lettre du 23 octobre : « ... Dans le cas de la fusion de l'armée de la Moselle à celle du Rhin, le commandement resterait au général en chef de celle-ci, c'est pour cela que Hoche n'est pas nommé général en chef mais général de division, commandant l'armée de la Moselle. »

Cette décision ne fut pourtant pas précisée aux intéressés avec la même netteté et Hoche ne se considéra jamais comme un subordonné. Les plans de campagne, il est vrai, augmentaient constamment ses effectifs, lui confiaient les opérations principales et le plaçaient aux avant-postes de la victoire. Tout, y compris ses capacités et sa nature, l'incitait à se comporter en chef et à ne manifester ni patience ni bienveillance à l'égard de Pichegru. Saint-Just et Le Bas n'avaient aucune raison d'encourager ces tendances et se contentèrent de lui communiquer leurs directives par la voie hiérarchique. Fut-ce une faute psychologique ? Ils ne manifestèrent en tout cas aucune prévention envers lui en faisant appliquer la politique du Comité et réagirent avec mesure lorsque la brouille entre les deux généraux s'envenima en pleine bataille.

CE PAYS « SUPERBE », L'ALSACE.

Dans l'immédiat, ils ne manquaient pas de besogne en abordant cette terre alsacienne qui n'était pas une terre comme les autres. A leurs rares moments de loisir, ils découvrirent, du haut des cimes, la somptuosité de ses paysages avec une émotion que Le Bas exprimait à sa femme : « Le pays où je suis est superbe. Nulle part je n'ai vu la nature plus belle, plus majestueuse ; c'est un enchaînement de montagnes élevées, une variété de sites qui charment les yeux et le cœur. Nous avons été ce matin, Saint-Just et moi, visiter une des plus hautes montagnes au sommet de laquelle est un vieux fort ruiné, placé sur un rocher immense. Nous éprouvâmes tous les deux, en promenant nos regards sur tous les alentours, un sentiment délicieux... » En revanche, ils ne comprirent pas la singularité historique de cette région.

A la fin de l'Ancien Régime, l'influence française s'y faisait sentir depuis un siècle et demi à peine et ce pays de civilisation rhénane n'était dirigé par un intendant que depuis 1674 ; Strasbourg, république indépendante, n'avait été rattachée à la France qu'en 1681. Le morcellement politique avait entretenu une grande instabilité religieuse et sociale.

En 1793, la société alsacienne était essentiellement rurale. Les masses paysannes parlaient exclusivement le dialecte et leur ignorance totale du français compliquait singulièrement les communications avec le pouvoir central. Très attachées à leurs mœurs et à leurs croyances, elles subissaient l'influence de ministres catholiques, réformés ou luthériens, qui tous étaient éduqués outre-Rhin et répandaient une culture germanique. A Strasbourg, l'artisanat et le commerce faisaient vivre de nombreux salariés, compagnons, petits patrons, négociants et banquiers. Mais les distinctions sociales se faisaient tout autant en fonction de critères sociologiques et religieux que de fortune. Les vieux Alsaciens de souche se démarquaient ostensiblement des Allemands, plus récemment installés, et des « Français de l'intérieur » ; les catholiques ne se mêlaient pas aux protestants et depuis peu, une importante communauté juive, vivant à part et souvent détestée, avait pris une place prépondérante dans les affaires. Pour l'étranger, aucune société n'était aussi difficile à saisir.

LA RÉVOLUTION IMPOSÉE.

Les paysans, en grande majorité citoyens actifs, s'engouèrent pour les réformes lorsque la Révolution éclata. Leurs convictions religieuses ne les empêchèrent pas d'acquérir des biens d'Église et le transfert de la propriété seigneuriale attacha beaucoup d'entre eux au nouveau régime. Les protestants qui avaient acquis, en 1790, le plein exercice de leur citoyenneté s'y engagèrent aussi. La première municipalité « révolutionnaire » de Strasbourg fut dirigée par l'un d'eux, Frédéric de Dietrich, représentatif de cette bourgeoisie d'affaires favorable à une révolution modérée. Mais à mesure que celle-ci se durcit, la grande masse s'en détacha, surtout lorsque la guerre, les conscriptions et les réquisitions l'atteignirent. « L'habitant de ce département ne sera jamais capable de ces sacrifices, écrivaient les administrateurs du Bas-Rhin au Comité, de cet élan qui annoncent un républicain ardent. Il n'est pas davantage autrichien ni prussien, il ne regrette point l'Ancien Régime, il aime peut-être la République, mais il n'est point fait pour les révolutions. »

L'opposition jacobine était animée par quelques très jeunes gens et les cadres les plus en vue n'étaient pas alsaciens : François Monet, futur maire de Strasbourg, était savoyard, Antoine Tétrel, son adjoint, lyonnais et Euloge Schneider, accusateur public près le tribunal criminel de Strasbourg, allemand. L'impulsion lui vint de la Convention. Par une succession de coups de force, les représentants en mission imposèrent en 1793 la mise en place d'institutions terroristes : ainsi, en janvier, le successeur du maire Dietrich, Turckheim, fut remplacé par Monet malgré l'opposition des douze sections de la ville. Puis, du 3 au 6 octobre, les administrateurs départementaux élus furent supplantés par des Jacobins nommés et, le 8, fut créé un comité de surveillance et de sûreté générale du Bas-Rhin. Enfin, le 15, le tribunal criminel devint une commission révolutionnaire sans jury rendant ses jugements dans les 24 heures.

Ainsi, Strabourg connaissait la violence révolutionnaire. Le 31 mars, trois têtes étaient tombées sous le couperet de la guillotine ; élus destitués, dirigeants imposés, arrestations, institutions d'exception : toute une politique terroriste avait été pratiquée en Alsace avant l'arrivée de Saint-Just et de Le Bas.

« DISCIPLINER LES CHEFS ».

Dès leur arrivée, le 24 octobre, les représentants sont confrontés à de multiples difficultés. Au plan militaire, il faut rétablir la discipline, restaurer le moral, accroître les effectifs et pourvoir au ravitaillement. Mais ils doivent en même temps conjurer les menaces pesant de l'extérieur et de l'intérieur sur Strasbourg : les intrigues des émigrés et les menées de certaines autorités civiles. Le spectre de Lyon hantait les esprits.

Les deux amis s'attachent d'abord à décourager dans l'armée toute manifestation d'indiscipline et à encourager les actes patriotiques. A Saverne, le 22 octobre, ils déclarent : « Soldats, nous venons vous venger et vous donner des chefs qui vous mènent à la victoire. » Et ils assurent au Comité que l'armée est saine dans son ensemble, à l'exception de quelques officiers : « Nous allons l'épurer, nous allons discipliner les chefs, ils en ont plus besoin que les soldats. » Il fallait montrer aux unités, traumatisées par une série d'échecs, que quelque chose avait changé, qu'une volonté nouvelle allait les conduire au succès Mais comment distinguer entre l'absence de volonté, d'autorité, de compétence et l'erreur ou la trahison ?

JUSTICE EXPÉDITIVE ET RÉCOMPENSES.

Le 26 octobre, le tribunal militaire est transformé en une commission spéciale dotée de vastes pouvoirs tant à l'égard des civils que des militaires : « Nous apprenons que vos procédures languissent, écrit Saint-Just à Bruat, l'accusateur public. Vous êtes trop longtemps à entendre les prévenus et vous laissez pressentir vos jugements. Vous êtes institués pour être justes, prompts et sévères ; mais souvenez-vous que la mort est sous le siège des juges iniques, comme sous celui des coupables. » Entre le 28 octobre 1793 et le 6 mars 1794, le tribunal prononce 27 condamnations à mort et 34 à la détention jusqu'à la paix, chiffres sans commune mesure avec ce qu'on à prétendu par la suite. Mais, plus que le nombre, c'est la qualité des victimes qui étonna : 8 officiers dont 2 généraux !

Les colonels de Tauzia et de Béril étaient condamnés pour royalisme, l'administrateur général des subsistances militaires, Cablès, pour agiotage et prévarication et, enfin, le général Isambert, pour avoir abandonné à l'ennemi le fort de Saint-Remy, point stratégique sur la ligne de la Lauter. Les onze premières exécutions eurent lieu en présence des troupes et, pour la plupart, avant l'offensive.

Cette justice expéditive fut-elle au moins équitable ? Le simple soldat Réau fut exécuté aux côtés d'Isambert : « L'égalité règne, proclama la société populaire de Strasbourg, un général et un chasseur ont été fusillés. » Pour en accroître les effets, Saint-Just et Le Bas donnèrent au supplice un caractère publicitaire qui eut un immense retentissement. Lacoste, Baudot et Lemane furent bien souvent tout aussi impitoyables, par exemple quand ils décidèrent de punir de mort les fuyards et les pillards (18 furent ainsi exécutés). Pourtant cette sévérité fut éclipsée par celle de Saint-Just et Le Bas...

Les représentants s'en prennent aussi à la discipline relâchée et interdisent toute sortie du camp sans permission du général. Ils réduisent la circulation des militaires pour rai-

son de service et font contrôler rigoureusement les prétendus malades. Les sanctions sont propres à frapper les imaginations : ainsi, l'adjudant général Peyredieu, surpris à la
Comédie de Strasbourg, est dégradé et ses adjoints qui
l'accompagnaient passent la nuit en prison. L'infortuné
capitaine Texier, en sortie irrégulière, est tombé, lui, sur un
passant incommode : « Texier, capitaine des chasseurs du
Rhin, rencontré aujourd'hui à sept heures du soir dans les
rues de Strasbourg par le citoyen Saint-Just, à qui il a
demandé le chemin de la Comédie, sera mis en arrestation
pour avoir quitté son poste »...

La répression se double de récompenses tout aussi
exemplaires. Voici le lieutenant-colonel Argout, remarqué
pour sa bravoure, notamment lors de la retraite de Wissembourg, le chef de bataillon Édouard Huet et le capitaine
Jean-Baptiste Augier, qui avaient vaillamment défendu le
fort de Bitche, nommés généraux de brigade. Les promus
sont d'ailleurs fréquemment issus d'unités frappées par la
justice militaire.

Simultanément, des honneurs et des rétributions récompensent les braves ou les mutilés : chevaux de luxe, sabres
et fusils saisis sur les émigrés, pensions, gestes solennisés
par un arrêté ou une proclamation destinés à enflammer
les cœurs. Saint-Just et Le Bas s'efforcent encore de sensibiliser la Convention aux actes de vaillance ; ainsi,
envoient-ils à Paris les défenseurs de Bitche et le capitaine
Donnadieu avec un drapeau qu'il a pris à l'ennemi pour les
faire ovationner par les députés.

Les commissaires veillent aussi aux conditions matérielles des troupes, réquisitionnent des lits pour les blessés,
expérimentent « l'eau régénératrice du citoyen Tranche La
Hausse pour la guérison des blessures et des maladies les
plus connues dans l'armée ». Ils suscitent la solidarité des
paysans envers leurs compagnons mobilisés : « Vous êtes
Français et républicains, le champ de votre concitoyen ne
restera point inculte. »

L'OBSESSION DU RAVITAILLEMENT.

Dès leur arrivée en Alsace, les commissaires furent
assaillis de réclamations et absorbés par la quête inlassable
des subsistances. Secondés par Gateau et Thuillier, des
hommes de confiance, ils agirent avec plus de détermination que de légalisme, comme en témoigne la réaction
goguenarde des Francs-Comtois.

Quelques jours après leur arrivée, ils avaient ainsi arrêté
que les membres des corps constitués répondraient « sur
leur tête » de toute transgression à la loi du Maximum pour
les bœufs, les vaches et les moutons. Les autorités du
Doubs rappelèrent qu'un décret du 23 octobre maintenait
la liberté des ventes et achats de bétail sur pied. Elles
redoutaient la ruine d'un « département frontière rempli
de troupes et de malades... Il y a lieu de croire que ce décret
[du 23] n'était pas connu des représentants Saint-Just et Le
Bas lorsqu'ils ont pris leur arrêté [du 28]. » Comme
l'Alsace, la Franche-Comté avait été incorporée tardivement à la France et son particularisme était une raison
supplémentaire d'opposer ses propres agents au pouvoir
central.

Les nécessités du ravitaillement imposaient des décisions abruptes en faveur d'une armée manquant de tout.
Les entreprises privées, en l'absence de manufactures
d'État comme pour l'armement, étaient incapables de faire
face à la fourniture de vêtements et de souliers, et la pénurie se faisait particulièrement sentir à cause des rigueurs de
l'hiver alsacien. L'obligation faite récemment aux cordon-
niers de livrer cinq paires de chaussures par décade n'avait
guère eu d'effet... « A la municipalité de Strasbourg. Dix
mille hommes sont nus-pieds dans l'armée, il faut que
vous déchaussiez tous les aristocrates de Strasbourg dans
le jour et que demain à dix heures du matin les dix mille
paires de souliers soient en marche pour le Quartier Général », proclamait le célèbre arrêté du 25 brumaire pris par
Saint-Just et Le Bas. Près de 17 000 paires de souliers et
plus de 21 000 chemises furent déposées au magasin militaire par les Strasbourgeois.

Privés d'éléments d'appréciation, les deux représentants devaient bien souvent improviser, quitte à reculer. Leur intransigeance assura pourtant un ravitaillement continu aux troupes pendant la période cruciale de contre-offensive. Par la suite, ils surent s'adapter avec souplesse aux nécessités de la victoire. « C'est sans contredit, écrivait Legrand à la suite d'une enquête en l'an III, les plus grands révolutionnaires qui aient été envoyés à l'armée, mais ils étaient plus abordables, plus justes et je dirai même plus humains que la plupart de leurs collègues... et le militaire franc, loyal, qui faisait son devoir, n'avait rien à craindre ; ils savaient distinguer les talents et les mérites. » Établie pourtant à la demande des Thermidoriens, cette appréciation confirme que Saint-Just, fils de soldat, sut se faire estimer d'hommes qui aimaient la netteté de ses interventions, son impartialité, son dévouement, son efficacité ; peut-être aussi appréciaient-ils les aspects de sa personnalité qui semblent aujourd'hui les plus excessifs : son intransigeance cassante et sa manière provocante de faire des exemples. Ils furent sensibles à son activité qui leur assura vivres, chevaux, chaussures ; mais ils s'enthousiasmèrent aussi pour le chef qui congédia un trompette prussien en lui lançant : « La République française ne reçoit de ses ennemis et ne leur envoie que du plomb. » Il avait compris la psychologie de ces hommes, longtemps vaincus, mais prêts à l'héroïsme. « Il veut en faire des héros, il leur parle comme à des héros », note encore Legrand. Par son art d'attirer l'attention, il faisait connaître leurs peines et leurs exploits à la Convention comme, quelques années plus tôt, le civisme des paysans de Blérancourt à la Constituante. Il y avait en lui du Bonaparte...

L'EMPRUNT FORCÉ.

Les rapports avec les civils furent moins heureux, spécialement avec la frange la plus opulente de la bourgeoisie. Le 31 octobre, Saint-Just et Le Bas décidèrent de lancer un « emprunt » forcé sur les riches de Strasbourg, comme le faisaient un peu partout les représentants, par le moyen de taxes ou de lourdes amendes. Ce qui est remarquable ici, c'est le montant : 9 millions ! Saint-Just avait certainement voulu appliquer là les théories qu'il avait à plusieurs reprises exposées à la Convention. L'extension ultérieure de l'imposition à certaines communes du Bas-Rhin, puis la levée de 5 millions sur les riches de Nancy montrent bien qu'il ne s'agissait pas à ses yeux d'une mesure fortuite. Le produit devait être affecté aux dépenses militaires et au soulagement des patriotes indigents, mais la ponction visait en même temps à absorber les liquidités afin de lutter contre l'inflation. Saint-Just l'indique lui-même à la société populaire de Strasbourg : « Nous imposons les riches pour faire baisser les denrées. » La taxe fut progressivement répartie sur 193 possédants en fonction de leur fortune présumée (impositions de 4 000 à 300 000 livres). Le recouvrement se heurtant à l'opposition des Strasbourgeois, Saint-Just et Le Bas firent exposer pendant deux heures sur l'échafaud Mayno, le plus riche des contribuables (7 novembre). En fait, cette expérience d'intervention économique ayant été improvisée, la répartition fut hâtive. Il fallut consentir des dégrèvements parfois énormes et réparer des omissions. Peu de temps après, la loi du 14 frimaire (5 décembre), qui soumettait toute levée de taxes à l'assentiment de la Convention, conforta les récalcitrants et modéra le zèle des percepteurs. Saint-Just et Le Bas ne se laissèrent pourtant pas arrêter par la médiocrité des rentrées et disposèrent des fonds collectés : 500 000 livres furent immédiatement accordées aux patriotes indigents.

SAINT-JUST ANTISÉMITE ?

A de multiples reprises, de grands révolutionnaires ont manifesté une vive hostilité à l'égard des Juifs. Le représentant Baudot déplore ainsi l'absence d'ardeur novatrice dans « la race juive, mise à l'égal des bêtes de somme par les tyrans de l'Ancien Régime », et dit à son collègue Duval : « Les Juifs nous ont trahi dans plusieurs petites villes et villages du côté de Wissembourg ; on serait en peine pour en compter dix reconnus patriotes dans les départements des Haut et Bas-Rhin (...) partout ils mettent la cupidité à la place de la patrie et leurs ridicules superstitions à la place de la raison. (...) Ne serait-il pas convenable de s'occuper d'une régénération guillotinière à leur égard ? »

Saint-Just a-t-il été antisémite lui aussi ? Certes, Cablès, l'administrateur des subsistances condamné à mort pour prévarication, était juif et beaucoup des négociants strasbourgeois imposés l'étaient également. Rien pourtant ne permet de soupçonner qu'il ait agi selon des critères raciaux, bien au contraire. Le Bureau de police du Comité de salut public, confié quelques mois plus tard à Saint-Just, se démarquera nettement de toute manifestation raciste et, lorsque l'accusateur public du Haut-Rhin vitupérera la « caste infernale » des Juifs, il s'attirera cette remarque d'Herman, homme de confiance des Robespierristes : « Les expressions injurieuses qu'il adresse à tous les Juifs en général contreviennent au vœu de la constitution qui tend à proscrire les préjugés et à ne former de toutes les nations qu'une seule et même famille. » Juifs ou non, la rigueur pesa sur les présumés traîtres et les riches.

SAINT-JUST ET LES NOTABLES.

Saint-Just et Le Bas avaient compté sur la société populaire, animée essentiellement par la moyenne et petite bourgeoisie, mais ils furent déçus. Pendant les quinze premiers jours, le ton de leurs lettres est fraternel, bientôt les rapports se détériorent.

Les premières divergences apparurent à propos du général Dièche, commandant de la place militaire de la ville depuis août 1793 et originaire du Rouergue ; donc un des Français de l'intérieur qui, après s'être mêlé aux débats de la société populaire, n'avait pas été adopté et avait réagi par le mépris à l'égard des Alsaciens. Ainsi, quand Saint-Just et Le Bas demandèrent à la Société son opinion sur le général, celle-ci le qualifia d'ivrogne et d'incapable. Les commissaires ne tinrent pas compte de ce jugement désobligeant et confièrent à Dièche, dont les troupes n'ont pas été recrutées sur place, de multiples missions policières en plus de ses prérogatives militaires. C'est lui qui installe la guillotine sur la place de la Maison-Rouge, qui pratique les visites domiciliaires et arrête les suspects. Il devient vite un auxiliaire irremplaçable exposé aux attaques des notables strasbourgeois.

Un événement important consacre la rupture entre ces notables et les représentants : la saisie aux avant-postes d'une lettre signée : « Marquis de Saint-Hilaire ». Elle révèle un complot impliquant plusieurs administrateurs de Strasbourg prêts à livrer la ville à l'ennemi. Dénoncée depuis comme un faux, elle cause un grand émoi dans les milieux « patriotes » où régnait une psychose d'espionnage qui n'était pas sans fondement. Quelques jours plus tard, le propre neveu du général von Wurmser, commandant du corps autrichien, fut arrêté à Strasbourg même : « Nous avons acquis le droit d'être soupçonneux », écrira Saint-Just. Le 2 novembre, les commissaires destituent la quasi-totalité des administrateurs du département, du district et de la municipalité de Strasbourg qui furent le lendemain incarcérés à Metz, Châlons-sur-Marne et Besançon. Quand ceux du département tentent de retarder leur départ, Saint-Just leur répondit simplement : « Il est huit heures ! »

Cette intransigeance révolta la société populaire dont la majorité des membres prirent parti pour les anciens magistrats. Saint-Just répliqua : « Vous êtes indulgents pour des hommes qui n'ont rien fait pour la patrie. (...) L'indigence est soulagée, l'armée est vêtue ; elle est nourrie, elle est renforcée ; l'aristocratie se tait ; l'or et le papier sont au pair. » Quoique optimiste, cette appréciation reflétait assez bien les résultats immédiats de la mission, mais la société populaire n'en persista pas moins à rejeter de telles manières.

La mise en place d'autorités administratives protégées par Dièche imposèrent certes le parti jacobin, mais elles le coupèrent des Alsaciens. Les modérés se présentèrent alors en victimes et firent vibrer la corde du particularisme en dénonçant la dictature du nouveau pouvoir. Ils trouvèrent d'autant plus d'écho que l'Alsace subissait aussi les excès des hommes d'Euloge Schneider et de la « Propagande révolutionnaire ».

SCHNEIDERIENS ET PROPAGANDISTES.

Euloge Schneider était poète, ancien professeur de grec à Bonn et traducteur d'Anacréon et de saint Jean Chrysostome. Vicaire général de Strasbourg avant d'embrasser fougueusement les idées nouvelles, il organisa un réseau constitué d'hommes, venus comme lui, d'outre-Rhin et anciens prêtres. De Barr à Haguenau, leur influence s'étendait sur tout le Bas-Rhin non occupé ; ils épuraient ou remplaçaient les municipalités, veillaient à l'application du Maximum et dénonçaient les suspects. Schneider pratiquait des réquisitions forcées, levait des taxes sur les riches, infligeait des amendes et exposait les contrevenants à la vindicte publique. Ses pratiques terroristes ressemblaient à celles de Saint-Just et de Le Bas, qui travaillèrent avec lui pendant toute la durée de leur premier séjour.

Le cas de la « Propagande révolutionnaire », un groupe de quelques dizaines d'hommes venus de régions voisines pour accélérer le bouleversement en Alsace, est un peu différent. Même s'ils furent dépassés et durent le supprimer au bout d'un mois, Saint-Just et Le Bas en portent la responsabilité. Ayant besoin de huit patriotes issus de sociétés populaires des départements voisins, il en vint entre quarante et soixante, alors même qu'ils étaient absents. Grosse moustache, longue robe, long sabre et bonnet rouge, ils se comportaient en pays conquis, épurant la société populaire de Strasbourg, cherchant les suspects et imposant le mouvement de déchristianisation parti de Paris. Ils furent, au début, accueillis avec transports aussi bien par le maire Monet que par Gateau et le représentant Baudot.

La plupart des « Français de l'intérieur » furent incapables de comprendre le peuple alsacien. Gateau parle de son « fanatisme », de son « indolence » et de sa « stupidité allemande ». Saint-Just n'alla jamais aussi loin, mais il ne sentit pas qu'il était en contact avec une autre culture. Le respect des différences n'était pas dans l'air du temps. Il eut au contraire le sentiment que la républicanisation du pays passait pas l'élimination des empreintes étrangères et que tout ce qui était « germanique » était responsable de retard et devait, par conséquent, être extirpé. Il approuva tacitement les débuts de la déchristianisation. Dès le 4 novembre, toutes les églises, à l'exception de Saint-Thomas et de la cathédrale, furent transformées en magasins de vivres, leurs biens furent saisis et une grande croisade contre le « fanatisme » fut organisée avec le concours des Propagandistes.

Saint-Just et Le Bas prirent personnellement trois arrêtés, autorisant la société populaire à utiliser les locaux de Saint-Thomas, faisant transférer à Paris les objets précieux et abattre toutes les statues de pierre autour de la cathédrale. A la lettre, ils ne furent pas responsables des destructions dans la cathédrale puisque la décision fut prise en leur absence par Monet ; mais si celui-ci a cru pouvoir interpréter ainsi leur pensée, c'est qu'ils n'avaient jamais manifesté d'intérêt pour ce chef-d'œuvre gothique... Dans le même esprit, Saint-Just proposa de « changer tous les noms des villages et villes de l'Alsace et leur donner les noms des soldats de l'armée » ; il invita les femmes « à quitter les modes allemandes puisque leurs cœurs [*étaient*] français »...

Échec à Kaiserslautern.

Mais les préoccupations immédiates restaient avant tout militaires. Simultanément, Carnot au Comité, Bouchotte au ministère, Saint-Just et Le Bas sur place, Hoche et Pichegru aux armées préparaient la contre-offensive. De nouvelles recrues étaient engagées et des renforts parvenaient de l'armée des Ardennes ; le gros des troupes était concentré à Sarralbe. Le 15 novembre, Saint-Just écrivait à Hoche : « Il faut que, sous peu, il ne reste pas un Prussien, pas un ennemi pour rapporter dans son pays des nouvelles de l'Alsace. » Du 17 novembre au 2 décembre, une vaste attaque est engagée depuis Sarrelibre (Sarrelouis) jusqu'au Rhin ; Hoche délivre Bitche mais, contrairement aux directives du Comité, fonce sur Kaiserslautern où il se heurte aux forces supérieures de Brunswick, et doit reculer au prix de lourdes pertes. Cet échec relatif entraîne le retour à Paris des deux représentants. « Tu as pris à Kaiserslautern un nouvel engagement, écrit Saint-Just à Hoche avant son départ ; au lieu d'une victoire, il en faut deux. » Le lendemain, Carnot assure Hoche de sa confiance ; la victoire n'est pas encore au rendez-vous, mais quelque chose a changé : pour la première fois, le Comité adresse des encouragements à un général battu.

A Paris, entre le 4 et le 10 décembre, Saint-Just et ses collègues débattent des questions militaires, notamment des liaisons entre les armées du Rhin et de la Moselle. Mais ce n'est pas l'essentiel. Le 4 décembre, la Convention vote le projet de loi de Billaud-Varenne codifiant toutes les mesures prises depuis un an. C'est la « grande charte » du pouvoir révolutionnaire qui réduit les prérogatives des représentants en mission : leur action est désormais soumise au contrôle du Comité et la levée des taxes à celui de l'Assemblée. Pour Saint-Just, c'est l'espoir d'imposer sur le terrain l'autorité du Pavillon de Flore, mais aussi le désaveu de ses fameux « emprunts » sur les possédants de Strasbourg et de Nancy.

Cette reprise de contact avec le gouvernement amène par ailleurs Saint-Just et Le Bas à modérer leurs vues sur la déchristianisation. Comme presque tous les révolutionnaires, ils admettent, certes, que des églises soient transformées en greniers à foin ou en ateliers de salpêtre, que les cloches soient envoyées aux fonderies des arsenaux et que l'or des vases sacrés vienne alimenter le Trésor. Mais Robespierre les informe que, le 7 novembre, Léonard Bourdon et Anacharsis Cloots (qui se déclarait lui-même « l'ennemi personnel de Jésus-Christ ») ont poussé l'évêque de Paris, Gobel, à abjurer solennellement, geste imité un peu partout dans le pays ; le 10, Chaumette, procureur de la Commune de Paris, avait organisé dans la ci-devant cathédrale Notre-Dame une fête de la déesse Raison, au terme de laquelle la citoyenne Momoro avait embrassé Laloy, président de la Convention : pour beaucoup, ce baiser était une caution ; enfin, le 23, sur réquisitoire de Chaumette, la Commune avait décidé la fermeture de tous les temples et églises de la capitale. Maximilien n'eut guère de peine à convaincre ses amis que cette politique outrancière aliénerait beaucoup d'esprits au nouveau régime...

Ces graves soucis ne ternirent cependant point la joie des retrouvailles chez les Duplay. Il est probable qu'on reparla de la splendeur des paysages alsaciens, car Élisabeth et Henriette obtinrent d'accompagner les deux commissaires lorsqu'ils reprirent leur mission. Le voyage Paris-Saverne, accompli dans les premières rigueurs de l'hiver, fut particulièrement pénible pour l'épouse de Le Bas qui était enceinte. Le souvenir qu'elle en a conservé permet de mesurer avec quelle gentillesse et quelle gaieté le député de l'Aisne savait se comporter avec ses amis : « Saint-Just eut pour moi, en route, les attentions les plus délicates et les prévenances d'un tendre frère. A chaque relais, il descendait de la voiture pour voir si rien n'y manquait, de peur d'accident. Il me voyait si souffrante qu'il craignait pour moi. (...) Pour passer le temps, ces messieurs nous lisaient des pièces de Molière ou quelques passages de Rabelais et chantaient des airs italiens ; ils faisaient tous leurs efforts pour nous distraire et me faire oublier mes souffrances. »

LA NOUVELLE POLITIQUE.

Les représentants installent leurs compagnes à Saverne et aussitôt reprennent leur tâche. Arrivés à Strasbourg dans la nuit du 12 au 13 décembre, ils font arrêter, dès le 13 au soir, Euloge Schneider puis ses principaux collaborateurs et mettent un terme à l'action de la Propagande révolutionnaire. Le faste insolent affiché par Schneider qui entrait à Strasbourg, accompagné de sa jeune femme,

« traîné par six chevaux et environné de gardes, le sabre nu », servit de prétexte. Exposé pendant quatre heures à la vue du peuple « pour expier l'insulte faite aux mœurs de la République naissante », qualifié de « ci-devant prêtre et né sujet de l'Empereur », il fut envoyé à Paris. Était-il si cruel et si grossier ? Le représentant Lacoste exprimera son indignation au Comité de salut public : « Le supplice infâme qu'avait subi Schneider, accusateur public, avait consterné les patriotes et rendu les aristocrates plus dangereux et plus insolents que jamais. » A tort ou à raison, il est largement resté pour l'histoire l'archétype du révolutionnaire « extrémiste », complice de Cobourg. De sa prison thermidorienne, Gateau indiquera que lui-même avait engagé Saint-Just à renverser Schneider qui « ensanglantait le département » et à disperser « des brigands qui, sous le nom de propagandistes, prêchaient le pillage et le septembrisage. » En fait, le spectre du complot de l'étranger hantait de plus en plus les Robespierristes. Schneider fut traité en espion et guillotiné.

LANDAU DÉBLOQUÉE.

Saint-Just et Le Bas se consacrèrent ensuite à l'offensive sur Landau. A Paris, ils avaient reçu des pouvoirs spéciaux « pour faire exécuter les mesures et les mouvements résolus par le Comité ». Pensant imposer leur autorité aux représentants et aux généraux, ils provoquèrent surtout leur jalousie. Au moment où les forces de Hoche et Pichegru se rejoignaient en pleine victoire, Baudot et Lacoste donnaient le commandement en chef des armées du Rhin et de la Moselle à Hoche. C'était un affront à Pichegru et un désaveu du Comité. A Paris, Carnot et Barère l'apprirent « avec peine et surprise » et, sur place, Saint-Just et Le Bas, qui avaient toujours soutenu le général en chef, en éprouvèrent une légitime amertume : « Il a fallu, dans cet instant, écrivent-ils au Comité, ne se resouvenir que de la patrie... et prévenir les suites des passions qui s'élèvent en pareil cas. » Mais c'est dans une union de façade que, le 28 décembre, de Landau, les représentants Saint-Just, Le

Bas, Baudot, Lacoste, Dentzel adressent à la Convention la nouvelle de la victoire : « Gloire soit rendue à la République française. » Strasbourg et l'Alsace étaient sauvées.

Cette seconde mission en Alsace revêt une singulière importance dans la vie de Saint-Just. Ses succès ne sont pas ceux qu'ont représentés les images d'Épinal. Ni soldat ni stratège, il est le pouvoir en mission. « L'histoire des missions de Saint-Just, écrit Jean-Pierre Gross, est avant tout l'histoire du ravitaillement. » Le « roi », le « dieu » de Michelet, n'est, le plus souvent, qu'un infatigable commis et son prétendu pouvoir « dictatorial » de proconsul se brise sur l'indiscipline d'un Baudot et d'un Lacoste ! Ces échecs soulignent les insuffisances et les ambiguïtés du pouvoir révolutionnaire et, en premier lieu, la dilution des responsabilités au sommet. Contrainte de stimuler le zèle d'autorités locales souvent très modérées, la Convention a multiplié les représentants dotés de pouvoirs « illimités » mais aux initiatives désordonnées, rivales.

Cette mission montre encore combien il est difficile d'animer un pouvoir véritablement démocratique. Les Conventionnels se heurtent, à chaque instant, à la passivité de masses attachées à leurs valeurs traditionnelles et à l'hostilité souterraine de la classe moyenne. La plupart des Français de l'intérieur n'ont pas fait d'effort pour comprendre les Alsaciens. Le salut public justifiait la contrainte, mais la victoire et les résultats, somme toute superficiels, de la violence firent illusion. Beaucoup, sans doute, pensaient comme Gateau : « Sainte guillotine est dans la plus brillante activité et la bienfaisante terreur produit ici, d'une manière miraculeuse, ce qu'on ne devait espérer d'un siècle au moins par la raison et la philosophie. » Beaucoup d'Alsaciens des zones occupées, au lieu d'accueillir les armées républicaines, fuyaient devant elles et empruntaient les fourgons autrichiens. Certains s'en réjouissaient, tels Baudot et Lacoste qui envisageaient d'installer sur les terres désertées des colonies de sans-culottes venus d'ailleurs. Saint-Just et Le Bas envisagèrent, eux, d'unifier les langages : changeant brusquement l'affectation d'une partie de l'impôt forcé, ils allouèrent, le 29 décembre, à la veille de leur départ de Strasbourg, une somme de 600 000 livres pour fonder dans chaque village une « école gratuite de langue française ».

Cette mission de Saint-Just met en relief son sens de la discipline gouvernementale. Pendant qu'à Strasbourg il maltraite les administrateurs, impose les riches, assiste les indigents et pratique une politique antireligieuse, à Paris Robespierre et Billaud-Varenne reprennent en main les représentants, s'opposent aux « Exagérés » et s'efforcent de contrôler la campagne de déchristianisation. Saint-Just se soumet, peut-être avec mauvaise humeur : « Vous avez détruit le gouvernement révolutionnaire que j'avais fait décréter il y a quelques mois, aurait-il dit selon Prieur. Dès qu'il est écrit, le gouvernement n'est plus révolutionnaire. Il consistait dans ce seul mot. »

Cette réaction est d'autant plus plausible qu'elle correspond assez bien aux conseils qu'aussitôt revenu à Strasbourg, le 14 décembre (24 frimaire), Saint-Just donne à Robespierre : « On fait trop de lois, trop peu d'exemples. Vous ne punissez que les crimes saillants, les crimes hypocrites sont impunis. Faites punir un abus léger dans chaque partie, c'est le moyen d'effrayer les méchants et de leur faire voir que le gouvernement a l'œil sur tout. (...) Engage le Comité à donner beaucoup d'éclat à la punition de toutes les fautes dans le gouvernement. Vous n'aurez pas agi ainsi d'un mois que vous aurez éclairé ce dédale dans lequel la contre-révolution et la révolution marchent pêle-mêle. »

Saint-Just pensait avoir découvert en Alsace le moyen d'imposer la volonté du Comité. Dès son retour à Paris, confronté aux intrigues des « factions », il allait pouvoir mesurer que la ligne de partage entre révolution et contre-révolution n'était pas si simple à tracer.

CHAPITRE XVII

Neutraliser les deux meutes

Je ne suis d'aucune faction, je les combattrai
toutes.

SAINT-JUST, 9 thermidor an II

La veille de son départ en Alsace Saint-Just avait lancé à la Convention : « Il y a des factions dans la République, factions de ses ennemis extérieurs, factions des voleurs... Il y a aussi quelques hommes impatients d'arriver aux emplois, de faire parler d'eux et de profiter de la guerre. Tous ces partis, toutes ces passions diverses concourent ensemble à la ruine de l'État, sans pour cela s'entendre entre elles. » Ces quelques phrases, reprises à peu près cinq mois plus tard, désignaient sans les nommer les Indulgents et les Exagérés. Les dissensions qui déchiraient la Convention ne s'évanouirent donc pas avec l'élimination des Girondins. Les motifs d'opposition idéologique demeuraient, exacerbés par les rivalités personnelles. Et, dans l'atmosphère de cette terrible année, les courants d'opinion étaient considérés par le pouvoir comme autant de manifestations factieuses.

DANTONISTES ET ULTRA-RÉVOLUTIONNAIRES.

Ce qui restait du côté droit à la Convention se tournait maintenant vers Danton. Bourdon de l'Oise, Thuriot,

Delacroix, Courtois ou Fabre d'Églantine ne manquaient
pas d'activité ; le talent polémique de Desmoulins n'avait
rien perdu de sa puissance corrosive. Mais il aurait fallu,
pour rassembler et animer ces hommes un chef déterminé.
Or Danton hésitait. Le grand tribun semblait ne plus être
tout à fait lui-même. Ses interventions, au service d'une
ligne politique confuse et sinueuse, n'obtenaient plus les
effets d'antan. Fatigué, il s'était d'ailleurs retiré, en octobre, à Arcis-sur-Aube pendant près de six semaines.

En face, les « ultra-révolutionnaires » formaient une
cohorte composite. A l'Assemblée, leurs amis, Anacharsis
Cloots ou Léonard Bourdon, étaient rares, mais, grâce à
Momoro, ils tenaient le club des Cordeliers et surtout, par
l'entremise de Proli, Desfieux et Pereyra, pénétraient les
sociétés sectionnaires fondées en septembre 1793. Expri-
mant les aspirations des sans-culottes, celles-ci conser-
vaient leur indépendance à l'égard des Jacobins et du gouvernement et pouvaient compter sur le concours de Chaumette et de Pache à la Commune de Paris, d'Hanriot à la
Garde nationale, de Ronsin à l'armée révolutionnaire et de
Vincent au ministère de la Guerre. Cet ensemble hétéroclite fut qualifié à tort d'hébertiste parce que le *Père
Duchesne* lui prêtait sa verve plébéienne. En réalité,
Hébert représentait surtout lui-même, mais son aptitude à
traduire les préoccupations quotidiennes des sans-culottes
et sa réelle popularité auprès d'eux le désignaient comme
un adversaire dangereux pour le gouvernement.

Depuis qu'il a rééquilibré sa composition, le Comité de
salut public, dominé par Robespierre, s'est placé dans une
position d'arbitre à l'égard de ceux qui, sur sa droite et sur
sa gauche, lui reprochent son imprudence ou son immobilisme. Il amalgame volontiers les voleurs, les ambitieux
vulgaires, les aventuriers et les opposants. A la mi-octobre,
il a maté la révolte lyonnaise et remporté ses premiers
grands succès militaires à Wattignies et à Cholet aux
dépens des Autrichiens et des Vendéens. Mais sa position
reste fragile.

La situation, en effet, se tend brutalement à la fin de

l'année. Les modérés, qui n'ont pu abattre le Comité par leurs attaques frontales de septembre, vont être affaiblis par les compromissions de plusieurs d'entre eux dans les ténébreuses intrigues qui entourent la liquidation de la Compagnie des Indes. Cette société avait été dissoute, mais poursuivait en fait son fructueux trafic avec la complicité de plusieurs députés. Peut-être pour détourner les soupçons, Fabre d'Églantine, vers la mi-octobre, fit des révélations, notamment à Robespierre et à Saint-Just après avoir personnellement sélectionné ses interlocuteurs en fonction de l'intégrité patriotique qu'il leur prêtait. Il dénonça un complot ourdi de l'étranger dont les agents Proli, Desfieux, Pereyra et Dubuisson, tous proches des « ultra-révolutionnaires » déchristianisateurs, se retrouveraient chez plusieurs banquiers belges et suisses. Au même moment, les Cordeliers et les Hébertistes déclenchaient la violente campagne antireligieuse qui déplaisait à Robespierre. Les modérés bondirent sur l'occasion : Danton, dont le nom a été cité par le député de la Côte-d'Or Basire au cours de l'enquête, rentre précipitamment à Paris, passe à l'attaque le 22 novembre et dénonce la persécution religieuse. Le 3 décembre, il vient se justifier aux Jacobins et Maximilien lui apporte un soutien mesuré... Menace pour tous les pouvoirs, notamment les sociétés sectionnaires : le 4 est votée la grande loi d'organisation du pouvoir qui place « les corps constitués et les fonctionnaires publics sous l'inspection immédiate du Comité de salut public ». Une nouvelle orientation politique se dessine.

Ce même 4 décembre, Saint-Just arrive à Paris. Mais le changement se fait sans lui. Dès le lendemain paraît, avec l'agrément de Robespierre, le premier numéro du *Vieux Cordelier*, où Desmoulins accuse les ultra-révolutionnaires de déconsidérer la Révolution. Le 10, le numéro 2 plaît davantage encore à Maximilien : c'est une violente attaque contre Cloots et Chaumette.

Le lendemain, Saint-Just repart en mission. Pendant sa semaine parisienne, il n'est pas resté insensible à l'évolution politique. En Alsace, il a lui-même infléchi la ligne de son action en faisant arrêter Euloge Schneider, mais il ne croit sûrement pas à la possibilité de stabiliser la Révolution sur les positions d'un Camille Desmoulins.

Pour quelques jours encore, une collaboration sans nuage se poursuit entre Robespierre et Danton. Le 12 décembre, l'Incorruptible fait chasser des Jacobins le « citoyen universel », le « baron allemand » : Cloots. Mais le numéro 3 du *Vieux Cordelier*, le 15, fait l'effet d'une bombe : Desmoulins met en cause tout le gouvernement et les pratiques répressives. Robespierre est atterré. Ridiculisé, il ne peut que constater le bien-fondé des préventions de Saint-Just à l'égard de Camille, mais son amitié est telle envers son ancien camarade de collège qu'il n'abandonne pas encore l'espoir de le sauver.

Le 17, Fabre d'Églantine s'en prend à Ronsin et à Vincent qu'il fait décréter d'arrestation par la Convention. S'est-il rendu compte qu'il atteignait ainsi le Comité, qu'à travers Ronsin et ses excès à Lyon, il mettait en cause Collot d'Herbois ? qu'à travers Vincent, il frappait son ministre Bouchotte, un homme qui avait la confiance du pavillon de Flore ? A-t-il voulu contraindre Robespierre à amputer le Comité de son aile gauche, à remplacer par des modérés Collot, Billaud, Hérault de Séchelles et même Jean Bon Saint-André ? Pendant quelques jours Robespierre flotte. Le 20 décembre, il fait un pas de plus vers les Indulgents, en proposant à la Convention la nomination d'une *Commission de justice* chargée de rechercher les patriotes injustement incarcérés... En Alsace, dans l'entourage de Saint-Just, sitôt connue la nouvelle de l'arrestation de Vincent, Gateau, intime du Conventionnel, éclate d'indignation. Il écrit à Daubigny le 22 décembre : « Oh ! Oh ! si Vincent avait pu devenir contre-révolutionnaire, je ne croirais plus, non jamais, à la vertu d'aucun des humains. Je ne pense pas qu'il puisse y avoir rien d'aussi atroce et d'aussi absurde que cette inculpation. »

Collot d'Herbois, inspirateur de la répression lyonnaise, solidaire de Ronsin et de Vincent, rentre précipitamment, emportant avec lui la tête de Chalier qu'il offre en relique à la Commune de Paris. Le 21 décembre, il organise un macabre cortège de patriotes, de la place de la Bastille à la

Convention où il vient présenter les restes du martyr lyonnais. Triomphalement, il est absous. Son dynamisme entraîne l'approbation des Jacobins, l'enthousiasme des Cordeliers et de tous ceux qui suivent Hébert. Le vent tourne...

ROBESPIERRE SE REPREND.

Robespierre ne peut méconnaître ni les réalités ni les rapports de force. Il reprend sa position d'arbitre. Le 25, à la Convention, il précise que le gouvernement doit « voguer entre deux écueils, la faiblesse et la témérité, le modérantisme et l'excès. Le modérantisme qui est à la modération ce que l'impuissance est à la chasteté, et l'excès qui ressemble à l'énergie, comme l'hydropisie à la santé ». Bien lui en prend : le 7 janvier, Desmoulins est mis sur la sellette aux Jacobins à cause du cinquième numéro de son *Vieux Cordelier*, encore plus compromettant que les précédents. Robespierre feint de ne pas prendre au sérieux ce « bon enfant gâté », égaré par de « mauvaises compagnies », et demande pour toute sanction que le journal soit brûlé. Mais Camille, citant Rousseau, regimbe : « Brûler n'est pas répondre. » Maximilien, voyant qu'il se compromet en vain, prend ses distances : « ... Que les numéros de Camille ne soient pas brûlés, mais qu'on y réponde..., l'homme qui tient aussi fortement à des écrits perfides est peut-être plus qu'égaré. »

Trois jours plus tôt la culpabilité de Fabre d'Églantine dans l'affaire de la Compagnie des Indes avait été établie et Robespierre l'avait dénoncé aux Jacobins. Amar révéla l'affaire à la Convention le 12, et le député fut arrêté. Danton ayant tenté de défendre son ami, Billaud-Varenne l'interpella sèchement : « Malheur à celui qui a siégé à côté de Fabre d'Églantine et qui est encore sa dupe. » L'avertissement valait aussi pour Robespierre au cas où son amitié en ferait la dupe de Camille.

Parallèlement, les efforts de Collot d'Herbois finirent par porter leurs fruits. Le 2 février, Voulland, au nom du

Comité de sûreté générale, rendait la liberté à Ronsin et à Vincent. Cette défaite des Indulgents exposait le Comité aux coups de l'autre extrême, Vincent et Ronsin exploitant les difficultés de l'hiver pour attiser, avec l'aide d'Hébert, l'agitation sociale. Robespierre, craignant de s'aliéner la bourgeoisie jacobine, s'oppose à la traduction devant le Tribunal révolutionnaire des « 75 » protestataires girondins et affirme : « Depuis le 31 mai il n'y a plus de Marais. » Les Cordeliers et les Hébertistes comprennent alors que le changement ne peut passer que par un renouvellement du personnel politique, à commencer par celui du Comité de salut public. Les succès de décembre à Toulon, en Vendée et sur le Rhin ont mis le pays à l'abri des menaces immédiates, mais la très difficile conjoncture économique justifie toutes les impatiences. Alors, le 12 février, Momoro, au club des Cordeliers, s'en prend à « tous ces hommes usés en République, ces jambes cassées en Révolution, qui nous traitent d'exagérés parce que nous sommes patriotes et qu'ils ne veulent plus l'être ».

SAINT-JUST ET LA RÉVOLUTION SOCIALE.

C'est un Comité de salut public amoindri qui doit faire face à cette pression : Robespierre, âme du gouvernement, ainsi que Couthon sont cloués au lit par la maladie, Billaud-Varenne et Jean Bon Saint-André sont en mission. Saint-Just, après trois semaines d'inspection à l'armée du Nord, est rentré le 13. Moins usé, il assure la relève avec vigueur. Le 14, c'est sur ses épaules et sur celles de Collot d'Herbois et de Barère que repose l'essentiel des décisions politiques à prendre. Les expédients habituels (secours aux indigents, subventions à la Commune de Paris) ne suffisent plus à enrayer le mécontentement, non plus que le nouveau Maximum général, présenté par Barère le 21 février. Le 22, l'Assemblée, à l'instigation des Indulgents, contraint par décret le gouvernement à examiner le cas des suspects détenus, alors qu'Hébert fulmine contre les protecteurs des « 75 » et de Desmoulins, contre les

« endormeurs » et ceux qui se montrent « avides des pouvoirs qu'ils accumulent ».

Au nom du Comité, le 26, Saint-Just répond que la révolution politique ne s'est pas accompagnée d'une révolution sociale. Or, « ceux qui font les révolutions à moitié n'ont fait que se creuser un tombeau ». Il préconise un gouvernement fort pour briser l'opposition des Indulgents et de leurs complices, les fonctionnaires usurpateurs du pouvoir. Puis il ajoute « La Révolution nous conduit à reconnaître ce principe que celui qui s'est montré l'ennemi de son pays n'y peut être propriétaire. (...) Les propriétés des patriotes sont sacrées, mais les biens des conspirateurs sont là pour tous les malheureux. » C'était là poser les bases d'une vaste révolution sociale pour répondre aux aspirations profondes des masses qui souhaitaient, à la campagne comme à la ville, accéder à la propriété. Saint-Just était-il mandaté par tous ses collègues des Comités ? Était-il lui-même sincère ? « Les malheureux sont les puissances de la terre ; ils ont le droit de parler en maîtres aux gouvernements qui les négligent » ; cette phrase émouvante n'était-elle qu'un artifice politique, exprimé par un rhéteur de talent, ou le propos d'un étourdi ? Cinq jours plus tard, il présentait au vote de la Convention le fameux décret du 13 ventôse an II (3 mars 1794) précisant les modalités d'application de la réforme : recensement national, puis transfert aux « patriotes indigents » des biens des « ennemis de la Révolution ». Mais, quand bien même serait-elle entreprise, l'opération offrait surtout des perspectives aux habitants des campagnes. Les sans-culottes des villes, prévenus contre les « endormeurs », demeuraient méfiants et disposés à prêter une oreille attentive aux Cordeliers.

Le 4 mars, aux Jacobins, Vincent amalgame dans ses diatribes Robespierristes et Indulgents, accusés de précipiter la Révolution dans le modérantisme. Hébert, d'abord prudent comme d'habitude, finit, dans un tonnerre d'applaudissements, par appeler à l'insurrection. En signe de deuil, on voile la Déclaration des Droits de l'Homme. Mais le mouvement ne rencontre pas l'écho espéré. Momoro entraîne bien la section de Marat mais Chau-

SAINT-JUST

mette, à la Commune, se contente prudemment de dire tout le bien qu'il pense du décret que Saint-Just a fait voter. Le 7, Collot d'Herbois, à la tête d'une délégation de Jacobins, se rend aux Cordeliers : Momoro, Ronsin et Hébert se récrient alors qu'on a mal interprété le sens de leurs propos. On se réconcilie. La Déclaration des Droits de l'Homme est dévoilée dans l'allégresse générale !

Cette reculade sans gloire n'était cependant pas dépourvue d'arrière-pensées. Les aspirants à l'insurrection avaient sans doute pris conscience de leur inorganisation et de leur isolement. Ni Chaumette à la Commune, ni Hanriot à la Garde nationale, ni Collot d'Herbois au Comité ne les ont suivis et l'armée de Ronsin est occupée en dehors de Paris. Vincent, seul, ne s'était pas rétracté mais tous, après cette réconciliation de façade, relancent l'agitation sectionnaire. Fondamentalement, la situation n'avait pas évolué. Tôt ou tard, il allait falloir en découdre.

Quelques jours après, le Comité de salut public se réunit au complet et retrouve son esprit de décision. Conscient de l'hypothèque mortelle que font peser sur le gouvernement Hébert et les meneurs cordeliers, il sent qu'en frappant à gauche, il va conforter les Indulgents et n'éloigner un péril que pour en susciter un autre : celui de la bourgeoisie qui souhaite stabiliser la Révolution, incarné par des hommes comme Danton et Desmoulins. Eux aussi devront être écartés. Le temps presse. Au printemps s'ouvrira, sur la frontière nord, une campagne militaire dont dépendra le sort de la République.

LE RAPPORT DE SAINT-JUST
ET L'ARRESTATION DES « HÉBERTISTES ».

Le 13 mars, Saint-Just, à nouveau chargé de présenter le point de vue du Comité, utilise à la Convention les recettes éprouvées en expliquant que le gouvernement anglais s'appuie cette fois sur les factions pour restaurer un pouvoir royal à Paris. Tour à tour, il dénonce les amis de Hébert et ceux de Danton qui, en apparence, s'opposent mais se retrouvent unis dans les crimes contre la République. Alors, comme s'il regrettait d'en avoir trop dit, il parle d'autre chose, du bonheur, de la vertu. Il accable au passage les oisifs, les fonctionnaires, ses cibles favorites. Puis, brusquement, il revient à ses accusations : « L'un est le meilleur et le plus utile des patriotes ; il prétend que la Révolution est finie, qu'il faut donner une amnistie à tous les scélérats. (...) L'autre prétend que la Révolution n'est point à sa hauteur : chaque folie a ses tréteaux. L'un porte le gouvernement à l'inertie, l'autre veut le porter à l'extravagance. » Était-ce un avertissement, une menace ou simplement un discours sur les principes de morale politique ? Le 5 février, Robespierre n'avait-il pas déjà dénoncé ces deux factions ? Mais, cette fois, en approuvant le décret de Saint-Just, l'Assemblée donnait blanc-seing au Comité pour opérer les arrestations des « traîtres à la patrie ». Le rapport était si habilement présenté par le jeune Conventionnel qu'il paraissait, somme toute, presque rassurant. Les hommes du pavillon de Flore venaient de s'armer d'un glaive qui n'effrayait pas vraiment. Le soir même, les Jacobins ovationnaient longuement Robespierre dont c'était la rentrée. Et la joie bruyante de ces retrouvailles achevait d'ôter à cette journée sa dimension dramatique.

Aussi Hébert, Vincent, Ronsin, Momoro et tous ceux qu'on arrêta dans cette même nuit du 13 au 14 mars furent-ils sans doute les premiers surpris puisque aucun n'échappa au coup de filet. Leurs partisans ne réagirent guère. L'un d'eux, Brochet, imposa aux Cordeliers le point de vue du Comité. Presque toutes les sections firent allégeance à la Convention. Tous les détachements de l'armée de Ronsin furent envoyés en province. A la Commune, Chaumette vacilla : faute d'autant plus impardonnable aux yeux de Robespierre qu'il s'était fait remarquer par ses initiatives déchristianisatrices. On l'arrêta le 18.

Au procès, on s'efforça de donner consistance aux dires de Saint-Just contre cette « faction » et la « conspiration de l'étranger » fut retenue. Comme il n'était pas absolument apparent que Hébert et les Cordeliers fussent des espions à la solde de Pitt et de Cobourg, on leur associa des étrangers et certains de leurs agents, précédemment arrêtés, comme Proli, Pereyra, Desfieux, Dubuisson, le banquier hollandais Kock et le baron prussien Cloots. L'athéisme militant que prêchait « l'orateur du genre humain » avait en outre l'avantage de le rapprocher spirituellement du Père Duchesne. Pour démontrer que leur dessein était commun avec le sempiternel complot aristocratique, on leur adjoignit des « complices », tels les généraux Laumur et Quétineau : Catherine Quétineau était l'instigatrice d'un projet d'évasion en faveur de son mari et de ses compagnons ; les prisonniers, libérés, se seraient alors mêlés aux soldats de l'armée de Ronsin pour égorger les patriotes. Les factieux étant encore accusés d'organiser la pénurie, on poussa vers le banc des prévenus Ducroquet, commissaire aux accaparements de la section de Marat, et Descombes, administrateur des subsistances. Le 21 mars, Fouquier-Tinville, énergiquement stimulé par Billaud-Varenne et Collot d'Herbois, ouvrit le procès qui fut mené rondement. Le 24, les têtes tombèrent.

Techniquement, cette périlleuse épuration avait été conduite de façon magistrale. Il n'est pas sûr que Saint-Just ait réalisé tout ce que cette belle victoire portait de germes destructeurs. Pour la première fois, il s'écartait d'un principe qui avait toujours été chez lui comme une seconde nature : trancher en faveur du peuple et des plus malheureux. En écartant ceux qu'il considérait comme de mauvais guides, il n'a sans doute pas mesuré l'attachement populaire pour le Père Duchesne. Le désarroi des sans-culottes les laissa sur l'instant sans réaction, mais beaucoup perdirent, à cette occasion, leur foi politique.

La brutale attaque contre Hébert et les Cordeliers et l'absence de réaction des sans-culottes redonnèrent vigueur à la campagne des Indulgents. Au moment où les Exagérés étaient jugés, Desmoulins fustigeait la justice révolutionnaire et la servilité de la Convention. Il mettait Barère et même Robespierre en cause. On comprend mal son obstination car, si son sort et celui de ses amis n'étaient déjà scellés, les menaces les plus claires s'accumulaient.

HÉRAULT ET DANTON.

Le 15 mars, Hérault de Séchelles et son ami Simond sont appréhendés et, le lendemain, Amar présente à la Convention, au nom du Comité de sûreté générale, son rapport sur le scandale de la Compagnie des Indes. Billaud-Varenne, puis Robespierre lui reprochent d'avoir laissé de côté les implications politiques de l'affaire, donc d'avoir ménagé les Dantonistes. Le 17, Saint-Just, à l'Assemblée, accuse Hérault d'avoir hébergé et protégé un émigré. Certes, dans sa très courte intervention, il lui reproche aussi d'être un intime de Proli et de divulguer les secrets des débats du pavillon de Flore ; le Comité ne lui avait-il pas fait savoir depuis « environ quatre mois... qu'il ne délibérerait plus en sa présence » ? Son itinéraire politique — il avait été tour à tour Feuillant, Girondin puis proche des Cordeliers — son scepticisme et son libertinage, tout contribuait à le rendre détestable aux Robespierristes.

L'entourage de Danton aurait dû interpréter l'inculpation d'Hérault comme un signe avant-coureur. Dès le 18, Bourdon de l'Oise fait décréter d'arrestation Héron, un agent du Comité de sûreté générale que Robespierre protégeait. Indirectement atteint et ulcéré, celui-ci menaça : « Ce n'est pas assez d'étouffer une faction, il faut les écraser toutes ; il faut attaquer celle qui existe encore avec la même fureur que nous avons montrée en poursuivant l'autre. »

Beaucoup plus que Saint-Just, Robespierre hésitait à frapper les compagnons de Desmoulins et de Danton : l'ami de collège et l'ami de combat. Mais si l'affaire Héron fut le prétexte, l'enjeu dépassait le problème des hommes : le gouvernement pouvait-il, sans se saborder, arrêter la Terreur, la guerre, la Révolution ?

Dès que la décision fut prise, Saint-Just accepta une nouvelle fois de préparer le rapport à l'aide de notes abondantes fournies par l'Incorruptible ; il s'en inspira largement, mais fut à la fois plus adroit et plus ferme. Ainsi, Robespierre reprochait à Danton son indulgence pour les

veuves des conspirateurs lyonnais : Saint-Just passe sous
silence cet épisode qui pouvait incliner les Conventionnels
à la pitié et rappeler les excès de Collot d'Herbois dans
cette ville. Maximilien réprouvait encore la mise en garde
de Delacroix : « Si vous les [*les Girondins*] faites mourir, la
législature prochaine vous traitera de même » ; le député
de l'Aisne évite cette effrayante prédiction et dit : « Ne
t'es-tu pas opposé à la punition des députés de la
Gironde ? » L'Incorruptible rapportait, enfin, le mot de
Danton : « Que m'importe ! l'opinion publique est une
putain, la postérité une sottise ! » Puis ajoutait : « Le mot
de vertu faisait rire Danton ; il n'y pas de vertu plus solide,
disait-il plaisamment, que celle qu'il déployait tous les
soirs avec sa femme. Comment un homme, à qui toute
idée de morale était étrangère, pouvait-il être le défenseur
de la liberté ? » Saint-Just, écartant toute occasion de
détente, traduit : « Méchant homme, tu as comparé l'opinion publique à une femme de mauvaise vie ; tu as dit que
l'honneur était ridicule, que la gloire et la postérité étaient
une sottise. »
  Le rapporteur ne se soucie guère d'étayer ses charges sur
des preuves et ne ménage pas l'outrance. Contrairement à
Robespierre qui continue à voir en Desmoulins un égaré
plutôt qu'un coupable, il attribue une totale responsabilité
à l'auteur du *Vieux Cordelier*.
  Pour étoffer un réquisitoire assez peu convaincant,
Saint-Just pratique l'amalgame : à Danton, on associerait
des co-inculpés répondant de multiples chefs d'accusation.
Chabot, Basire, Fabre et Delaunay évoqueraient la concussion et les malversations ; Frey et Guzman, financiers,
l'argent impur de l'étranger ; Hérault, l'Hébertisme, la trahison et le vice. Puis, en deux phrases, Saint-Just fait l'histoire de cinq ans de perfidie. « Il y a eu une conjuration
tramée depuis plusieurs années pour absorber la Révolution française dans un changement de dynastie. Les factions de Mirabeau, des Lameth, de Lafayette, de Brissot,
de d'Orléans, de Dumouriez, de Carra, d'Hébert, les factions de Chabot, de Fabre, de Danton ont concouru progressivement à ce but par tous les moyens qui pouvaient

empêcher la République de s'établir et son gouvernement de s'affermir. » En signant l'acte d'accusation (à l'exception de Ruhl et Lindet) les membres des deux Comités réunis cautionnaient cet amalgame. Selon Vadier, Saint-Just eût souhaité parler en présence des accusés, mais la majorité, jugeant cette idée trop risquée, préféra arrêter les Indulgents avant. Le rapporteur en aurait, de dépit, jeté son chapeau dans le feu. Anecdote vraisemblable, à en juger par les interpellations du discours, notamment à l'adresse de Danton : « Danton, tu fus..., tu as dit toi-même... »

Dans la nuit du 30 au 31 mars, les Dantonistes sont arrêtés. Ses amis sont consternés. Legendre, à la Convention, rappelle le passé glorieux de Danton et exige l'audition des inculpés par les députés. Robespierre bondit : « Nous verrons si la Convention saura briser une prétendue idole, pourrie depuis longtemps, ou si, dans sa chute, elle écrasera la Convention et le peuple français... » Saint-Just peut tranquillement lire son rapport dans l'approbation générale.

L'ultime résistance vint de Danton lui-même, lors de l'audience du 3 avril, quand il souligna la faiblesse des charges qui pesaient sur lui et provoqua les applaudissements de la salle. Le 4, quand il apprit qu'on refusait l'audition des témoins à décharge, il redoubla d'attaques contre le gouvernement. Sa voix portait jusqu'à la foule amassée sur les quais et Fouquier-Tinville, affolé, écrivit en hâte au Comité que les accusés « troublaient la séance ». Mais Saint-Just et Billaud-Varenne veillaient. Un certain Laflotte venait précisément de dénoncer un nouveau complot dont le général Dillon aurait été l'âme. Saint-Just, prenant l'affaire au sérieux (ou faisant semblant), se précipita à la Convention et obtint un décret mettant les accusés « hors des débats ». Le 5 (16 germinal), les prévenus furent condamnés et exécutés le jour-même.

Certes, personne ne pourrait jurer de l'innocence d'un Hébert, d'un Hérault ou d'un Danton, sans parler d'un Chabot ou d'un Fabre, mais comment ne pas être choqué par ces procès bâclés menés par des hommes qui avaient proclamé la Déclaration des Droits de l'Homme et refusé la peine de mort ?

Les généraux trahissaient, les espions pullulaient, les délibérations les plus secrètes du Comité étaient divulguées, les concussionnaires s'infiltraient jusqu'au sommet de l'État. Que se serait-il passé si une main complice avait armé et lâché sur Paris et la Convention les milliers d'hommes peuplant les prisons ? Les intrigues, qu'un hasard ou une maladresse permettaient de découvrir, provoquaient une tension constante. Harassés, les membres du Comité, ne restèrent pas insensibles à cette atmosphère. Crurent-ils réellement aux complots des prisons ? Saint-Just les redoutait et prit jusqu'en thermidor des mesures de protection. Il ne craignait pas la mort, mais l'échec de la Révolution. Voilà pourquoi il fut aussi intransigeant : « La politique a compté beaucoup sur cette idée que personne n'oserait dénoncer des hommes célèbres environnés d'une grande illusion tels que Danton, etc. J'ai laissé derrière moi toutes ces faiblesses. Je n'ai vu que la vérité dans l'univers, et je l'ai dit », écrivait-il.

CHAPITRE XVIII

Fleurus

Il fallait vaincre. On a vaincu.

SAINT-JUST, le 9 thermidor.

Les victoires remportées à l'intérieur et sur le Rhin à la fin de 1793 avaient conforté les assises de la République, mais la situation demeurait très préoccupante sur la frontière nord. Dès le printemps s'y livreraient des batailles décisives ; la Coalition et le Comité s'y préparaient. Dès le 23 décembre, Prieur de la Côte-d'Or, parti en tournée d'inspection, avait dressé un sombre tableau de la situation.

L'armée, selon lui, n'était pas prête. Elle manquait d'hommes et la plupart des unités existantes n'étaient pas encore réorganisées selon le principe de l'amalgame. Les populations et les garnisons ne manifestaient guère de détermination politique. Partout les vivres et les munitions manquaient et les chemins devaient être réparés pour le passage des convois.

A Paris, Carnot hésitait. Il n'avait guère apprécié l'inertie et l'indécision de Jourdan au lendemain de Wattignies et lui reprochait sa mollesse lors des incursions hivernales des Austro-Anglais sur la rive droite de la Sambre. Le 6 janvier, il décida le Comité à le destituer. L'armée du Nord n'avait désormais ni plan de campagne ni chef.

Pour redresser la situation, le Comité de salut public

choisit celui qui avait fait ses preuves en Alsace : entre
janvier et juin 1794, Saint-Just entreprit trois nouvelles
missions. En pluviôse (22 janvier-13 février), il put analyser de près la situation ; en floréal (29 avril-31 mai) et en
prairial (6-29 juin) il se trouva sur place au moment de la
percée des Coalisés sur Landrecies et de la difficile quoique
victorieuse contre-attaque française.

LA MISSION DE PLUVIÔSE.

L'arrêté du 22 janvier chargea donc Saint-Just d'une
mission de surveillance à Lille, Maubeuge et Bouchain, sur
cette voie des invasions tracée vers Paris, par la Sambre et
l'Oise. Désigné seul, le Conventionnel se fit pourtant
accompagner par Le Bas et par Élisabeth et Henriette, qui
séjournèrent dans la famille de Philippe. Pour gagner Lille,
les voyageurs passèrent donc par Amiens, Frévent, où
habitaient les Le Bas, et arrivèrent à Saint-Pol le 25 janvier. (Voir carte en annexe p. 376).
La garde de cette ville les ayant obligés à descendre de
voiture, alors qu'ils avaient déjà été soumis au contrôle
d'identité, Saint-Just destitua le comité de surveillance et
en fit arrêter les membres. Ils resteront en prison à Béthune
pendant quatre jours avant qu'il lève la peine. Quant au
maître de poste, il fit un mois de prison, « en expiation de
son insolence », pour avoir déclaré « avec mépris » que les
gens du comité de surveillance « étaient tous de la lie du
peuple... » Curieuses décisions où les réactions personnelles dépassent les nécessités du service de la République !
A Lille, où ils arrivent « par une neige effroyable »,
Saint-Just et son compagnon trouvent une atmosphère
d'espionnage et d'intrigue. Pour mettre la ville en état de
résister à un siège, ils font venir 2 000 hommes en renfort et
prennent des dispositions très sévères, comme à Strasbourg. Les portes de l'enceinte et de la citadelle sont fer-
mées à trois heures de l'après-midi, la garde est renforcée,
les officiers et militaires strictement contrôlés, les fortifica-

tions interdites aux civils, les suspects soumis au secret et les étrangers au couvre-feu. En outre, le tribunal criminel est appelé à « faire raser les maisons » des agioteurs et de ceux qui enfreignent la loi du Maximum. Mais cette dernière menace ne fut pas exécutée par les autorités locales.

Le 28 janvier, ils décrètent également que « l'emprunt forcé sera double pour les riches de Lille qui n'auront point satisfait dans dix jours à leur imposition. Il sera triple dix jours après ». L'emprunt en question avait été décidé par la Convention en mai 1793 et portait sur l'ensemble du territoire. Il n'avait donc aucun rapport avec ceux de Strasbourg et Nancy : à Lille, les représentants ne faisaient qu'appliquer les décisions prises à Paris, avec succès d'ailleurs, puisque tout le monde paya en temps voulu.

Quittant Lille le 29 janvier, les deux amis passent ensuite à Cambrai le 30, puis se séparent. Le Bas va à Saint-Quentin et à Avesnes tandis que Saint-Just passe trois jours au quartier général de Réunion-sur-Oise (Guise), où il fait renforcer les murailles du château, transférer les fourrages nécessaires à la campagne à venir et restaurer la discipline. Il destitue des officiers nobles, « indignes de la confiance de leurs subordonnés », mais, en revanche, fait verser 600 livres à un certain Joseph Sueur, de Moulins, qui a « laissé sa femme et ses enfants sans appui pour se livrer à la défense de la patrie ». Ces gestes ostentatoires sont moins nombreux qu'en Alsace. L'admirable lettre que Saint-Just adresse le 31 janvier au Comité de salut public témoigne de son comportement plus avisé qu'en Alsace.

L'aire d'approvisionnement concédée à l'armée du Nord est insuffisante, dit-il, et doit être augmentée de moitié. Il souligne aussi le mauvais état des routes et la trop forte concentration des convois, les encombrements et les retards dans les livraisons : « Pourquoi ne pas établir des caissons et magasins de fourrages sur les points où l'on veut faire agir les armées ? » Ce qui implique une attitude offensive : « Attendez-vous qu'on vous attaque, ou vou-

lez-vous attaquer ? Dans ce dernier cas, préparez dès ce
soir la position des magasins, vos plans, placez votre cavalerie, dirigez les convois, afin de faciliter l'explosion de nos
forces à l'ouverture de la campagne. (...) Il serait très sage
de votre part de vous rendre agresseurs, d'ouvrir la campagne les premiers, et comme votre armée sera très forte,
vous pourrez en même temps porter une armée sur
Ostende, une sur Beaumont, cerner Valenciennes et attaquer la forêt de Mormal. Soyons toujours les plus hardis,
nous serons aussi les plus heureux... » Mais Carnot et le
Comité ne le suivirent pas et laissèrent l'initiative aux
Coalisés.

Saint-Just et Le Bas se rejoignent à Maubeuge, où se
trame un important complot. Le 3 février, ils épurent sévèrement la société populaire, font arrêter plusieurs
employés de l'administration militaire pour espionnage et
rechercher un Anglais nommé Fielding, résidant à Calais,
soupçonné d'être l'âme d'une conspiration « dont l'objet
était de livrer Maubeuge aux ennemis de la République ».
Il ne sera jamais retrouvé... Pour faire « un exemple
prompt et sur les lieux » un certain Antoine Rondeau est
jugé sur place par la commission militaire, condamné à
mort et fusillé en présence de la garnison. L'affaire ne sera
rendue publique à Paris qu'un mois plus tard.

Par sa position stratégique dans le dispositif de la frontière nord, Maubeuge était une des clés de la future campagne. Il n'est guère surprenant que des Coalisés aient
cherché à s'y assurer des intelligences avec la complicité
d'une partie de la noblesse.

Depuis longtemps, les révolutionnaires soupçonnaient
partout les activités occultes des nobles qui n'avaient pas
donné suffisamment de gages. Le 25 janvier 1794, le représentant Duquesnoy avait contraint tous les ci-devant de
l'armée du Nord à se retirer à 20 lieues de la frontière. La
découverte du réseau Fielding incite Saint-Just et Le Bas à
prendre le célèbre arrêté du 16 pluviôse (4 février) : « Tous
les ci-devant nobles, qui se trouvent dans les départements
du Pas-de-Calais, du Nord, de la Somme et de l'Aisne,
seront mis en état d'arrestation dans les vingt-quatre heu-

res de la réception du présent arrêté et demeureront au secret. »

Saint-Just aimait les lois simples. Celle-ci l'était redoutablement, car elle visait les enfants comme les femmes et les vieillards qui pouvaient, dans ces départements frontières, communiquer avec des émigrés et leur transmettre des fonds. A la veille d'une campagne dont dépendait le sort de la République, les considérations humanitaires étaient reléguées au second plan. Le Conventionnel pensait à la nocivité de ces complices de l'étranger, habiles à profiter de la moindre faille. Dans sa hâte d'aboutir, il abhorrait les dérogations : « Vous aviez rendu une loi contre les étrangers ; le lendemain, on vous propose une exception en faveur des artistes ; le lendemain, tous vos ennemis sont artistes, même les médecins... » déclare-t-il, un mois plus tard à la Convention. L'arrêté ne fut pourtant rédigé et rendu public qu'une semaine plus tard, après que les deux représentants eurent quitté Maubeuge : non seulement ils prirent le temps de la réflexion, mais la suite de leur mission renforça leur détermination.

Naturellement, l'application de cette mesure présentait des difficultés. Fallait-il inclure dans la noblesse les parents et alliés des nobles ? Certains interprétèrent le texte de la façon la plus large. Joseph Le Bon, adjoint de Saint-Just et de Le Bas à Arras, demanda ainsi aux districts « la liste de tous les ci-devant nobles, comme aussi des pères, mères, fils, filles, frères, sœurs, agents, fermiers d'émigrés avec des renseignements sur le degré de civisme de chacun d'eux ». Si les deux auteurs du décret l'avaient entendu ainsi, les autorités de Saint-Pol auraient dû arrêter le père de Le Bas, ancien intendant du prince de Rache, et celles de Chauny auraient dû fournir des renseignements sur la mère et les sœurs de Saint-Just...

A Paris, le 19 février, Carnot et Saint-Just lui-même limiteront bientôt la portée de l'arrêté aux « ci-devant nobles ». Vénérant le souvenir de Le Peletier de Saint-Fargeau, l'un des plus grands noms et l'une des plus grandes fortunes de l'Ancien Régime, Saint-Just savait que d'anciens privilégiés pouvaient être de vrais patriotes. Il

avait maintenu le comte d'Hautpoul à la tête du 6ᵉ régiment de Chasseurs, puis l'avait promu général de brigade.
Mais il tenait ces hommes pour des singularités rares et
pensait que les nobles ne plieraient que sous la contrainte ;
depuis ses luttes à Blérancourt, il avait conservé à leur
égard une vive hostilité. L'arrêté du 4 février peut être
regardé comme le premier pas d'une tentative systématique de dépossession des contre-révolutionnaires. Le 14
février, il fait ainsi séquestrer les biens d'Hector de Gargan
de Rollepot-Frévent, ci-devant seigneur de Bonnières
(Pas-de-Calais), confiscation tout à fait arbitraire et illégale, mais qui annonce le décret du 13 ventôse (3 mars).

Saint-Just et Le Bas furent inopinément rappelés à Paris
vraisemblablement à cause de l'offensive des Cordeliers et
des Hébertistes. Jusqu'à la fin d'avril, le député de l'Aisne
assuma une part importante des travaux du Comité, affai-
bli par la maladie de Robespierre.

Comme on sait, Saint-Just souhaitait une stratégie
offensive : « L'armée ouvrira la campagne au plus tard
dans trois semaines », écrivait-il le 4 février. Mais à ce
moment-là, il fut absorbé par la préparation des décrets de
ventôse et la lutte contre les factions. Le 15 avril, alors qu'il
prononçait à la Convention son rapport sur la police générale, il ne savait peut-être pas que, la veille, Cobourg avait
percé le front, investi Landrecies et menaçait Le Cateau.
La campagne ne s'ouvrirait pas comme on l'avait espéré.
Devant cette situation, il fut de nouveau envoyé avec Le
Bas à l'armée du Nord.

LA MISSION DE FLORÉAL.

Ils ne cherchèrent pas, cette fois, à imposer l'autorité du
Comité par une distance affectée et s'efforcèrent de
s'entendre avec les autres représentants : « J'embrasse mes
chers collègues Gillet et Duquesnoy », écrit Saint-Just.
« Notre collègue Saint-Just est arrivé ce soir, sa présence
ajoute beaucoup à la satisfaction que nous éprouvons de
cette journée » précisent, de leur côté, Guyton et Gillet.

Même Levasseur, qui pourtant n'aime guère Saint-Just, lui déclare : « Ta présence, mon cher collègue, est ici très nécessaire, viens le plus tôt possible, et ce sera un bon renfort. » Seul Choudieu, fidèle de Carnot, demeure réservé. Mais, dans l'ensemble, la prééminence de fait qu'exerça Saint-Just fut acceptée et l'action commune y gagna en efficacité.

On ne revit pas non plus les conflits d'autorité des armées du Rhin et de la Moselle. Jourdan, mal aimé de Carnot, avait été, le 19 janvier, « renvoyé à domicile » pour raison d'inertie et remplacé par Pichegru qui jouissait de la confiance de Saint-Just et du Comité. Hoche, aussi, avait été écarté en raison de son esprit d'indépendance, notamment lors de son initiative malheureuse sur Kaiserslautern. Pour les gens du Comité, l'obéissance était la première vertu d'un général républicain : « Dès qu'un général sort des instructions qu'il a reçues et hasarde un parti qui paraît avantageux, il peut ruiner la chose publique par un succès même. »

Partis de Paris le 30 avril, les représentants arrivent à Noyon le lendemain. Saint-Just en profite pour aller voir sa famille à Blérancourt. Le 2 mai au soir, à Guise, ils apprennent la capitulation de Landrecies et demandent de toute urgence à Paris un plan de campagne.

Carnot comptait beaucoup sur l'aile gauche de l'armée qui, en attaquant en Flandre maritime, se dirigerait vers Ypres, Ostende, foncerait sur la Hollande et couperait ainsi les Britanniques de leurs alliés. Mais, en opérant une percée sur le front central, Cobourg avait pris au dépourvu l'état-major français. Celui-ci en était réduit à deviner les intentions de l'ennemi pour décider de ses propres mouvements. L'armée du Nord se trouvait, en outre, coupée en deux et Pichegru, isolé à Lille, n'avait guère les moyens d'intervenir sur l'ensemble du front. Alors que Carnot avait imaginé un choc offensif sur la gauche, Saint-Just dut contenir l'ennemi sur la droite ; aussi les deux hommes en vinrent à ne plus concevoir la campagne de la même façon. Ces désaccords techniques ajoutés à des divergences d'opinion finirent par aigrir leurs rapports et par altérer la cohésion du Comité. Mais ce n'était pas encore le cas au début

de mai : « Nous ne doutons pas que la perte de Landrecies
ne soit l'effet de la trahison ou de l'ignorance, au moins, de
plusieurs de ses chefs, écrit Carnot le 4. (...) Ce qu'il faut
faire, c'est de rétablir l'ordre dans l'armée. »

RIGUEURS DISCIPLINAIRES.

Saint-Just et Le Bas n'avaient pas attendu ce conseil ;
partout régnaient le désordre et la négligence. A Compiègne, ils avaient violemment protesté parce qu'on n'avait
pas visé leur passeport et qu'ils n'avaient pas trouvé de
chevaux de relais. A Noyon, ils s'étaient élevés contre
l'absentéisme des chirurgiens militaires et ordonné que
soient déférés au tribunal de l'armée ceux d'entre eux qui
seraient surpris en ville sans permission.

A Guise, le 3 mai, ils entendent « fortifier la discipline
qui fait vaincre » et, selon une méthode désormais éprouvée, réglementent sévèrement les sorties. Comme en
Alsace, le tribunal militaire est transformé en commission
spéciale affranchie de toute « forme de procédure ». Le 9,
une commission militaire, composée de patriotes fidèles,
est créée à Maubeuge et à Avesnes ; elle « jurera de s'ense-
velir sous la place et sera chargée de fusiller, en cas de siège,
tous ceux qui parleront de se rendre avant d'avoir soutenu
les assauts ».

Dès le début des combats, certaines unités d'infanterie,
constituées en majorité de jeunes recrues, ne soutinrent pas
le choc de la cavalerie prussienne et s'enfuirent sous les
yeux mêmes de Saint-Just. Le tribunal militaire, ambu-
lant, se transporte alors jusqu'aux premières lignes et rend
une justice expéditive. Saint-Just et Le Bas avaient aussi
mesuré, lors de leur précédent passage, l'ampleur du
laisser-aller administratif. Aussi se font-ils accompagner,
cette fois, d'hommes de confiance : Gateau, Thuillier et
Jacques Duplay, qui ont acquis, surtout les deux premiers,
une grande expérience dans les tâches de contrôle. Sans
faire preuve d'un détachement aussi exemplaire que leur
ami, ils travaillent avec dévouement au service de la Répu-

blique, comme en témoigne leur correspondance. Le 5 mai, Saint-Just nomme commissaire-ordonnateur de la place et du corps d'armée de Guise Robert, un ami de longue date, notaire à Coucy-le-Château, puis agent national du district de Chauny. Faut-il que ces fidèles aient dérangé bien des habitudes dans l'armée du Nord pour que l'ont ait tenté de s'en débarrasser ? En tout cas, le Comité de sûreté générale ordonna, en effet, l'arrestation de Thuillier et selon Chollet, agent national à Chauny, le despotisme de Robert à Avesnes avait été si insupportable qu'on l'avait condamné à être fusillé. Dans les deux cas, Saint-Just avait dû intervenir énergiquement en leur faveur.

La même sévérité s'appliquait aux civils résidant à proximité de la zone des combats. Après la capitulation de Landrecies, le bruit s'était répandu que les officiers municipaux y avaient été fusillés par les Autrichiens. « Par représailles », Saint-Just et Le Bas firent alors incarcérer les nobles et les anciens magistrats des villes belges de Menin, Courtrai et Beaulieu. Il fallut un mois pour se convaincre que c'était une fausse nouvelle propagée par l'ennemi, peut-être pour dissuader les populations de lui résister, et libérer les détenus. Les représentants n'avaient guère eu le temps de vérifier cette information, ils voulaient avant tout que les amis de la République se sentissent soutenus, protégés et éventuellement vengés.

SAINT-JUST ET LE BON.

La chasse aux traîtres réels ou supposés fut confiée à un groupe d'amis de Le Bas conduits par Joseph Le Bon. Ancien oratorien et professeur de rhétorique au collège de Beaune, il siégeait à la Montagne et fréquentait les Robespierristes dont il conserva la confiance jusqu'en thermidor. Chargé de mission dans le Nord et le Pas-de-Calais, il installe à Arras, dès le 13 février, un tribunal révolutionnaire qui sera maintenu par décision rogatoire quand le Comité de salut public centralisera la justice révolutionnaire à Paris. Saint-Just demande même expressément à Le Bon de se rendre à Cambrai pour y exercer, tant auprès des civils que des militaires, une « justice grave et inflexible ». Dénommé « tribunal révolutionnaire d'Arras, première section, séant à Cambrai » afin de conserver une apparence de légalité, le tribunal fonctionnera du 10 mai au 27 juin. Malgré de nombreux acquittements, cent cinquante-deux condamnés furent guillotinés ou fusillés. Le Bon, qui rend quotidiennement compte de ses activités, écrit aux représentants le 12 mai : « Messieurs, les parents et amis d'émigrés et de prêtres réfractaires accaparent la guillotine. Avant-hier, un ex-procureur, une riche dévote, veuve de deux ou trois chapitres, un banquier millionnaire, une marquise de Moldany ont subi la peine de leurs crimes. Un général de brigade poltron et fuyard jusqu'à Péronne a été condamné à mort et vient d'être conduit à Lille pour y être fusillé à la tête des colonnes républicaines. Hier trois espions et cinq ci-devant Français devenus échevins autrichiens ont également disparu du sol de la liberté. Salut et fraternité. »

Il y a parmi les suppliciés beaucoup d'anciens privilégiés, mais davantage d'artisans, de marchands, de cultivateurs, d'ecclésiastiques et même de manouvriers, souvent pauvres, mais fidèles à des hommes compromis dans la contre-révolution ou simplement suspects. Saint-Just, habituellement attentif au sort des humbles, en est comptable. Le Bas et lui approuvent totalement Le Bon. Lorsque celui-ci, dénoncé par Guffroy, autre Conventionnel du Pas-de-Calais, est appelé à s'expliquer devant la Convention, Le Bas réclame à Robespierre ce patriote « qui a fait et qui continue à faire beaucoup de bien et qui vaut une garnison dans Cambrai », et le Comité de salut public le rend à ses activités en lui prodiguant des encouragements. Pourtant hostile aux répressions aveugles, Carnot l'appuie et Barère, après Fleurus, rend un éloge public à un homme « tant calomnié par les ennemis de la liberté ».

Le Bon a strictement suivi les directives de Saint-Just, qui s'est constamment solidarisé avec lui jusqu'à rappeler, dans le discours qu'on l'empêcha de prononcer le 9 thermidor, le témoignage d'un officier suisse : la police redoutable survenue dans Cambrai avait tellement déconcerté le plan des alliés qu'ils avaient changé de vues... Saint-Just n'était pas seul à penser que la guillotine ménageait le sang des soldats. Que pèse l'exécution de quelques centaines de coupables pour un homme dont la sensibilité a été émoussée par les charniers des champs de bataille et l'agonie des braves au soir des combats ?

Ayant abandonné les tâches de surveillance politique, Saint-Just peut suivre de près les opérations militaires. Dans la nuit du 4 au 5 mai, il participe à Cambrai à un conseil de guerre où est défini le plan de campagne. Pichegru projette de concentrer les troupes, d'une part en Flandre maritime, d'autre part vers Beaumont, à l'est de Maubeuge. L'offensive sera lancée simultanément sur la droite et la gauche afin d'obliger Cobourg à disperser ses forces. Ce plan a surtout le mérite de gérer la pénurie en effectifs.

L'ARMÉE PIÉTINE.

Pichegru a massé 80 000 hommes sur sa gauche, appelée à affronter les forces les plus vives de l'ennemi. Le rassemblement de droite ne disposera pendant longtemps que de 50 000 hommes, trop peu nombreux pour remplir les objectifs sur la Sambre. A droite, faute de mieux, on nomma le général Desjardin, mais sa délégation de pouvoirs resta limitée et soumise à l'agrément de ses supérieurs et des représentants. Toutes les décisions importantes furent prises à la fois par le Comité et par Pichegru, Saint-Just et Le Bas. Les communications entre eux furent parfois génératrices de contretemps. Ainsi Pichegru annule, le 8 mai, l'ordre de marche fixé au 10 à deux heures du matin : les représentants n'en sont informés que le 9 à neuf heures du soir, trop tard pour arrêter la manœuvre. Les opérations sont engagées alors que le général en chef voulait ajourner la bataille !

L'offensive remporte pourtant quelques succès mais, en quelques jours, faute de moyens en hommes et en approvisionnements, elle s'essouffle ; le 16, Desjardin, peut-être trop timoré, donne l'ordre de la retraite, sur la rive droite de la Sambre. Seul avantage : le poste de Thuin, commandant l'accès à la rive gauche du fleuve, a été conservé. Dans l'après-midi du 14, sans doute en prévision du repli général, Saint-Just fait incendier les magnifiques abbayes de Lobbes et d'Aulne. Dom Herset, le dernier abbé d'Aulne s'indigne : « L'auteur, l'organisateur de ces incendies sacrilèges, ce fut un monstre sous face humaine, Saint-Just, le plus criminel de tous les hommes. » L'intérêt stratégique des abbayes ne peut être ignoré ; comme le note V. Dupuis, elles « contenaient une forte quantité de denrées de toutes sortes, et pouvaient fournir un abri précieux à quelques bataillons ». Il faut tout de même constater que les Impériaux, soumis aux mêmes contraintes, n'en étaient pas venus à cette extrémité.

Le jour même de la retraite se tient à Cousolre, au quartier général de Desjardin, un nouveau conseil de guerre avec Pichegru, les principaux généraux et les représentants de la Convention, afin de tirer les leçons de l'échec. Saint-Just et Le Bas proposent de confier la direction des opérations à un collège composé de Desjardin, de Kléber et de Schérer. Aucun des chefs susceptibles d'exercer un commandement unique ne présentait des garanties de compétence suffisantes. Cette pénurie de talents peut expliquer ce mauvais compromis. Saint-Just avait été vivement impressionné par le spectacle des fuyards lors de la première attaque. « ... Ceux qui provoqueront l'infanterie à se débander devant la cavalerie ennemie, décide-t-il le 16, ceux qui sortiront de la ligne avant le combat ou pendant la retraite seront arrêtés sur l'heure et punis de mort. Tous les cantonnements feront des patrouilles ; elles reconnaîtront les militaires errants et les arrêteront ; s'ils fuient, elles feront feu. » Ordre — matériellement inexécutable — fut donné de tirer cette proclamation à 25 000 exemplaires dans les 24 heures « sous peine de mort » (car Saint-Just souhaitait en remettre un à chaque soldat comme un gage concret de son devoir). L'imprimeur Levecque ne put en livrer que 15 000... mais survécut.

La concertation n'avait pas apporté de remède aux maux dont souffrait l'aile droite de l'armée : insuffisance des effectifs, carence du commandement. Une nouvelle offensive avait toutefois été fixée au 20.

DES ÉCHECS QUI PRÉPARENT LA VICTOIRE.

Les armées, repassant la Sambre en plusieurs endroits, dégagent Maubeuge et occupent des positions de grand intérêt stratégique. Malheureusement, les espoirs de victoire sombrent avec la contre-attaque que Kaunitz lance le 24. Les forces françaises doivent à nouveau se replier et ne sont sauvées de la déroute que grâce à l'autorité de Kléber. Alors, dans la nuit du 25 au 26 mai, Saint-Just convoque les généraux à Thuin et prend en main la direction des opérations. Selon le général Duhesme, il aurait déclaré : « Généraux, vous êtes rassemblés pour concevoir et exécuter quelque chose de grand, de digne de la République. Demain il faut un siège ou une bataille. Décidez-vous ! » Un sourire amer de Kléber l'aurait rendu « furieux » ; il se serait précipité dans le jardin et promené pendant deux heures sans chapeau sous la pluie. Il a cependant le dernier mot. L'armée reprend sa marche le 26 à l'aube, difficilement, semble-t-il. Toujours d'après Duhesme, les soldats, harangués par Saint-Just, refusèrent d'avancer jusqu'à ce que Kléber, s'adressant en allemand à un bataillon alsacien en tête de la colonne, débloquât la situation.
A ce moment, Saint-Just pense, vraisemblablement comme la plupart des chefs militaires, que Jourdan et ses 40 000 hommes seront l'appoint décisif de la victoire, et il reste en liaison constante avec lui. Mais, tout comme le Comité, il entend ne pas laisser l'ennemi se retrancher sur la rive gauche de la Sambre et autour de Charleroi. Le 28, les Français s'emparent donc du pont de Marchienne et entreprennent l'investissement de Charleroi. Rappelé à Paris, Saint-Just laisse la direction des opérations à Guyton-Morveau et ne sera plus là, le 1er juin, lors de l'échec sur Charleroi, qui sonnera le glas de l'offensive que sa fou-

gue et sa certitude d'avoir raison avaient voulue contre l'avis des généraux.

Cette troisième défaite soulignait la nécessité de nouveaux renforts et d'un commandement unifié. Cela fut possible à la fin de mai, quand Jourdan se fut emparé de Dinant, eut franchi la Meuse et rejoint les forces massées sur la Sambre : le général reçut alors le commandement de 100 000 hommes. Mais cet accroissement des effectifs compliquait soudain la tâche des responsables de la logistique. Avant même son départ, puis pendant son dernier séjour, Saint-Just fut accaparé par tous ces problèmes.

CHARLEROI ET FLEURUS.

Laissant Le Bas à Paris, le député de l'Aisne arrive le 12 au soir sur la Sambre que les troupes viennent de passer. Le surlendemain, il adresse à Jourdan une longue lettre qui, au-delà des gestes d'humeur ou d'énervement et des entêtements manifestés au cours de la campagne, rend bien compte de sa volonté. Il y recommande d'imposer la supériorité numérique des armées françaises pour obliger l'ennemi, par d'incessantes attaques, à disperser ses forces et à s'épuiser. C'est la conception de Carnot et celle du Comité de salut public. Saint-Just n'est, ici, qu'un exécutant discipliné, opiniâtre et intransigeant.

Le succès, pourtant, se fera encore attendre. Le 16 juin, le prince d'Orange enfonce l'aile droite de Championnet et oblige Jourdan à ordonner un nouveau repli derrière la Sambre. Si des sanctions sont prises contre des soldats qui se sont enfuis et des officiers qui ont laissé faire, la répression reste très limitée. C'est que les raisons d'espérer ne manquent pas : la bravoure des hommes de Kléber et des cavaliers de Dubois ont coûté cher à l'ennemi ; par ailleurs le même jour, Pichegru, à l'ouest, s'est emparé d'Ypres, faisant 5 800 prisonniers, s'emparant de 80 pièces de canon, de 8 500 chevaux et d'une grande quantité de fourrage. Contrairement à Jourdan qui songe à attaquer en un autre point, Saint-Just exige que l'on reprenne sans délai l'offensive sur place : dès le 18 juin, les Français repassent la Sambre et réinvestissent Charleroi.

Le siège de la forteresse s'avère délicat : « Je ne puis vous dire quand nous serons maîtres de Charleroi, écrit Jourdan au Comité, car l'artillerie ne va pas. Mais le représentant Saint-Just vient d'envoyer la commission militaire à la tranchée. J'espère que cela donnera de l'activité. » Est-ce grâce aux efforts de la commission militaire, à la réorganisation de l'artillerie ou aux récents arrivages de poudre ? Toujours est-il que, le 25, un officier autrichien se présente porteur de propositions. « Ce n'est pas du papier que je vous demande mais la place », aurait répliqué Saint-Just. Reyniac, le commandant de la garnison impériale, en fut impressionné et se rendit sans conditions. Le jour même, le canon annonçait l'approche de Cobourg... Cette fois, le représentant avait vu plus clair que les militaires.

Relevant le moral des troupes françaises et leur procurant une grande quantité d'approvisionnements et surtout des chevaux, la prise de Charleroi annonce la victoire décisive du lendemain, 8 messidor (26 juin), à Fleurus. Douze heures d'affrontements sanglants, une succession d'engagements observés par les passagers de l'aérostat *l'Entreprenant*. Au soir, Saint-Just et ses compagnons envoient cette dépêche au Comité : « L'armée sur Sambre a remporté aujourd'hui la plus brillante victoire dans les champs de Fleurus. (...) L'ennemi (...) est en déroute après douze heures d'efforts et de combat : on le poursuit. » La proclamation embellit quelque peu la réalité. La poursuite n'eut pas lieu parce que les combattants étaient trop harassés et la retraite des Coalisés ne fut pas une « déroute ». Plus laborieuse que « brillante », la victoire ouvrit néanmoins la Belgique aux Français.

Quelle part prit exactement le Conventionnel à cette campagne ? On a prétendu qu'il avait chargé en personne. Ce sont les informateurs de l'espion royaliste d'Antraigues qui en font état. Le bulletin Drake-d'Antraigues précise : « Saint-Just, au Comité du 8, dit qu'il avait chargé cinq fois les Autrichiens à la tête de la cavalerie... » Il faut donc accueillir avec circonspection les affirmations de correspondants tentés d'exagérer le caractère sensationnel des renseignements qu'ils donnaient. Plus tard, Lamartine n'hésita pas à écrire que le jeune homme eut « plusieurs chevaux tués sous lui » et ajouta : « Saint-Just, disait son collègue Baudot à son retour des armées, ceint de l'écharpe du représentant, et le chapeau ombragé du panache tricolore, charge à la tête des escadrons républicains, et se jette dans la mêlée, au milieu de la mitraille et de l'arme blanche, avec l'insouciance et la fougue d'un hussard. » Baudot ne dit pourtant rien de tel dans les *Notes historiques* qu'il a laissées et Levasseur de la Sarthe, en mission à l'armée du Nord avec Saint-Just, contredit ce récit en faisant même passer son compagnon pour un poltron !

Saint-Just a si souvent manifesté son courage que l'hostilité de Levasseur ne saurait ternir son image. Mais s'il avait ainsi combattu sur les champs de bataille, au vu de milliers d'hommes, de nombreux témoignages n'auraient pas manqué de le confirmer. Et un Le Bas ou un Gateau n'eussent pas omis de le rapporter. Cette légende relève bien de l'imagerie romantique reprise par Lamartine, mais esquissée du vivant du héros. Sa jeunesse généreuse, l'attention qu'il portait aux humbles enflammaient déjà l'imagination populaire. Ainsi quelques jours avant Fleurus, il avait condamné les autorités d'une commune de la Meuse à verser pas moins de 10 000 livres à une jeune fille « en indemnité de l'acte d'oppression » dont elle avait été victime de leur part. Il eut d'autres gestes analogues, qui n'ont pas toujours donné lieu à des actes officiels, mais contribuèrent à faire de lui un symbole de vertu. Une lettre, parue dans le *Journal des hommes libres* du 28 mai 1794, rapporte l'une de ces actions édifiantes : « Citoyens... un acte de bienfaisance est à l'âme de l'homme vertueux, et par conséquent républicain, ce qu'une goutte de rosée est à la tendre fleur qui en humecte son calice. Le représentant Saint-Just, se rendant à Maubeuge, rencontre un jeune homme de douze ou treize ans couvert de haillons, signes certains de son indigence ; il l'interroge... apprend que ce malheureux enfant a vu sa mère expirer sous les coups des satellites du tyran, dans l'affreuse journée du 10 août, et perdu son père, mort sous les drapeaux de la République...

Ce représentant, sensible aux malheurs du jeune infortuné, l'emmène avec lui, le fait revêtir ; et, voulant se réserver la douce jouissance que procure une bonne action, le garde auprès de lui... Qu'un tel exemple apprenne aux riches égoïstes... qu'il n'est de vrai bonheur que dans le soulagement des malheureux. »

Cette adulation ne doit pas faire oublier la part que prit Saint-Just à la campagne jusqu'à Fleurus. Plus que tout autre au Comité, Saint-Just a toujours gardé à l'esprit l'importance des grandes vallées d'invasion vers Paris. Il a joué un rôle déterminant dans la formation, l'équipement et le ravitaillement de l'armée de Sambre-et-Meuse. Il y a rétabli la discipline. Sa sévérité s'est exercée essentiellement contre les fuyards terrorisés par la cavalerie prussienne : la plupart des 24 hommes dont on connaît l'exécution avaient pris la fuite. La guerre, il faut le constater, légitime universellement ce genre de pratiques.

Quant à l'obstination de ce fils de soldat à commander sans relâche l'attaque pour harceler l'ennemi, elle a fait ricaner certains professionnels de la guerre (car elle paraît ponctuée par une série d'échecs) mais à Charleroi et à Fleurus cèdent les troupes les plus usées.

Saint-Just fut, à l'armée du Nord, le mandataire du gouvernement dont il appliqua la politique avec l'extraordinaire volonté qui l'animait. Mais il savait ce qu'elle coûtait de sang et de souffrances à tout un peuple. Nul plus que lui n'en parla avec autant de pudeur et de réserve et sans doute espérait-il offrir à la cause qu'il défendait le prestige que la victoire lui conférerait. Débarrassé du péril étranger, il allait pouvoir travailler à sa conception d'une cité nouvelle et aux moyens de l'imposer. En traversant à toute vitesse les villages de France sous les acclamations, pensait-il à ces luttes, goûtait-il les joies du triomphe ou songeait-il simplement, comme il aimait à le rappeler, que la roche Tarpéienne est près du Capitole ?

CHAPITRE XIX

La Cité nouvelle

*Il faut que vous fassiez une cité, c'est-à-dire des
citoyens qui soient amis, qui soient hospitaliers
et frères.*

SAINT-JUST, le 15 avril 1794.

Presque toute sa vie, Saint-Just a rêvé de contribuer à
l'établissement d'une cité où les hommes trouveraient la
fraternité et le bonheur. « Je demande quelques jours
encore à la providence pour appeler sur les institutions les
méditations du peuple français et de ses législateurs »,
avait-il prévu de dire le 9 thermidor. D'*Organt* aux *Fragments d'Institutions républicaines,* en passant par ses
grands discours, ses interventions reflètent des étapes bien
distinctes de son existence. Tour à tour jeune contestataire,
aspirant à un mandat politique, Conventionnel dans
l'opposition puis au pouvoir, il a critiqué, approuvé, proposé, imposé. Rarement la chronologie des textes aura eu
autant d'importance pour saisir le cours d'une pensée.
Entre novembre 1792 et mai 1793, Saint-Just défend dans
un premier temps le point de vue de l'opposition montagnarde : « Tous les arts ont produit des merveilles, l'art de
gouverner n'a produit que des monstres. » Tout gouvernement fort pourrait devenir tyrannique, comme le rappelle
le souvenir de l'absolutisme. A la Commission de constitution, il fait assujettir l'Exécutif au Législatif et soumettre

ce dernier à la pratique démocratique du référendum. Le libéralisme s'arrête là, car un régime fédéraliste à l'américaine lui semble porteur de conflits : « Un jour (...) un État s'armera contre l'autre, on verra se diviser les représentants. » Mieux vaut un État unitaire, centralisé, garant de droits sociaux étendus, afin que « la République établie embrasse tous les rapports, tous les intérêts, tous les droits, tous les devoirs et donne une allure commune à toutes les parties de l'État ». En matière économique, Saint-Just déclarait, le 29 novembre 1792, aux Conventionnels : « Je n'aime point les lois violentes sur le commerce. » Le lendemain Brissot applaudissait : « Saint-Just... honore son talent en défendant la liberté du commerce. » Le député de l'Aisne avait pourtant explicitement rejeté une « liberté indéfinie » et proposé de placer les transactions « sous la sauvegarde du peuple ». Il entendait aussi faire payer l'impôt foncier en nature et confier à l'État le stockage des grains dans les « greniers publics »... Un an plus tard, il devait exprimer ses doutes à l'égard des méthodes administratives : « Il faut du génie pour faire une loi prohibitive à laquelle aucun abus n'échappe. » Puis, alors même qu'il appliquait le Maximum avec rigueur, il estimait que la taxation, liée seulement « aux circonstances », n'était qu'un « projet de famine » inspiré par le comploteur royaliste Batz ! L'ambiguïté n'a pas toujours échappé aux contemporains. Dans ses *Mémoires,* le Conventionnel Paganel écrira : « Son style était serré, concis, plein d'obstructions et de réticences », usant de « l'obscurité » comme d'un écran. « Il prenait autant de soin d'occuper, de fatiguer la pensée d'autrui, que de déguiser et de dévoiler la sienne » ajoute-t-il.

Dès cette époque pourtant, Saint-Just souhaite réserver une place éminente à l'État. Rien ne le montre mieux que ses réflexions sur la situation financière. Le gouvernement manque de fermeté, se laisse entraîner, comme ses devanciers, à l'abus du papier monnaie qui s'avilit sans cesse et risque d'anéantir la Révolution, répète-t-il. L'orateur préconise une intervention hardie de l'État, tout en disputant l'autorité à l'Exécutif et en déplorant les mesures de contrôle des prix. Le procès de la politique financière est brillant mais il est plus facile de comprendre les mécanismes de l'inflation que d'y remédier. Dans une économie déprimée par l'émigration, ponctionnée par la guerre, comment et où trouver cette monnaie, qu'on souhaite ne pas créer, sans désarmer la République ? Les réponses de Saint-Just s'apparentent davantage à des propos d'opposition qu'à un programme de gouvernement. Et d'ailleurs, à l'épreuve des faits, la rigueur du pouvoir politique s'alourdira, la répression se durcira, la loi du Maximum sera appliquée et les émission monétaires maintenues.

Mieux vaut, donc, chercher ailleurs que dans ces discours de circonstance les véritables idées de Saint-Just. Dans les *Fragments,* l'auteur, alors chargé de responsabilités, tient un langage plus concret. Ses projets manquent d'originalité et semblent passéistes, mais ils répondent à l'attente de beaucoup de gens.

UNE PENSÉE ÉCONOMIQUE CONFORMISTE.

A plusieurs reprises, Saint-Just affirme une vive hostilité à l'égard de l'industrie et du commerce : « Une nation de gens de métier n'est pas une nation mais une foire de marchands et de vagabonds. » La production industrielle ne saurait constituer qu'un appoint : « Il y a de quoi frémir, lorsqu'on voit tous les membres d'un souverain vivre d'un métier. Tout citoyen doit vivre de son champ et s'enrichir de son industrie. » Les attaques contre l'Angleterre associent dans le même mépris son gouvernement « despotique » et son économie marchande. Saint-Just n'a pas été sensible aux premiers frémissements de l'essor de l'industrie qui commençait à animer certains pays d'Europe. D'autres ont eu la lucidité de percevoir ce mouvement. Dès 1792-1793, Barnave avait exprimé l'idée que « l'établissement des manufactures et du commerce devait naturellement succéder à la culture » ; « dès que les arts et le commerce parviennent à pénétrer dans le peuple et créent un nouveau moyen de richesse au secours de la classe laborieuse, il se prépare une révolution dans les lois politiques ; une nouvelle distribution de la richesse prépare une nouvelle distribution du pouvoir. »

Saint-Just n'a pas non plus vu qu'une révolution sociale était incompatible avec le maintien d'une économie agricole traditionnelle. Beaucoup d'auteurs lui ont fait grief de n'avoir pas discerné l'évolution de son temps. Ces remarques, certes pertinentes, font fi des circonstances. L'élite réformatrice de l'an II était imprégnée des Lumières et devait agir, tout de suite, sur une France où la défiance à l'égard des activités industrielles et commerciales était répandue. Sans dénier l'utilité de l'industrie, Montesquieu avait craint que le machinisme ne fût générateur de chômage et ne portât préjudice à l'agriculture et que le commerce, quoique propice à la « civilité », ne corrompît « les mœurs pures » et favorisât un trafic « de toutes les actions humaines et de toutes les vertus morales ». Pour les physiocrates, disciples de Quesnay, les industriels et les commerçants constituaient une classe stérile. Mably, enfin, dont les œuvres figuraient dans la bibliothèque du Comité de salut public et dans celle de Saint-Just, recommandait, citant Platon, de ne pas installer une république près d'un rivage ou d'une rivière pour lui éviter la corruption engendrée par le commerce : « N'en doutez pas, tous ces ballots de marchandises importées et exportées deviendront pour la République la véritable boîte de Pandore. » « Le luxe est toujours en proportion avec l'inégalité des fortunes, écrit encore Montesquieu. Si, dans un État, les richesses sont également partagées, il n'y aura point de luxe. »

Saint-Just ne pouvait qu'être sensible à ces dangers à la fois moraux et sociaux. Il trancha avec d'autant moins de nuance que les conséquences économiques désastreuses des premières années de la Révolution pesaient lourdement sur l'activité des artisans et commerçants dont une grande partie de la clientèle avait émigré, se terrait ou était ruinée. Pour l'instant, ceux qui avaient vécu dans la dépendance des châteaux et des hôtels parisiens se trouvaient le plus souvent appelés par la conscription ou requis pour la production de guerre. Mais que faire d'eux une fois la paix revenue ?

La terre était encore — et pour longtemps — la principale source de richesses. Saint-Just se tourne donc vers elle, imagine de la morceler en petites propriétés et d'en doter chaque famille. Généreux, il manifeste à l'égard de la possession un détachement exprimé avec hauteur dès 1790 : « Êtres passagers sous le ciel, la mort ne vous avait-elle appris que loin que la terre nous appartînt, notre stérile poussière lui appartenait à elle-même ? » Il déclare pourtant à la Convention : « Si vous donnez des terres à tous les malheureux (...), je reconnais que vous avez fait une révolution. » Cette distribution aura pour premier avantage de supprimer l'oisiveté de « la classe qui ne fait rien (...) qui ne pensant à rien, pense à mal ; qui promène l'ennui, la fureur des jouissances et le dégoût de la vie commune » et qui constitue ainsi le plus ferme soutien de la monarchie. La terre serait ensuite le moyen le plus efficace d'assurer la liberté et la dignité à tous les hommes : « La première de toutes les lois sociales est la garantie et l'indépendance de la vie... » « Une charrue, un champ, une chaumière à l'abri du fisc, une famille à l'abri de la lubricité d'un brigand, voilà le bonheur », s'écrie-t-il à la Convention. Un bonheur universel, y compris aux colonies où les esclaves libérés seraient pourvus par l'État de « 3 arpents de terre et les outils nécessaires à leur culture ».

Saint-Just associe ensuite la propriété et le bonheur à la patrie : « J'ai dit ailleurs que le principe de la vie sociale était la propriété parce que sans elle on n'avait pas plus de patrie que les vaisseaux qui courent les comptoirs de l'univers. » Il se souvenait que, lors des premières levées, le peuple picard avait établi d'instinct un lien entre la possession et la défense de la patrie : le 15 août 1792, à Saint-Gobain, près de Chauny, les plus pauvres s'étaient rassemblés pour exiger que les fermiers et les laboureurs, acheteurs de biens nationaux, fussent enrôlés en priorité, puisqu'ils avaient davantage qu'eux à perdre dans l'invasion.

CONSENSUS.

L'aspiration à disposer d'une terre était communément partagée même par ceux qui n'avaient pas lu Plutarque et appris que Lycurgue à Sparte avait redistribué la terre lacédémonienne entre les Égaux.

Les options de Saint-Just en faveur de la propriété individuelle manquent toutefois d'ampleur, même pour l'époque. Elles sont loin des vues d'un Babeuf préconisant une sorte de collectivisation de la terre. Il y a entre eux tout ce qui sépare le théoricien de l'homme d'action. Les idées de Babeuf eussent été absolument inapplicables en l'an II. S'attaquer au principe de la propriété, hautement affirmé dans la Déclaration des Droits, eût été dresser contre soi les possédants et ceux qui aspiraient à le devenir. « Aucune force humaine ne pourrait tenter aujourd'hui de rétablir l'égalité sans causer de plus grands désordres que ceux qu'on voudrait éviter », avait écrit Mably. Robespierre partageait ce sentiment : « Ames de boue qui n'estimez que l'or, je ne veux point toucher à vos trésors, quelque impure qu'en soit la source. Vous devez savoir que cette loi agraire, dont vous avez tant parlé, n'est qu'un fantôme créé par les fripons pour épouvanter les imbéciles ; il ne fallait pas une révolution sans doute pour apprendre à l'univers que l'extrême disproportion des fortunes est la source de bien des crimes, mais nous n'en sommes pas moins convaincus que l'égalité des biens est une chimère. »

Saint-Just tient l'inégalité excessive pour un facteur de destruction de la société : « Un pacte social se dissout nécessairement quand l'un possède trop, l'autre trop peu, et vainement la loi positive garantira cette liberté du faible contre le fort, de celui qui n'a rien contre celui qui a tout. (...) Je ne veux point dire qu'il faille partager la terre de la république entre ses membres, ces moyens physiques de gouverner ne peuvent convenir qu'à des brigands, mais ce partage de la terre entre ceux qui l'habitent doit s'opérer par le système de la législation. »

Il se garde donc bien de heurter les esprits. Ses idées,

communément partagées, ne seraient pas totalement utopiques en ce printemps 1794. Mais, puisqu'il écarte la loi
agraire, comment entend-il intervenir ?

La dispersion des biens nationaux n'avait guère avan-
tagé les plus démunis. Les acheteurs avaient été le plus
souvent des bourgeois qui spéculaient sur la terre, voire
des membres de la haute noblesse notoirement contre-
révolutionnaires. Saint-Just imagine d'autres moyens de
répartition en limitant la taille des propriétés familiales.
Variant dans le temps en fonction des fluctuations démographiques, celles-ci devraient toujours pouvoir assurer la
subsistance et l'indépendance de chacun. Au cas probable,
où les terres disponibles seraient insuffisantes, l'État affer-
merait une partie du Domaine public aux indigents.
L'héritage n'étant toléré qu'en filiation directe, le Domaine
serait constamment alimenté par les biens tombés en dés-
hérence. Le produit de chaque lopin attribué, exclusivement destiné à garantir les besoins de première nécessité,
ne pourrait faire l'objet d'une commercialisation...

L'auteur des *Institutions* entend obliger les propriétaires
à payer l'impôt à la place des fermiers, à exploiter leurs
terres en personne jusqu'à l'âge de cinquante ans et il limite
leurs domaines à 300 arpents (100 à 150 hectares). Chacun
devrait aussi entretenir un nombre réglementé de moutons, de vaches et de chevaux. Sans doute parce qu'il en
avait été témoin à Blérancourt, Saint-Just était spécialement préoccupé par la dégradation du cheptel : dès son
arrivée à Paris, il en avait exposé aux Conventionnels les
conséquences. On a retrouvé dans sa bibliothèque un
mémoire de Duquesnoy *Sur l'éducation des bêtes à laine et
les moyens d'en améliorer l'espèce* soulignant tout l'intérêt
économique de l'élevage.

ÉTAT-PROVIDENCE ET SOLIDARITÉ.

Des petits cultivateurs, propriétaires ou fermiers, peu-
pleraient donc cette Cité future et formeraient une société

de solidarité et d'amitié. L'État régulerait la vie économique. « Le Domaine public », alimenté par les impôts, les successions et les biens nationaux, « est établi pour réparer l'infortune des membres du corps social » : soldats mutilés, vieillards, enfants abandonnés. La République vient en aide aux travailleurs victimes de la guerre ou de catastrophes naturelles. Elle indemnise les dégâts des orages et même rembourse, sous certaines conditions, les commerçants qui ont perdu leurs cargaisons en mer.

Les missions aux armées donnèrent à Saint-Just l'occasion de mettre ses idées à l'épreuve des faits. En Alsace et dans le Nord, il engagea les deniers publics pour secourir les veuves et orphelins de guerre, les blessés, les victimes des pillages de l'ennemi, demanda aux compatriotes des volontaires de labourer leur champ en leur absence, etc. Peu à peu, cependant, l'expérience lui fit prendre conscience des difficultés. Presque partout ses efforts se heurtaient à l'indifférence ou à l'hostilité, ses bons sentiments au scepticisme ou à la moquerie. « Tandis que vous disputez à cette armée votre contingent, elle verse pour vous son sang. Voilà sa récompense », reprochait-il aux membres de la Société populaire de Lunéville. Dès 1793, il avait constaté que si les lois étaient révolutionnaires, les exécutants ne l'étaient pas ; il était, par conséquent, plus urgent de changer les hommes que la législation. Il conçut alors un projet plus complet, reposant sur des valeurs éthiques. L'idéologie robespierriste lui en apporta la trame.

L'HOMME RÉVOLUTIONNAIRE.

La question de l'éducation avait fait l'objet de nombreux débats dans les assemblées, notamment au cours du premier semestre de 1793. Saint-Just avait noté dans un de ses carnets : « Faire exécuter les lois sur l'éducation, voilà le secret. » Le 6 juillet 1793, il était entré dans une commission de six membres chargée de dresser un plan d'éducation. Il n'est jamais intervenu publiquement sur ce sujet, mais a laissé des notes hâtives qui ont été publiées dans les *Fragments d'Institutions républicaines*. Il reste fidèle à un projet que Le Peletier de Saint-Fargeau avait préparé et que Robespierre avait présenté le 13 juillet 1793. Il en reprend et parfois en aggrave les dispositions spartiates. Monopole d'État, obligatoire et dispensée dans des internats, l'éducation des garçons, retirés à leurs parents dès l'âge de cinq ans, élevés en commun, a pour règle la simplicité et la frugalité (quant aux filles, elles resteront dans la famille). « Vêtus de toile en toute saison » et dormant sur des nattes, ils se nourrissent de pain, de légumes, de laitages, d'eau. Jusqu'à dix ans, ils apprennent à lire, à écrire et à nager. Après une formation militaire achevée à seize ans, ils sont placés en apprentissage chez des hommes de métier, « laboureurs, manufacturiers, artisans, négociants ». Censés incarner la sagesse et la réserve, les vieillards seront les instituteurs des plus jeunes et leur inspireront l'amour du silence. « Les enfants appartiennent à la mère jusqu'à cinq ans si elle les a nourris, écrit Saint-Just, et à la république ensuite, jusqu'à la mort. (...) La mère qui n'a point nourri son enfant a cessé d'être mère aux yeux de la patrie. » Plus qu'une idée à la mode, c'est pour ce cénacle robespierriste une volonté d'harmonisation sociale : ne plus voir les gens aisés se décharger sur les nourrices des fardeaux de la petite enfance, faire de chaque femme une mère vertueuse et non une coquette. Anecdote significative, Élisabeth Duplay raconte que, pour l'éprouver avant de l'épouser, Le Bas lui avait demandé « de lui chercher une femme aimant les plaisirs et la toilette et ne tenant pas à nourrir elle-même ses enfants ».

L'ÉGLISE AU SERVICE DE LA CITÉ.

L'homme nouveau serait aussi voué à la croyance et au respect de la Providence. De plus en plus, Saint-Just affirme des convictions morales, mêle politique et métaphysique. Des dévergondages blasphématoires d'*Organt* aux expressions d'une foi ardente dans les derniers mois de

son existence, l'évolution est étonnante. « Il arrive un
moment, note-t-il, où ceux qui ont le plus d'esprit et de
politique l'emportent sur ceux qui ont le plus de patriotisme et de probité. » Ce sont probablement ces « vérités
tristes » qui le poussent à invoquer l'Être suprême et à
placer l'espoir de l'homme dans l'âme immortelle.

Sur ce plan, l'influence de Robespierre, animé d'une spiritualité profonde, est certaine. Pied à pied, avec ou sans
prudence, il a lutté contre l'athéisme. Pour lui, la fête de
l'Être suprême fut un aboutissement. Ses idées politiques
et sociales s'harmonisaient avec la conception toute religieuse qu'il se faisait de la dignité humaine : l'homme,
image de l'Être suprême. Élisabeth Le Bas rapporte que
Maximilien la grondait de « ne pas assez croire à l'Être
suprême » et lui disait : « Tu as tort ! Tu seras malheureuse
de ne pas y croire. Tu es bien jeune encore, Élisabeth !
Pense bien que c'est la seule consolation sur la terre ! »
Saint-Just avait prévu de dire, le 9 thermidor, que la Providence était « le seul espoir de l'homme isolé ». Déçu par
la pratique du pouvoir, le député de l'Aisne a subi l'ascen-
dant de son aîné. Sa conversion semble toutefois assez
tardive : dans les principes présidant à son essai de constitution, lu le 24 avril 1793, aucune allusion n'est faite à la
divinité, alors que Robespierre n'avait pas manqué, le
même jour, de placer la Déclaration des Droits sous l'invocation du « législateur immortel ». C'est dans le discours
contre Danton que Saint-Just exprima pour la première
fois ses convictions : « On attaqua l'immortalité de l'âme
qui consola Socrate mourant. (...) On attaqua l'idée de la
Providence éternelle qui, sans doute, a veillé sur nous. On
aurait cru que l'on pouvait bannir du monde les affections
généreuses d'un peuple libre, la nature, l'humanité, l'Être
suprême, pour n'y laisser que le néant, la tyrannie et le
crime. » Il reprend ensuite dans ses projets institutionnels
la formule de Robespierre : « Le peuple français reconnaît
l'Être suprême et l'immortalité de l'âme » et ajoute même :
« Le peuple français voue sa fortune et ses enfants à l'Éternel. » Il écrira, dans la seconde version de De la Nature...,
probablement à la fin de sa vie : « Ô Être suprême, reçois

dans ton sein une âme ingénue qui vient de toi et s'élève à toi. » « Tous les cultes sont également permis et protégés », dit-il, mais la tolérance s'arrête aux portes de l'athéisme. La cité nouvelle est offerte à des croyants et à des pratiquants. Une place « dans le sein de l'Éternel » est promise aux déshérités, aux héros morts pour la patrie, aux bons fils et aux bons citoyens. Le temple, ouvert à tous, est un lieu où ne peuvent être tolérés ni scandale ni dispute. Il accueille et solennise les actes civiques : réconciliations, déclarations d'amitié, consécration de la vieillesse méritante. Les vieillards qui ont mérité l'écharpe peuvent y censurer la conduite des fonctionnaires ou des jeunes gens. Chaque année, tout citoyen est tenu d'y rendre publiquement compte de l'emploi de sa fortune et est invité à vouer ses richesses « au bien public et au soulagement des malheureux sans ostentation ». Symboliquement, chaque commune doit procéder une fois par an, après élection, au mariage d'un jeune homme riche avec une jeune fille pauvre « en mémoire de l'égalité humaine ». Enfin, le temple rassemble le peuple chaque matin pour chanter l'hymne à l'Éternel, chaque décadi pour pratiquer les cultes, chaque premier jour du mois pour célébrer les grandes fêtes civiques...

Au-delà des détails formels, quelquefois ingénus, et présentés de façon brouillonne, on perçoit le dessein : former cette humanité vertueuse sans laquelle il ne saurait y avoir de démocratie. L'accord avec Robespierre est parfait. L'Incorruptible n'avait-il pas affirmé le 5 février 1794 : « Quel est le principe fondamental du gouvernement démocratique ou populaire, c'est-à-dire le ressort essentiel qui le soutient et qui le fait mouvoir ? C'est la vertu. (...) Ce qui est immoral est impolitique, ce qui est corrupteur est contre-révolutionnaire. »

UTOPIE ET GRANDEUR.

Le Montagnard Lequinio avait répondu à Robespierre, interprète de Le Peletier, que la France n'était pas une

Sparte pouvant « abandonner son agriculture à des hilotes ». Quand bien même aurait-on fait les investissements indispensables, les résistances psychologiques auraient été redoutables. Eût-il été possible d'arracher l'enfant à sa famille ? L'éducation uniformisée d'une jeunesse embrigadée ne présente-t-elle que des avantages pour la formation de l'esprit critique — garant de la démocratie — et ne promet-elle que des fruits délicieux ? Eût-il été possible de ramener les bourgeois et les sans-culottes athées dans des temples civiques ? Les institutions choisies par Saint-Just eussent-elles été celles de la constitution de l'an I ou celles d'une théocratie ?

Quant aux idées économiques, elles paraissent aujourd'hui étriquées et même rétrogrades. Le Conventionnel s'est davantage intéressé à la répartition qu'à la production. Dans cette république ayant pour principe la vertu, Saint-Just place les valeurs civiques avant toutes les autres et voit l'avenir en moraliste plus qu'en économiste. C'est à la fois sa faiblesse et sa grandeur.

S'il était resté sur un plan théorique, il n'aurait probablement pas retenu l'attention de l'histoire. Mais, porté par les circonstances au sommet du gouvernement, il se refusa à l'immobilisme ou à un réformisme timide. Persuadé d'appartenir au groupe des « grandes âmes » investies d'un mandat, il se consacra à sa tâche, au point de s'y sacrifier, pour abattre, sans pitié ni scrupules, tous les obstacles. La fin de sa vie est tournée vers ce but : il vécut au milieu des réalités quotidiennes dans l'imagination des lendemains. D'où le double visage qui a frappé ceux qui l'ont approché.

Gateau souligne combien ce jeune homme « généreux, sensible, humain, reconnaissant » pouvait devenir « sombre et farouche » et manifester « des manières despotiques et terribles ». Près de vingt ans plus tard, Lejeune témoignera aussi de la bonté qui lui faisait « répandre des larmes sur le malheur d'autrui » et de sa cruauté qui lui fermait le cœur « au cri le plus déchirant de la nature ».

Saint-Just n'aurait pas récusé cette image. « Un homme révolutionnaire est inflexible, disait-il, mais il est sensé, il est frugal ; il est simple sans afficher le luxe de la fausse modestie ; il est l'irréconciliable ennemi de tout mensonge, de toute indulgence, de toute affectation. Comme son but est de voir triompher la Révolution, il ne la censure jamais, mais il condamne ses ennemis sans l'envelopper avec eux ; il ne l'outrage point, mais il l'éclaire ; et, jaloux de sa pureté, il s'observe quand il en parle, par respect pour elle ; il prétend moins d'être l'égal de l'autorité qui est la loi, que l'égal des hommes, et surtout des malheureux. (...) L'homme révolutionnaire est intraitable aux méchants mais il est sensible (...), il sait que, pour que la Révolution s'affermisse, il faut être aussi bon qu'on était méchant autrefois. »

Saint-Just ne s'est jamais déguisé, il n'a pas emprunté le langage du peuple pour paraître plus proche de lui et n'a pas troqué ses vêtements habituels contre les effets de la mode : « Allez chercher ces scélérats [*les ennemis de la Révolution*] chez les banquiers : ils sont en pantalons. » Il crut vraiment qu'une cité d'amis, de frères, serait réalisée par son temps ; c'est pourquoi il avait écrit : « le dix-huitième siècle doit être mis au Panthéon ». Mais quelle chance le Conventionnel avait-il de faire prévaloir ses vues ?

Contrairement aux idées reçues, son influence était limitée et ses moyens d'action très faibles. Aux Finances, en effet, régnait Cambon. Carnot était le véritable chef des armées et le Comité de sûreté générale tenait la police. Le Comité de salut public était divisé. Les Robespierristes, souvent privés de leur guide, y étaient minoritaires. Leurs convictions religieuses, peu à peu affirmées, leur aliénaient des Montagnards de plus en plus nombreux. Dans les administrations, des fonctionnaires liés à de multiples coteries contrecarraient ouvertement ou sournoisement l'exécution des lois. Si l'on ajoute que la Convention avait la possibilité, chaque mois, de renouveler les membres du Comité, on comprendra que Saint-Just avait plus de volonté que de pouvoir. C'est un homme vulnérable qui va s'efforcer d'accélérer la marche de la Révolution.

CHAPITRE XX

Le piège de la violence

Que voulez-vous, ô vous qui, sans vertu, tournez la terreur contre la liberté ?

SAINT-JUST, 13 mars 1794.

Une escalade de la violence accompagne les temps forts de la Révolution. Mais elle est moins liée à des questions de principe qu'à des préoccupations quotidiennes, comme celles du ravitaillement ; et c'est avec la guerre et l'invasion qu'elle atteint un point extrême, les patriotes étant persuadés que la connivence des ennemis de l'intérieur avec ceux de l'extérieur va les perdre. Les prisons remplies par le 10 août leur semblent menaçantes et certains imaginent de supprimer les adversaires : ce sont les massacres de Septembre, puis la création du Tribunal révolutionnaire, instrument de la Terreur.

Saint-Just n'est mêlé ni de près ni de loin à ces événements. Il a bien pratiqué l'intimidation à Blérancourt mais il serait excessif de parler de terrorisme. A peine arrivé à Paris, il se fait pourtant remarquer par la violence de ses interventions : aux Jacobins il exige « le développement du système d'oppression » et la dénonciation de « tous les traîtres » ; à la Convention il demande la tête du roi, des sanctions contre les Girondins et l'instauration d'un gouvernement révolutionnaire privant les citoyens de protections constitutionnelles, peu après que la Convention, stimulée par la rue, eut elle-même mis la terreur « à l'ordre du jour ».

La fermeté toute militaire de Saint-Just, héritée peut-être d'un père rompu au commandement, est également dans son tempérament. En Alsace, il pensait avoir découvert le moyen de déjouer les multiples oppositions entravant la marche du gouvernement. C'est avec assurance qu'il écrit à Robespierre la fameuse lettre de Strasbourg, le 14 décembre 1793, et l'adjure de faire moins de lois et plus d'exemples. S'il parle haut, c'est que sa mission lui a donné la prérogative sur son ami d'avoir quotidiennement pratiqué la terreur et d'en avoir mesuré les effets tant sur les civils que sur les soldats.

Au printemps de 1794, les événements conduisent les responsables à modifier la conception et le rythme de la répression. Les Indulgents et les Cordeliers se rejoignaient au moins sur la nécessité de juger les prisonniers, opération qui aurait l'avantage de vider non seulement les véritables établissements pénitentiaires, mais aussi les anciens couvents, collèges et hôtels particuliers qui en tenaient lieu. Les premiers en espéraient de très nombreuses libérations, mais les autres en attendaient des condamnations massives.

LES DÉCRETS DE VENTÔSE.

Pour désamorcer ce double mécontentement, le gouvernement reprend l'initiative et, le 13 ventôse an II (3 mars 1794), Saint-Just commente ainsi le décret qu'a préparé le Comité : « Que l'Europe apprenne que vous ne voulez plus un malheureux ni un oppresseur sur le territoire français ; que cet exemple fructifie sur la terre ; qu'il y propage l'amour des vertus et le bonheur. Le bonheur est une idée neuve en Europe ! » Le texte prévoyait de recenser tous les « patriotes indigents », de connaître leur âge, leur profession, le nombre et l'âge de leurs enfants, afin de répartir les biens des « ennemis de la Révolution ». Le Comité de sûreté générale devait enquêter sur tous les détenus

« depuis le 1er mai 1789 ». La notion de « patriotes indigents » était aussi floue que celle « d'ennemis de la Révolution » et chacun pouvait l'apprécier à sa façon. La formulation et l'imprécision des modalités d'application ont convaincu la plupart des historiens qu'il s'agissait essentiellement d'user d'un artifice pour calmer les impatients, sans effrayer les modérés. A la Convention, la majorité des députés était hostile à une réforme agraire d'ampleur ; si elle comprenait qu'il était urgent de désamorcer l'agitation des Cordeliers, elle entendait n'appliquer qu'avec une extrême réserve ce qu'elle prenait pour une loi de circonstance. La majorité des membres des deux Comités partageait ce point de vue. Jaurès et Mathiez ont affirmé qu'avec les décrets de ventôse les Robespierristes avaient voulu amorcer une vaste réforme agraire. C'est vrai sans restriction pour Saint-Just, comme en témoignent les archives. En raturant et en surchargeant de sa main la minute d'un décret établi collégialement, il a levé toute ambiguïté à ce sujet. Les mesures avaient été décidées en faveur « des pauvres et des malheureux », formule que le Conventionnel a remplacée par « patriotes indigents » pour marquer une volonté de sélectionner les gens à secourir selon des critères politiques. Pour associer le peuple à la décision, il a également obtenu que le tableau des ennemis de la Révolution soit « rendu public ». « Le Comité de sûreté générale joindra une instruction au présent décret pour en faciliter l'exécution », a-t-il encore ajouté. Enfin, il a étendu les dispositions du décret à « ceux qui seront détenus par la suite ».

Quelles qu'aient été les intentions de ses auteurs, Saint-Just est intervenu directement pour rendre le texte plus précis et plus contraignant, en un mot plus efficace. Un fragment supprimé dans le rapport définitif confirme encore cette certitude : « Proscrivez ce qui reste de la monarchie, réformez les spectacles où l'on va pour de l'argent, changez-les en fêtes données au peuple ; pressez l'instruction publique, le code civil, les institutions militaires ; que les lois pénales frappent sur les magistrats et non sur le Peuple ; ce principe est gage de la liberté ; accélérez l'exécution du décret du 8 [*sur le séquestre des propriétés des ennemis de la Révolution*], que le Comité de sûreté générale extirpe tous les scélérats qui infestent cet empire et délivre les Patriotes, que les conspirateurs soient jour et nuit poursuivis, que les sociétés populaires jugent tous les coupables qui sont dans leur sein et les traînent dans les tribunaux et la liberté commence son règne. » Toutes les idées de Saint-Just sont là. Il a d'ailleurs écrit de sa main en marge : « Lycurgue punit de mort un enfant qui étouffe un moineau et, parmi nous, les crimes qui étouffent la patrie son impunis. » Pour lui, les dispositions du décret n'avaient donc rien de décisions de circonstance.

Non content d'avoir ainsi fait modifier le décret, il s'est constamment préoccupé de son application. Ainsi propose-t-il, le 13 mars, la création par les deux Comités de six commissions populaires pour juger promptement les « ennemis de la Révolution détenus dans les prisons » et demande-t-il, le 15, qu'elles soient mises en place le 4 mai. Mais la mésentente entre les deux Comités retarde le projet : seul, le Comité de salut public en nomme deux (13 et 14 mai). Ce n'est que le 22 juillet, cinq jours avant sa chute, que Saint-Just arrache au Comité de sûreté générale la création des quatre autres. A l'occasion de dénonciations auprès du Bureau de police, il a plusieurs fois recommandé le renvoi des affaires à des commissions populaires : nouvelle preuve qu'il a énergiquement travaillé à la mise en place de ces institutions indispensables à ses yeux pour renforcer sa ligne politique. Élu président de la Convention « à la presque totalité des suffrages », le 19 février 1794, il connaît alors son moment de plus grande popularité. En ventôse et en germinal les adresses de félicitations affluent à la Convention et au Comité de salut public. Les rapports de Saint-Just sont partout applaudis. Tel est qualifié d'« excellent » à Périgueux et d'« énergique » à Valence ; tel autre suscite à Blérancourt « la reconnaissance publique », à Noyon un « élan sublime », à Château-Gontier les cris de : « Vive la République, vive la Convention, vive la Montagne ! » Une telle unanimité (y compris dans sa forme) est-elle totalement sincère ? Les rapports de police, secrets, s'en font pourtant l'écho : « Il est inconcevable combien ce discours a fait d'effet sur le public ; partout on veut, à tel prix que ce soit, l'avoir ; le discours de Saint-Just, dit-on, rien n'est mieux fait que cela, c'est un vrai catéchisme. »

On a fait observer que le transfert des biens des quelque 90 000 prisonniers que comptait alors la France n'aurait guère bouleversé la structure de la propriété foncière. Mais le décret, applicable à « tous ceux qui seront détenus par la suite », devenait redoutable. En enquêtant sur la conduite de tous les Français « depuis le 1ᵉʳ mai 1789 », on aurait pu en découvrir beaucoup qui avaient réprouvé certains actes révolutionnaires ou manifesté leur attachement à la royauté, ne serait-ce qu'en signant des pétitions en sa faveur...

RÉPRESSION ET RÉVOLUTION SOCIALE.

Le principe d'une redistribution des terres des adversaires de la Révolution n'était pas en soi original, puisqu'on s'en était déjà pris aux biens des émigrés, et rien n'empêchait d'en intensifier la pratique. Mais il y fallait une volonté politique qui passait par une accélération des procédures judiciaires, une rigueur encore accrue, c'est-à-dire une aggravation de la terreur. Il est difficile de préciser quelle ampleur Saint-Just entendait donner à la répression. Le savait-il lui-même ? « La force des choses nous conduit peut-être à des résultats auxquels nous n'avons point pensé », avait-il avoué. Entre la Terreur et les vues sociales, il y avait en tout cas chez lui une corrélation évidente. Comment ce jeune homme, porté vers les bons sentiments, s'engagea-t-il dans cette extrême violence ?

Bien renseigné sur les affaires de son district d'origine, il a constaté que, malgré les protestations d'attachement des sociétés populaires, les adversaires de la république jacobine sont plus nombreux que ses amis. A Blérancourt, on « vole » et on « vexe » la femme de Thuillier sans rencontrer d'opposition et on arrêtera même son père pour « malversation ». Brancas-Lauraguais, qui n'a pas émigré, refuse

toute transaction sur des droits déclarés « rachetables »
après le 4 août 1789, conserve ses propriétés et achète
même trois fermes lors de la vente des biens de l'Oratoire à
Saint-Paul-aux-Bois. L'ex-seigneur de Manicamp revêtait
toutes les apparences d'un gentilhomme tranquille et res-
pectueux des lois. Ses grosses récoltes de pommes de terre
étaient plus que jamais appréciées sur les marchés locaux
— surtout lors des pénuries de céréales —, et il savait en
jouer. Il ne fut emprisonné qu'à la suite du décret de Saint-
Just et Le Bas ordonnant l'arrestation de tous les nobles de
l'Aisne. Thuillier avait dû mettre Chollet, agent national
de Chauny, en garde contre toute connivence ou compromission avec l'ancien seigneur : « Tu ne sais donc pas,
ainsi qu'eux [*les membres du comité révolutionnaire de
Chauny*] que l'on ne veut connaître que la vérité et que
ceux qui la cachent portent naturellement leur tête à la
lunette de l'éternité. » Fait significatif du pouvoir de Lauraguais : cette lettre, avec d'autres, tomba entre ses mains
et ce fut lui-même qui, plus, tard la publia ! Jusque dans sa
prison de Chauny, il continuait à disposer de nombreuses
facilités. On eût été exaspéré à moins. Du sommet de
l'État, Saint-Just se sentait presque aussi impuissant, face à
un Lauraguais, symbole des abus de l'Ancien Régime, que
quand il était allé le provoquer dans son château, au printemps 1790. Il incriminait l'arsenal judiciaire et plus
encore la complicité des magistrats et fonctionnaires.

Pendant longtemps il avait espéré assurer l'ordre sans
répression ; en avril 1793, il pensait encore, on l'a vu, que
les vieillards les plus dignes pourraient s'en charger. En
thermidor il se proposait d'instaurer la censure : on a
retrouvé dans ses papiers un projet très élaboré de décret à
ce sujet. Les censeurs, sortes d'inspecteurs intègres,
auraient surveillé les agents de l'État et dénoncé leurs
insuffisances à la justice. Mais, au printemps 1794, le
temps presse et Saint-Just apporte sans restriction son
concours à une répression plus dure.

Quand, à la fin du mois d'avril, le Comité de salut public
crée le Bureau de surveillance et de police générale, il par-

ticipe totalement à son installation et y place même plusieurs hommes à lui, en particulier Lejeune, ce Soissonnais avec lequel il était en relation au début de la Révolution. Il y a aussi Ève Demaillot qui prétendra avoir été son précepteur, Vieille, autre compatriote, maire de Soissons en l'an II, Garnerin, un ami de Gateau, Pottofeux, procureur général syndic au département de l'Aisne, Étienne Lambert, pauvre et intègre berger d'Étoges (Marne), rencontré sur le chemin de la mission d'Alsace, etc. Initialement chargé de surveiller les autorités et les magistrats, le Bureau devient, en fait, une police parallèle aux ordres du Comité. La plupart des membres de ce dernier, répugnant à participer aux activités du Bureau, Robespierre, Saint-Just et Couthon en furent les principaux animateurs. Le Comité de sûreté générale en conçut quelque aigreur, ce qui provoqua une vive tension au sein du gouvernement, tension encore accrue par les événements de mai.

Le royaliste Admirat, qui avait en vain cherché Robespierre pour l'assassiner, s'était rabattu sur Collot d'Herbois et avait fait feu sur lui. Deux jours plus tard, une jeune fille royaliste, Cécile Renault, avait demandé à être reçue par Robespierre : elle avait deux petits couteaux dans la poche et tint des propos hostiles au « tyran ». Plusieurs autres individus avaient cherché avec insistance à rencontrer Robespierre chez les Duplay ; les informateurs rapportaient les menaces et les rumeurs d'attentats qui circulaient en province et à Paris. Bien que l'enquête ait établi que Cécile Renault et Admirat étaient plutôt des marginaux, une sorte de panique s'empara des dirigeants. Voyant la main de Pitt derrière ces tentatives criminelles, Barère fit décider par la Convention, le 26 mai, que l'armée ne fasse plus de prisonniers anglais, ce qui montre bien à quel point l'ensemble de la classe politique avait perdu son sang-froid. « Le Comité a besoin de réunir les lumières et l'énergie de tous ses membres [pour faire face au] plus grand des périls », écrit Robespierre à Saint-Just, alors à Charleroi. Cette psychose explique au moins en partie la préparation accélérée de la loi du 22 prairial (10 juin).

En raccourcissant la procédure, la loi de prairial enlevait toute garantie aux accusés. Ni interrogatoire avant l'audience, ni avocat, audition facultative des témoins ; la Cour pouvait prononcer son verdict sur de simples présomptions morales. Les garanties étaient déjà assez illusoires auparavant, mais avec cette nouvelle loi, la Terreur connut alors un rythme jamais atteint : à Paris, on passa de 1251 condamnations à mort du 1er mars 1793 au 10 juin 1794 à 1376 entre le 10 juin et le 26 juillet ! La Terreur sembla même changer de nature. Couthon, auteur du texte, déclarait à la Convention : « Le délai pour punir les ennemis de la patrie ne doit être que le temps de les reconnaître ; il s'agit moins de les punir que de les anéantir... Il n'est pas question de donner quelques exemples, mais d'exterminer les implacables satellites de la tyrannie ou de périr avec la République. » Même si les vainqueurs de Thermidor rejetèrent sur les vaincus la responsabilité de la Grande Terreur, et si Lindet, Carnot, Billaud et Collot ont incriminé le Bureau de police, on ne saurait oublier que tous ont apposé leur signature au bas des actes. Le Comité de sûreté générale, de son côté, avait adopté un comportement tout aussi opportuniste.

La loi de prairial apparaît si monstrueusement contradictoire avec les idéaux affirmés par ses promoteurs que plusieurs biographes se sont efforcés d'en disculper Saint-Just. Absent de Paris lors du vote, il bénéficierait aussi des confidences de Gateau insérées dans la première édition des *Fragments d'Institutions...* : « J'ai été témoin de son indignation à la lecture de la loi du 22 prairial, dans le jardin du quartier général de Marchienne-au-Pont, devant Charleroi. Mais, je dois le dire, il ne parlait qu'avec enthousiasme des talents et de l'austérité de Robespierre, et il lui rendait une espèce de culte. » Propos à première vue contradictoires : comment concilier l'aversion pour la loi et le culte pour celui qui s'était tant battu pour la faire passer ? Certes, le 10 juin, Saint-Just repartit pour l'armée du Nord, le jour même du vote de la loi défendue par Couthon, Robespierre, Barère et Billaud-Varenne. Comme l'avocat d'Arras, Saint-Just était tout à fait conscient des dangers pesant sur les révolutionnaires les plus avancés, les assassinats de Le Peletier et de Marat l'avaient bien montré. Avec le temps, la menace s'était accrue : aux amis du roi s'étaient joints les Girondins, puis les Dantonistes, les Hébertistes et les Cordeliers. Beaucoup exécraient certains membres du gouvernement et proféraient des menaces voilées ou explicites à leur égard...

A l'instar de Maximilien, Saint-Just devint terriblement méfiant. Au Bureau de police, il prenait très au sérieux les dénonciations de complots. Le 21 juillet, après une altercation, il fit arrêter la femme Lambert, sous prétexte « qu'elle était venue chez lui sans doute pour l'assassiner ». Crainte fondée ou simple règlement de comptes ? Quant au risque de conjuration dans les prisons, Saint-Just n'a cessé de prendre des mesures pour le prévenir. Ainsi, le 5 juillet, il ordonne à La Commission de direction de police et des tribunaux de faire chaque jour un rapport sur l'état d'esprit des prisons de Paris et que soient jugés « dans les 24 heures ceux qui auraient tenté la révolte ou la fermentation ». Il est bien l'un des plus préoccupés par le comportement de la population carcérale.

Tous ces éléments convergent : on le voit mal s'opposer à des mesures renforçant la répression au nom de la sécurité. En augmentant le nombre des condamnés, ces dispositions ne pouvaient, en outre, que hâter l'application du décret du 13 ventôse auquel il portait tant d'intérêt. Peut-être réservé sur la nécessité de la codifier, Saint-Just a donné son approbation à l'escalade de prairial. Attestée par Levasseur de la Sarthe, sa responsabilité est largement confirmée par les archives du Bureau de police.

Le Bureau de police.

Dès l'ouverture du Bureau les dénonciations affluèrent. Enregistrées et résumées, elles étaient transmises à Robespierre, à Saint-Just ou à Couthon. Rapides et spontanées, leurs annotations révèlent mieux que des documents officiels leurs réactions. Saint-Just néglige les dénonciations anonymes, demande un complément d'information en cas d'imprécision et protège les délateurs agissant par conviction politique. Rigoureux à l'égard des adversaires naturels du régime, en particulier les nobles, il les fait fréquemment juger à Paris. Quand les autorités locales les défendent sous prétexte qu'ils ont accompli tel acte édifiant, il ne cède pas volontiers et fait « prendre de nouveaux renseignements » ; dans le cas d'un « vieux militaire estropié » menacé d'expulsion, il considère que « la loi et la patrie [*sont*] au-dessus du reste ». Pour les nobles, il convient de savoir « ce qu'on a fait pour apprécier [*leur civisme*] avec les noms, la conduite et l'état avant et depuis la révolution de ceux dont il s'agit ». Plus nuancé à l'égard des prêtres, il fait poursuivre les « comploteurs » mais épargne les autres. L'évêque de Caen, complice du royaliste La Rouërie, n'ayant pas encore été jugé, il demande « la procédure de l'évêque. Écrire aux districts du département d'Ille-et-Vilaine pour leur demander compte de leur conduite ». Mais il désavoue l'agent national de Senlis, pourtant si fier des progrès de la déchristianisation : « Écrire à cet agent qu'il doit se borner à ses fonctions précisées par la loi, respecter le décret qui établit la liberté des cultes et faire le bien sans faux zèle. » Objets de suspicion, de nombreux fonctionnaires issus de l'Ancien Régime, foncièrement hostiles à la Révolution, ou bien demeurés cordeliers ou dantonistes de cœur, ou encore affidés du Comité de sûreté générale, sont à plusieurs reprises soumis aux enquêtes des « patriotes » locaux sur l'ordre de Saint-Just. Sévère pour le manque ou l'abus d'autorité, celui-ci fustige ainsi l'agent national de Xantes (ci-devant Saintes) qui se plaint qu'à Niort la loi sur les passeports ne soit pas observée, l'exercice militaire négligé et les chevaux montés pour le seul plaisir des officiers : « Écrire à cet agent national pour lui rappeler qu'il est responsable de l'abus dont il se plaint, que le Comité prendra des renseignements ultérieurs sur sa conduite. »

Saint-Just recherche inlassablement la sincérité à la cause révolutionnaire, la probité, la simplicité des mœurs. Ses critères pourraient se résumer à cette annotation :

demander « le nom et la moralité de ceux qu'on accuse, ce qu'ils étaient avant la Révolution, ce qu'ils sont, leur fortune. » Avec une telle soif de rigueur, comment ne pas encourager et protéger les délateurs ? Lorsque telle Société populaire félicite le Comité de son travail et lui conseille de se méfier des départements méridionaux imprégnés d'esprit fédéraliste et sectionnaire, il commente : « Demander les noms des auteurs de complots, cela vaudrait mieux que des compliments. » Il veut « des noms et des faits ». Mais si les services des vivres de Givet sont l'objet d'une dénonciation, il recommande de transmettre la plainte à la Commission des subsistances « sans nommer le citoyen qui l'a portée ». Il est particulièrement rigoureux pour les propos contre-révolutionnaires tenus en public, même par des déments. Un mendiant de La Châtre au « cerveau un peu dérangé » ayant prophétisé, en présence de trois témoins, qu'on foulerait bientôt les assignats aux pieds, Saint-Just ordonne de « maintenir l'arrestation ».

Quelques mois plus tôt, il avait scellé le sort de son compatriote Sagny, un militaire qui avait quitté son unité, crié *Vive le roi,* affirmé que le roi de Prusse allait venir épouser Madame Élisabeth et proclamé au Tribunal avoir toujours été royaliste. Malgré les symptômes de démence cyclique que présentait ce hussard, Saint-Just et Le Bas, à Noyon, l'avaient fait transférer à la Conciergerie. Augustin Lejeune a accusé Saint-Just d'avoir fait exécuter Sagny alors qu'il avait promis à sa tante qu'on le soignerait à Paris ; la pauvre femme apprit son supplice quinze jours plus tard. Lejeune a beaucoup menti après Thermidor et Saint-Just n'était pas à Paris lors du procès. D'autre part, Sagny n'était pas un hussard parmi d'autres : il avait été le secrétaire du général Duhoux, un personnage très équivoque qui avait été suspendu en octobre 1792 de son commandement de la place de Lille, puis acquitté et envoyé en Vendée où il s'était trouvé face à une colonne dirigée par son propre neveu. Dénoncé, Duhoux avait été incarcéré à l'Abbaye avant d'être mis à la retraite. Il est probable que Sagny a pâti de la mauvaise réputation du général. Quand on sait la sévérité de Saint-Just envers les

SAINT-JUST

ennemis de la Révolution, on peut imaginer que, dans cette affaire, il aurait approuvé la décision du tribunal.

Son inflexibilité dépassa même souvent celle de Robespierre : à plusieurs reprises, il recommande des transferts à la Conciergerie que Robespierre fait annuler en proposant un complément d'information. Alors que sur la dénonciation d'un chef de bataillon qui aurait fait encadrer d'or sa croix de Saint-Louis et continue de la porter, Saint-Just avait écrit : « Arrêter ce coquin, faire traduire à la Conciergerie... », l'Incorruptible corrigea : « Prendre des informations à la commission de la guerre et aux patriotes du pays. »

Un jour que Robespierre s'était emporté, raconte Barère dans ses *Mémoires*, Saint-Just lui aurait répondu : « Calme-toi donc, l'empire est aux flegmatiques. » Dans les archives du Bureau, Maximilien se montre, au contraire, plus prudent et plus soucieux de ne pas désorganiser les services par des décisions hâtives, en un mot plus politique que son cadet. Ce dernier ne manifeste-t-il pas une indulgence impulsive dès que les suspects sont démunis ou opprimés au risque de désavouer les autorités révolutionnaires ? Contrainte de céder pour 56 livres (au prix du Maximum) un cochon que les responsables du district ont revendu aussitôt 250, la veuve Condom, de Montflanquin (Lot-et-Garonne), trouve en lui un défenseur farouche : « Demander compte au directoire de sa conduite et lui rappeller que le Comité rendra justice au peuple dans les plus petits détails de ses intérêts. » Un cultivateur de Treffort, père de quatre enfants, se plaignant d'avoir été injustement incarcéré et joignant des certificats de civisme, Saint-Just répond : « Mettre le laboureur en liberté. » On pourrait multiplier les exemples de sollicitude envers les faibles. Le mot justice revient si souvent sous sa plume que certains y ont vu la raison pour laquelle il avait pris l'habitude de signer Saint-*Juste*. Mais c'est douteux : le *e* est plutôt un paraphe, Saint-Just l'emploie depuis des années (1785, par exemple). Rien moins « politique » que cette justice-là. Elle est pour les pauvres, les faibles, les travailleurs, contre les riches, les puissants, les oisifs. La

citoyenne Condom et le laboureur de Treffort sont peut-
être hostiles au nouveau régime, mais leur position sociale
et l'oppression dont ils paraissent victimes leur confère un
préjugé favorable à ses yeux.

Rien ne saurait mieux le montrer que l'affaire de
Champs, près de Chauny. Baragot, le curé, était accusé de
négligences, de vols et d'actions contraires aux bonnes
mœurs. Une partie de la population mit sa maison à sac et
fut, de ce fait, condamnée à une amende de 21 000 livres.
Le 14 février 1793, le ministre de la Justice, Garat, obtient
de la Convention que l'on surseoie à l'exécution du jugement en attendant le verdict du tribunal de cassation.
Saint-Just, alerté par Thuillier, lui a répondu : « Je me
tiens pour averti. » Lorsque la requête est rejetée en cassation, il fait prendre, le 7 mars 1794, au Comité de salut
public un arrêté signé de lui et de Carnot pour interdire à
tout fonctionnaire de « troubler » les habitants de Champs
et de ne donner suite « en aucune manière à aucun acte
contre eux jusqu'à ce que le Comité ait pris connaissance
de cette affaire qui touche à la cause du peuple et de la
liberté ». Ainsi bafoue-t-il les instances judiciaires en soutenant, une fois de plus, le « peuple » contre son « gouvernement ».

LA TERREUR AU PAYS DE SAINT-JUST.

Après Thermidor, Lejeune prétendit avoir dissimulé
une longue liste de Soissonnais promis au supplice et leur
avoir ainsi sauvé la vie. Dans le district de Chauny, les faits
ne confirment pas ce récit bien que les arrestations y aient
été nombreuses, sans compter plusieurs exécutions dans
les rangs de la noblesse.

Le vicomte de Flavigny et sa sœur, la comtesse des
Vieux, furent arrêtés à Charmes, emprisonnés à Chauny,
transférés à Saint-Lazare et guillotinés le 6 thermidor.
Deux jours plus tard, le vicomte Desfossés et sa compagne
Marie Chéfer furent exécutés à leur tour. Rien n'indique
que Saint-Just ait été impliqué dans ces décisions mais il
n'aimait guère Desfossés, officier de carabiniers, lieutenant

des maréchaux de France au bailliage de Soissons et de Coucy-le-Château, seigneur de Faux-Aumencourt, etc., corédacteur du cahier de la noblesse et membre de la Constituante. Adversaire de toute innovation, il en avait démissionné en 1790, s'était répandu en propos ultra-royalistes et refusé à aider le nouveau régime. Les patriotes du canton avaient saccagé sa demeure de Coucy et il en avait accusé les Jacobins Garot et Robert, intimes de Saint-Just. Thuillier, de son côté, administrateur au district dans l'été 1793, avait été personnellement impliqué dans son arrestation. Saint-Just, comme la plupart de ses collègues, n'a donc pas pu ne pas souhaiter son élimination, de même, peut-être, que celle de Potier de Gesvres, ancien seigneur de Blérancourt, jugé sur son ordre et exécuté avec 153 coaccusés quelques jours plus tôt.

Quant à Lauraguais, il ne dut qu'aux événements de Thermidor de garder la vie sauve. Car Saint-Just n'hésita pas, dans ce cas, à prendre des libertés avec la procédure. Incarcéré à Chauny, le seigneur de Manicamp avait été transféré à Paris sur ordre du Comité de salut public, en date du 16 juillet 1794. Signée par le seul Saint-Just, la minute enjoignait à l'agent national d'envoyer au Comité « toutes les pièces contre Lauraguais, notamment le jugement qu'il a fait rendre contre la municipalité de Manicamp, pour avoir fait couper dans ses bois un arbre dont elle a fait l'arbre de la liberté ». L'affaire remontait à juillet 1792, quand le seigneur avait protesté contre cette initiative, mais jamais il n'avait poursuivi la municipalité en justice ; l'accusation de Saint-Just était parfaitement mensongère. En fait, Lauraguais n'était pas arrêté pour cette obscure histoire, mais parce qu'il était un contre-révolutionnaire notoire.

Il est plus difficile, en revanche, d'imaginer le sort qui attendait Fayard, seigneur de Sinceny, lui aussi rescapé de la Terreur. Alors même qu'il était en prison, il avait maintenu la production de sa célèbre faïencerie. Bien qu'il ait été accusé d'avoir été un lecteur de *l'Ami du roi*, les autorités locales, quelques jours avant Thermidor, assuraient qu'il avait « toujours été aimé de tous ses concitoyens ».

Saint-Just aurait-il été impressionné par ces manifestations d'attachement ? A voir comment son inflexibilité se
laissait fléchir quand il s'agissait de gens de son propre
village, on peut l'imaginer.

Plusieurs de ses compatriotes furent, en effet, incarcérés
par les comités de surveillance locaux. Gellé était en prison
à Port-Libre (Port-Royal) depuis septembre 1793 ; l'épicier Beaumé et Thorin, accusés d'avoir tenu des concilia-
bules chez le curé de Saint-Aubin pour comploter, furent
arrêtés le 20 octobre 1793 et transférés à la Conciergerie.
De son côté, le curé Lévêque fut enfermé à Chauny, tout
comme Sophie Sterlin, femme de Gellé, prévenue de
« mauvais exemple » et de « propos contre-révolutionnaires. » Comment croire que Saint-Just ignorait ces faits sur-
venus après qu'il eut reçu une lettre de Thuillier du 2 septembre 1793 : « Depuis le 30 nous sommes ici, mon cher
ami, à faire le travail le plus délicat et je présume que le
résultat sera de t'envoyer les individus qui y figurent. Tu
seras content, car nous le sommes, sous le rapport
qu'aucun fripon ne peut nous échapper. » Même lorsqu'il
en eut le loisir à son retour d'Alsace, Saint-Just n'intervint
pas en leur faveur. Daubigny affirme qu'il resta insensible
aux supplications de la femme Beaumé et des filles Gellé et
à la détresse de Beaumé qui venait d'avoir une fille pourtant baptisée Républicaine Désirée ! De Lille, le 8 février, il
répondait à sa sœur : « Ma chère sœur, ce que tu me
demandes est contraire à loi, il m'est impossible de te
l'accorder. Je t'embrasse de tout mon cœur. »

Mais le 15 février, plusieurs pétitions, envoyées par « la
société populaire et républicaine », « le comité de surveillance et révolutionnaire » de Blérancourt et par les municipalités de tous les villages du canton, recueillaient le nom
de presque tous ceux qui avaient combattu avec ou contre
le Conventionnel dans les premières années de la Révolution. Étaient-ils tous des républicains sincères ? Signaient-
ils par crainte, par conviction ou pour montrer à leur ami
et parent les bornes à ne pas franchir ? Quelques-uns seulement, comme l'ancien maire Honnoré, Thuillier, Carbonnier et Monneveux ne se déjugeaient pas et se refu-

saient à la clémence ; encore que certains, comme Monneveux, athée militant, étaient des soutiens encombrants
pour Saint-Just. Toujours est-il que celui-ci céda. Thorin
et Beaumé furent reconnus innocents et relaxés le 4 avril de
même que, le 30, Gellé, le vieil adversaire, en faveur de qui
personne n'avait pourtant pétitionné. Daubigny contribua
probablement — il s'en vantera après Thermidor — à cette
libération, puisqu'il porta lui-même l'arrêté du Comité à la
prison du vieillard. Mais Saint-Just ne se laissa-t-il pas
fléchir pour plaire à Thérèse plutôt qu'à Daubigny ?
Curieusement, aucun de ses ennemis n'a, semble-t-il,
songé à lui reprocher cet abus de pouvoir. Pour avoir
consenti à leur élargissement, il fallait qu'il se sentît bien
seul et bien las. Sollicité par Daubigny, Thérèse Gellé, par
sa propre famille, par ses amis, il put mesurer combien la
Terreur l'avait isolé. Il n'eut probablement pas le courage
de revoir son pays en bourreau, mais en bienfaiteur, au
moment où il y fit une courte halte avant de rejoindre les
armées du Nord. Certains interprètent cette indulgence
comme un désaveu de la Terreur, ainsi Gateau : « Que de
larmes je lui ai vu répandre sur la violence du gouvernement révolutionnaire et sur la prolongation d'un régime
affreux, qu'il n'aspirait qu'à tempérer par des institutions
douces, bienfaisantes et républicaines ! »

Mais les Blérancourtois bénéficièrent d'un traitement
exceptionnel. Jusqu'à Thermidor, il ne se passe guère de
jour sans que Saint-Just ne soit amené à signer ou cosigner
quelque mandat d'arrêt. Il est solidaire des charrettes toujours plus nombreuses acheminées vers l'échafaud. Le 5
juillet, 154 personnes sont déférées au Tribunal révolutionnaire ; l'ordre est signé de lui seul. D'autres, semblables, ne portent pas sa signature mais il en était tout aussi
responsable que les autres membres du Comité. « Il sentait
qu'il fallait détendre et non pas briser les cordes de l'arc »,
écrit Gateau, c'est-à-dire mettre en place les nouvelles institutions avant de renoncer à la répression.

Les Robespierristes concevaient le régime terroriste
comme un instrument indissociable d'une restauration de
l'État, de la destruction de survivances féodales et de la

victoire militaire. Leur chef avait bien prévenu, le 5 février 1794, que « le ressort du gouvernement populaire en révolution est à la fois la vertu et la terreur : la vertu sans laquelle la terreur est funeste ; la terreur sans laquelle la vertu est impuissante », mais quelles limites assigner à la répression ? Saint-Just écrivait lui aussi : « La Révolution est glacée ; tous les principes sont affaiblis, il ne reste que des bonnets rouges portés par l'intrigue. L'exercice de la terreur a blasé le crime comme les liqueurs fortes blasent le palais. » Entend-il imputer les excès à ceux qui tournent la terreur « contre la liberté » ? La passion n'a-t-elle pas guidé certaines décisions, les siennes comme celles de ses collègues ?

Humilié et dupé par ses adversaires, Saint-Just se persuade bientôt que les privilégiés de l'Ancien Régime n'accepteront les lois de la République que sous l'effet de la violence. Cette tendance s'exaspéra à mesure que grandissaient les obstacles, il perdit son sang-froid.

Tout pouvoir politique sécrète son inévitable répression. Celle du gouvernement révolutionnaire fut à l'aune de l'effervescence du temps. Entre le 21 janvier 1793, jour de la mort du roi, et le 9 thermidor, 2 663 personnes furent exécutées sur condamnation du Tribunal révolutionnaire. La diversité des suppliciés (princes, savants, hommes à talents, mais aussi belles et jeunes femmes, humbles serviteurs) et le lugubre décorum des charrettes, de la guillotine et du sang ruisselant en ont grossi les effets aux yeux des contemporains et de la postérité. Conçue pour pétrifier les adversaires de la Révolution pendant le temps de la Révolution, la répression terroriste ne pouvait être ni insidieuse ni discrète. La peur qu'elle inspirait alors glissa des adversaires aux amis, vint tenailler les « fripons » et même insinuer le trouble jusque dans les consciences les plus droites. Ses effets qui avaient d'abord accompagné les progrès des Robespierristes et se renversèrent. Les forces du 9 thermidor s'en trouvèrent galvanisées ; en mettant un terme à la Terreur, elles purent longtemps faire croire qu'elles y avaient été étrangères et rejeter l'opprobre sur les « triumvirs ».

Ce n'est pas la moindre ironie de l'histoire que de voir un Tallien, un Barras ou un Fouché, authentiques terroristes, travestis en justiciers, pourfendre le « scélérat » Saint-Just. Le piège de la violence se refermait sur ses initiateurs.

CHAPITRE XXI

La Révolution ou la mort

*Le jour où je me serai convaincu qu'il est
impossible de donner au peuple français des
mœurs douces, énergiques, sensibles et inexora-
bles pour la tyrannie et l'injustice, je me poi-
gnarderai.*

SAINT-JUST, *Fragments...*

Contrairement aux assertions des Thermidoriens, la
Terreur n'a pas été le sujet essentiel de discorde entre les
Robespierristes et leurs collègues. Robespierre, Saint-Just
et Couthon ne constituaient pas un « triumvirat » tout-
puissant et ne tenaient ni l'armée, ni la police, ni les finances, ni l'Administration. Or, toute poursuite de la Révolution passait nécessairement par un contrôle de l'appareil
policier. Le partage de l'autorité entre les Comités, les
représentants en mission, les agents nationaux et les multiples comités locaux diluait les responsabilités. L'ajournement des garanties constitutionnelles jusqu'à la paix livrait
les citoyens à l'arbitraire. Depuis longtemps déjà, on s'atta-
chait davantage au degré de « civisme » d'un homme qu'à
la gravité des délits.

Le Comité de salut public intervenait peu dans les problèmes policiers. S'il avait le droit de lancer des mandats
d'arrêt et en usait à l'occasion, la direction de la police

relevait du Comité de sûreté générale. Pendant longtemps, l'entente régna entre les deux Comités. Mais la création, le 16 avril 1794, d'un Bureau de police chargé de surveiller les fonctionnaires et soumis au Comité de salut public, marque un grand tournant. Saint-Just le met en place et le contrôle pendant quatre jours avant de partir, le 30 avril, à l'armée du Nord.

Le Comité de sûreté manifeste alors sa mauvaise humeur. Le 7 mai, il exige le rappel de Thuillier « secrétaire des représentants du peuple Saint-Just et Le Bas » afin de l'entendre « sur des faits importants ». On n'en sait pas plus sinon que Thuillier fut mis en liberté et que les scellés apposés sur ses papiers furent levés par un arrêté du 20 mai. L'incident trahit la mésentente gouvernementale et permet de mesurer la prétendue toute-puissance des « triumvirs ». C'est le début de l'épreuve de force.

Saint-Just s'engage dans ce conflit avec beaucoup plus de circonspection que Robespierre. Leurs divergences sur les moyens sont nettes. Saint-Just veut ménager la susceptibilité du Comité de sûreté, maintenir avec lui une collaboration étroite et n'hésite pas à lui transmettre les dossiers qu'il estime de son ressort. Robespierre, lui, éprouve des préventions à l'encontre de certains hommes de la maison de Brionne, accuse Amar de modérantisme au sujet de l'affaire de la Compagnie des Indes et ses conceptions religieuses choquent Vadier qui voue une haine tenace à la religion et à ses prêtres.

Ce dernier avait assisté, le 24 avril, à l'ouverture du Bureau de police puis, le 7 mai, il avait entendu la Convention proclamer « l'existence de l'Être suprême et de l'immortalité de l'âme ». Le 8 juin il avait dû se prêter aux fastes de la fête de l'Être suprême et, enfin, le 10, la loi du 22 prairial équivalait à une tentative d'anéantissement de son Comité. Dès lors, tous les moyens lui semblèrent bons pour arrêter Robespierre, Saint-Just et Couthon. Ses amis et lui n'auraient, toutefois, probablement rien pu faire s'ils n'avaient trouvé des alliés au sein même du Comité de salut public.

Billaud était agacé depuis longtemps par l'habileté de Robespierre à récupérer ses propres idées. Relégué au second plan, il s'insurgeait en outre contre le décret relatif à l'Être suprême et la manière autoritaire dont avait été préparée la loi de prairial, publiquement approuvée sur le fond. Collot d'Herbois, inquiet, savait que Robespierre et Saint-Just avaient condamné ses mitraillades de Lyon et craignait, comme Fouché, Tallien, Carrier et autres, d'être rappelé. Carnot, enfin, avait des vues difficilement compatibles avec celles des Robespierristes. Au dire de son fils, il aurait, quelques jours après la mort de Danton, reproché à Saint-Just d'aspirer avec Robespierre au pouvoir suprême. Deux semaines plus tard, il serait à nouveau entré très violemment en conflit avec lui à propos de poudre et de salpêtre et Saint-Just l'aurait alors menacé d'une mise en accusation : « Tu en sortiras [*du Comité*] avant moi, Saint-Just... triumvirs, vous disparaîtrez », aurait répliqué Carnot. Des griefs d'ordre technique les opposaient également ; familier des armées, le représentant était bien placé pour contester les plans de « l'organisateur de la victoire ».

La situation était donc particulièrement tendue à Paris lorsque, le 12 juin, Saint-Just repartit pour le front du Nord. Toutefois, les hostilités ne s'ouvrirent qu'après son départ. Les adversaires coalisés de Robespierre mirent son isolement à profit pour lui porter les premiers coups.

ROBESPIERRE DÉFIÉ.

Le 15 juin, Vadier présenta un rapport sur Catherine Théot, une pauvre femme qui se prenait pour la « Mère de Dieu » et annonçait l'arrivée d'un Messie, consolateur des pauvres. Dans sa chambre de la rue de la Contrescarpe, quelques curieux se pressaient autour d'elle. On ne se serait probablement jamais intéressé aux élucubrations de cette malheureuse si l'on n'avait distingué parmi ses visiteurs un certain Dom Gerle — à qui Robespierre avait délivré un certificat de civisme —, ainsi qu'une belle-sœur du menuisier Duplay. Vadier pensa pouvoir compromettre son adversaire. Il insinua à la Convention que Catherine Théot pourrait bien être à la solde d'un aspirant dictateur et son Messie n'être autre que Maximilien ! Il parlait au nom des deux Comités, ce qui révélait une connivence avec les hommes du pavillon de Flore. L'Incorruptible prit cette attaque au sérieux. Fouquier-Tinville ne lui pardonnant pas l'exécution de son parent Desmoulins, la perspective de témoigner devant lui n'était guère agréable. Fallait-il que Maximilien fût à bout de nerfs pour ne pas répondre à la manœuvre par le mépris ? Il obligea l'accusateur public à lui remettre le « dossier », se soustrayant ainsi à la loi commune et donnant consistance aux accusations de dictature qui couraient sur son compte. Vadier et ses complices n'en espéraient pas plus.

Une dizaine de jours plus tard éclatait un nouvel incident. Des commissaires révolutionnaires de la section de l'Indivisibilité ayant été dénoncés comme concussionnaires, Robespierre voulut les faire arrêter contre l'avis du Comité de sûreté générale. A la séance du 25 juin, alors qu'il voulait faire contresigner le mandat d'arrêt, Billaud-Varenne lui reprocha une nouvelle fois son autoritarisme. Il était de plus en plus isolé.

Sur la Sambre, Saint-Just pressait sans relâche les généraux d'offrir à la République un siège ou une victoire. Cette hâte procédait sans doute du désir de venir réconforter son ami. Dès que Jourdan eut pris Charleroi et battu Cobourg à Fleurus, il revint à Paris. Mais la victoire ne scella en rien la réconciliation au sein du Comité : « Quand je revins pour la dernière fois de l'armée, dit-il, je ne reconnus pas quelques visages. Les membres du gouvernement étaient épars sur les frontières et, dans les bureaux, les délibérations étaient livrées à deux ou trois hommes. » Deux ou trois hommes : Collot, Billaud, Carnot.

Rupture au Comité.

Le Conventionnel refusa de rendre compte lui-même de la glorieuse journée du 26 juin et agressa Barère. Ce Gascon excellait à rapporter les bonnes nouvelles du front, talent qui paraissait à Saint-Just d'une légèreté incompatible avec la simplicité républicaine et le spectacle sanglant des champs de bataille. Il demanda à son collègue de faire moins « mousser les victoires ». Il reprocha ensuite à Carnot d'avoir voulu prélever 18 000 hommes sur l'armée de Jourdan pour les donner à Pichegru, ce qui aurait pu compromettre le succès.

Toujours disposé à la conciliation, Barère laissa Couthon rendre compte des opérations militaires. Mais, paralytique, anti-héros par excellence, celui-ci ne s'habituait pas à exalter l'héroïsme des guerriers et renonça. Barère revint donc. Il était beaucoup plus dangereux de défier Carnot, dont la compétence était presque unanimement reconnue. Dans les circonstances où se trouvait le Comité, Saint-Just avait eu tort d'insister avec tant d'acrimonie sur une défaillance finalement sans conséquence. Les relations entre les deux hommes étaient profondément dégradées. Le 11 juillet encore, Saint-Just fit arrêter deux commissaires révolutionnaires de la section Réunion, et Carnot les fit relâcher le 14. Le personnel subalterne épousait ces querelles et amplifiait les défis.

Le messager de Fleurus n'apporta donc pas la paix au Comité de salut public ; il aggrava au contraire les dissensions. Robespierre n'était, certes, plus seul, mais de leur côté, Billaud et Collot avaient gagné en Carnot un allié. Le 28 ou le 29 juin, les deux clans s'affrontèrent avec violence, Maximilien, ouvertement traité de dictateur, s'écria : « Sauvez la patrie sans moi ! » et quitta le Comité, suivi de Saint-Just.

Pour Robespierre, cette sortie est un aboutissement ; elle trahit sa fatigue nerveuse et son indignation, mais dissimule aussi sa détermination. Ayant dénombré ses adversaires, il se sent contraint d'engager une nouvelle épreuve de force. Isolé momentanément, il garde l'espoir que, tôt ou tard, la Convention le rappellera dans un Comité épuré. En attendant, il s'enferme dans une semi-solitude, persuadé qu'on ne pourra se passer longtemps de lui.

Saint-Just a agi de façon beaucoup plus intuitive et spontanée ; il s'est solidarisé avec Maximilien par amitié et par conviction, mais il ne compte pas s'aventurer dans un nouvel affrontement, dont peut-être il réprouve les formes ou perçoit la vanité et l'issue aléatoire. Lui, l'homme des avant-postes, va temporiser, chercher des alliés et négocier un compromis.

Aucun d'eux, à aucun moment, n'a envisagé de s'appuyer franchement sur les forces populaires. C'était pourtant la solution qu'avec les Montagnards ils avaient adoptée, les 31 mai et 2 juin 1793, pour en finir avec les Girondins. Le dévouement d'Hanriot, commandant la Garde nationale, principale force organisée de Paris, leur était acquis ; après de sévères épurations ils tenaient également le club des Jacobins. Quant au maire de Paris, Fleuriot-Lescot, successeur de Pache, et à l'agent national de la Commune, Payan, qui avait remplacé Chaumette, ils étaient d'une fidélité à toute épreuve.

Les états-majors, soigneusement choisis, étaient sûrs mais les troupes avaient bien souvent perdu de leur enthousiasme. Les exigences de la production, en particulier pour les armées, avaient amené le gouvernement à fermer les yeux sur les infractions au Maximum des prix, et les ouvriers, notamment dans les ateliers d'État, supportaient de plus en plus mal la baisse de leur pouvoir d'achat. Au mécontentement, le pouvoir répondait par la réquisition de main-d'œuvre, la répression des grèves et la taxation. Saint-Just lui-même s'était rapidement trouvé confronté à ce problème en intervenant, le 24 avril, dans un conflit entre des râpeurs de tabac et leur employeur soutenu par la police. « Ce sont les causes d'un rassemblement qu'il faut dissiper », avait-il noté en proposant de « rendre la justice à qui elle est due ». Mais en juillet, il exigera aussi l'application du Maximum en faisant juger à

Paris des travailleurs de Rochefort révoltés et en renvoyant « à l'accusateur public près le Tribunal révolutionnaire » des faïenciers demandant un salaire double de celui de 1790.

Après les séquelles de l'élimination des Cordeliers, ces difficultés multipliaient les mécontents. De nombreux sans-culottes, à court de conscience politique, attribuaient, non sans raison, leurs misères aux membres les plus éminents du Comité. Cette désaffection relative ne semble pourtant pas avoir infléchi l'attitude de Saint-Just et de Robespierre. S'ils avaient, en commun ou individuellement, médité un coup d'État, ils l'eussent, en dépit de la mauvaise humeur des sans-culottes, probablement réussi, tant était faible la protection armée de la Convention. Mais c'eût été tourner le dos aux principes qu'ils défendaient ; lors de la crise girondine, ils avaient davantage récupéré qu'organisé le mouvement. En outre, il n'y avait guère de rapport entre la Convention déchirée, le gouvernement impuissant de mai-juin 1793 et l'Assemblée sévèrement épurée, soumise, en 1794, aux Comités vainqueurs. Prendre le pouvoir par la rue en thermidor eût été opter pour une dictature imposée par la force. Ils pensèrent probablement ne pas devoir être contraints à un tel choix.

S'APPUYER SUR LA CONVENTION ?

Saint-Just n'envisagea pas non plus le recours à l'arbitrage de la Convention, perspective risquée car les Robespierristes y avaient beaucoup d'ennemis : les Girondins survivants entretenaient le culte de leurs disparus, les Dantonistes remâchaient leur rancune, certains athées avaient insulté Robespierre le jour de la fête de l'Être suprême. La Montagne reprochait à l'Incorruptible sa politique religieuse et sa sévérité à l'égard d'anciens chargés de mission. Bien qu'ils fussent couverts de sang ou corrompus, les Carrier, Tallien, Rovère, Barras, Fréron bénéficiaient d'amitiés et d'appuis. Fouché, déchristianisateur de la Nièvre et fusilleur de Lyon, se sentait particulièrement menacé et faisait circuler des listes en prétendant qu'elles étaient celles des futures charrettes.

Quant à la Plaine, elle soutenait Robespierre sans défaillance. Il était pour elle l'homme irremplaçable depuis qu'il avait pris sous sa protection 75 députés décrétés d'arrestation par Amar pour avoir protesté contre la condamnation des Girondins et qu'il armait la patrie contre les ennemis de l'extérieur. Grâce à elle, de mois en mois, la Convention renouvelait sa confiance aux hommes du pavillon de Flore. Mais c'était par peur plutôt que par enthousiasme pour l'Être suprême ou le programme de ventôse... Chaque victoire militaire rendait la Terreur un peu plus insupportable et sapait les fondements de cette fidélité.

Saint-Just avait donc de bonnes raisons de se méfier d'une Assemblée si peu sûre dont la révolte pourrait être, demain, à la mesure de sa servilité de la veille. Il ne restait plus alors qu'à chercher un compromis avec les hommes du pavillon de Flore.

Compromis avec les Comités.

Un replâtrage du Comité de salut public apparaissait comme la moins mauvaise solution pour sauvegarder, à court terme au moins, la Révolution. Engagés depuis un an, malgré les divergences, dans une politique qui les rapprochait, leurs membres avaient restauré l'État et sauvé la patrie. Il aurait fallu être bien aveugle pour ne pas percevoir le danger de la désunion. Leurs adversaires saisissaient la première occasion pour reprendre l'initiative. Dans la dernière décade de juin, la section de la Montagne avait ouvert un registre et invité les citoyens approuvant la constitution de 1793 à s'inscrire : la manœuvre visait évidemment à remettre en question le gouvernement d'exception et celui-ci avait alors fait brûler le document. Pendant la première moitié de juillet, avait été organisés, sous prétexte de fêter les victoires et la paix prochaine, des repas civiques mêlant des gens de toutes origines. L'agent national de la Commune de Paris dissuada les patriotes d'y participer. « Quel est celui d'entre vous qui, après avoir bu

à la santé de la République avec des modérés, les dénon-
cera le lendemain avec autant de courage ?» Le 16, Barère
à la Convention et Robespierre aux Jacobins, dénoncèrent
également ces fraternisations et, le 20 juillet, un certain
Legray, membre du comité révolutionnaire de la section
du Muséum, fut arrêté pour avoir violemment critiqué les
excès du gouvernement et nommément accusé Saint-Just
et Barère d'être nobles.

Conscient de la position de faiblesse des Robespierristes,
Saint-Just entretenait des relations correctes avec les
membres du Comité sauf avec Carnot. « Je n'ai point à
m'en plaindre, confiait-il ; on m'a laissé paisible comme
un citoyen sans prétentions et qui marchait seul. » Ainsi, le
14 juillet, fait-il contresigner par Billaud un arrêté ordonnant la levée de 50 millions en numéraire sur la ville de
Bruxelles, et il demande, le 21, à Collot d'arrêter la femme
Lambert qui était venue l'insulter. Mais ses partenaires
voulurent avoir l'assurance que Robespiere et lui ne chercheraient pas à jouer la sans-culotterie contre la Convention et les Comités. Il donna alors des gages. Le 20, il avait
aussi signé l'ordre de faire désarmer les comités de surveillance. Détail significatif : alors que le rédacteur avait indi-
qué que les armes seraient déposées au «Bureau de
police», il avait corrigé de sa main : «Comité de salut
public», sans doute pour montrer que les dites armes
seraient mises à la disposition de l'ensemble du gouvernement. C'est ce geste qui semble avoir débloqué l'application de la politique de ventôse chère à Saint-Just : du 19 au
21 juillet, les deux commissions déjà en service remet-
taient leurs premières listes de détenus et les faisaient
approuver par les Comités.

Mais ce rapprochement était un peu factice car, le 21,
aux Jacobins, Couthon, très proche de Robespierre, tenait
un autre langage : «Personne plus que nous ne respecte et
n'honore la Convention. Nous sommes tous disposés à
verser mille fois notre sang pour elle. J'invite mes collègues
à présenter leur réflexion à la Convention nationale. Elle
est pure, elle ne se laissera point subjuguer par quatre ou
cinq scélérats. » Il est vrai que, le même jour, les vendeurs

de journaux criaient : « Grande arrestation de Robespierre. » Qui donc avait lancé cette information sensation-
nelle ?

Mais ces divergences entre les Robespierristes n'entra-
vent pas la négociation. Le 4 thermidor(22 juillet), en
l'absence de Couthon et de Robespierre, les deux Comités
réunis mettent enfin en place les quatre dernières commissions populaires prévues par les décrets de ventôse. Lindet
lui-même finit par signer. Barère, dont le rôle de concilia-
teur est ici évident, invite l'Assemblée « à faire cesser la
calomnie et l'oppression sous lesquelles on a voulu mettre
les patriotes les plus ardents et qui ont rendu les plus
grands services à la République », ce qui revient à rendre
hommage à Robespierre. Billaud-Varenne, qui est pourtant allé jusqu'à dresser l'acte d'accusation de l'Incorruptible, est d'accord ; une nouvelle réunion plénière, avec
Robespierre et Couthon, est fixée au lendemain.

Saint-Just semble donc avoir pu relancer la politique de
ventôse que les Comités sabotaient depuis quatre mois et
préparé le retour de Robespierre au gouvernement.

ÉTABLIR UNE DICTATURE ?

Le 5 thermidor, les deux Comités se réunissent comme
prévu. Les témoignages sur le contenu et l'évolution de la
discussion sont divergents et contradictoires. Saint-Just
prétend avoir, dès le début, demandé qu'on s'explique
avec franchise. Le mal, attisé et exploité par les puissances
étrangères, résidait, dit-il, dans l'absence d'institutions ; les
plus vertueux — il pensait à Maximilien — étaient soupçonnés d'aspirer à la tyrannie, alors qu'ils ne dominaient ni
l'armée, ni les finances, ni l'Administration. David appuya
le député de l'Aisne et Billaud-Varenne dit à Robespierre :
« Nous sommes tes amis ; nous avons toujours marché
ensemble. » Chargé de présenter à l'Assemblée un rapport
sur la situation, Saint-Just le fera, dit-il, dans le respect
« de la Convention et de ses membres » et attirera l'attention sur « la morale publique ». Billaud-Varenne et Collot
d'Herbois, toujours chatouilleux sur tout ce qui pourrait

évoquer le spiritualisme, lui demandent de ne parler ni de l'Être suprême ni de l'immortalité de l'âme, à quoi Saint-Just consent à contrecœur.

Mais Saint-Just ne dit pas qu'il a également signé, avec Barère, Billaud et Carnot un arrêté éloignant de la capitale quatre compagnies de canonniers sectionnaires dévoués aux Robespierristes et qu'il a, semble-t-il, accepté de reconnaître les prérogatives policières du Comité de sûreté générale aux dépens du Bureau de police.

On a prétendu dans l'entourage de Carnot et de Prieur qu'il a aussi réclamé le renforcement de l'Exécutif. L'historien Toulongeon, ancien Constituant ayant connu de nombreux révolutionnaires le rapporte et Barère affirme que, appuyé par David, Le Bas et Couthon, il aurait demandé des pouvoirs dictatoriaux pour Robespierre : « Le mal est à son comble [*dit Saint-Just*], vous êtes dans la plus complète anarchie des pouvoirs et des volontés. La Convention inonde la France de lois inexécutées et souvent même inexécutables. Les représentants près des armées disposent à leur gré de la fortune publique et de nos destinées militaires. Les représentants en mission usurpent tous les pouvoirs, font des lois et ramassent de l'or auquel ils substituent des assignats. Comment régulariser un tel désordre politique et législatif ? Pour moi, je le déclare sur mon honneur et ma conscience, je ne vois qu'un moyen de salut : ce moyen, c'est la concentration du pouvoir (...) Il faut une puissance dictatoriale autre que celle des deux Comités ; il faut un homme qui ait assez de génie, de force, de patriotisme et de générosité pour accepter cet emploi de la puissance publique (...) Cet homme, je déclare que c'est Robespierre : lui seul peut sauver l'État. Je demande qu'il soit investi de la dictature et que les deux Comités réunis en fassent, dès demain, la proposition à la Convention. »

Rien, dans ce discours rapporté par Barère, ne ressemble aux formules de Saint-Just, en général plus politiques et plus nuancées. Mais le député gascon n'a sans doute pas totalement inventé ces propos. L'enseignement des collèges exaltait depuis longtemps la *dictature* qui, à Rome, avait sauvé à plusieurs reprises la République. Rousseau lui-même écrivait : « ...Si le péril est tel que l'appareil des lois soit un obstacle à s'en garantir, alors on nomme un chef suprême qui fasse taire toutes les lois et suspende un moment l'autorité souveraine ; en pareil cas la volonté générale n'est pas douteuse, et il est évident que la première intention du peuple est que l'État ne périsse pas... »

Barère et les Thermidoriens n'entendaient certes pas le mot de la même façon et exploitèrent ses connotations péjoratives pour déconsidérer leurs adversaires et justifier leurs propres actes. Mais il faut bien constater que les Robespierristes ont sans cesse tenté d'élargir leur pouvoir pour appliquer leurs idées. Il est tout à fait possible que, le 5 thermidor, Saint-Just ait, une fois de plus, déploré l'impuissance de l'Exécutif. Certes, il n'était pas facile de ne pas éveiller le spectre du despotisme. Cinq mois plus tôt, le député de l'Aisne avait déclaré à la Convention : « Marat avait quelques idées heureuses sur le gouvernement représentatif que je regrette qu'il ait emportées ; il n'y avait que lui qui pût les dire ; il n'y aura que la nécessité qui permettra qu'on les entende de la bouche de tout autre. » L'Ami du peuple avait déploré que le pouvoir n'ait pas été concentré en quelques mains vertueuses. Saint-Just estimait avec Rousseau « ...qu'un dictateur pouvait en certains cas défendre la liberté publique sans jamais y pouvoir attenter, et que les fers de Rome ne seraient point forgés dans Rome même, mais dans ses armées ». En attendant la mise en place des institutions, Robespierre lui apparaissait justement en mesure de maîtriser les armées victorieuses et d'affermir l'héritage révolutionnaire.

SAINT-JUST DUPÉ.

Que la question de la dictature ait ou non été évoquée, la réunion du 5 thermidor fut très négative pour Saint-Just qui fut dupé. L'arrêté sur les quatre commissions populaires ne fut pas suivi de textes d'application. Maximilien ne reçut que quelques hommages polis. En contrepartie, son jeune collègue avait accepté le désarmement partiel des

sections, renoncé à la centralisation de la police, à l'épuration de la Convention et à la publicité de sa politique religieuse. Avec sang-froid, il dissimula son amertume et ne
déclina pas la responsabilité du rapport. Le soir même,
Barère pouvait célébrer l'unité gouvernementale retrou-
vée. Mais Robespierre persistait à ne pas croire à une
entente avec les Vadier, les Billaud, les Collot et les athées
des deux Comités. Pour lui, beaucoup plus que pour Saint-
Just, la question de l'Être suprême n'était pas négociable.
Le député de l'Aisne dut implicitement reconnaître que
l'analyse politique de Maximilien avait été plus lucide et
plus réaliste que la sienne. Plus inquiétant, le même jour,
une délégation du Comité de sûreté générale, conduite par
Amar et Voulland, rendait visite aux 75 « protestataires »
emprisonnés pour s'enquérir de leur traitement : une opération séduction était bien engagée par les Comités en
direction de la Plaine.

Ainsi, en quelques jours, les Robespierristes venaient de
perdre la bataille des Comités, de compromettre par leurs
concessions le recours au peuple et se trouvaient déjà sur la
défensive à la Convention. Le temps jouait contre eux.

Le 6 au soir, aux Jacobins, Couthon réaffirme, certes,
l'unité des Comités mais, oubliant la promesse faite par
Saint-Just, persiste à vouloir écraser « cinq ou six petites
figures humaines dont les mains étaient pleines de richesses de la République et dégouttantes du sang des innocents
qu'ils avaient immolés ». Il n'en veut qu'aux représentants
corrompus et couvre « la représentation nationale »
d'hommages très appuyés. Discours dans la ligne robespierriste, mais assez modéré pour ne pas déplaire à la
Plaine. Maximilien, de son côté, est maintenant conscient
des conséquences malheureuses de son absence. Sentant
l'étau se resserrer sur lui, alors que Dubois-Crancé exige
qu'il explique pourquoi il l'a fait exclure des Jacobins, il
monte, le 8, à la tribune de la Convention.

Robespierre avoue sa faiblesse.

A la fois testament politique et charge contre ses adversaires, son discours consomma sa perte. Contrairement à ce qu'on a prétendu, il fut tout à fait explicite : Amar et Jagot, du Comité de sûreté générale, Cambon, Mallarmé et Ramel, « administrateurs suprêmes » des finances, étaient nommés ; Vadier, instigateur de l'affaire Théot, Fouché, déchristianisateur de la Nièvre, l'accusateur public Fouquier-Tinville, Billaud-Varenne et même Barère furent l'objet d'allusions transparentes. « Je suis fait pour combattre le crime, non pour le gouverner » termina-t-il. Cette fois, il avait défié trop d'hommes. L'un d'eux se dressa soudain, Cambon : « Avant d'être deshonoré, je parlerai à la France. (...) Un seul homme paralyse la volonté de la Convention nationale ; cet homme est celui qui vient de faire le discours, c'est Robespierre ! » Dans la soirée, il écrivait à son père : « Demain, de Robespierre ou de moi, l'un des deux sera mort. »

Les applaudissements qui saluent Cambon donnent la mesure de l'indignation, longtemps contenue, de l'Assemblée. Billaud-Varenne se précipite dans la brèche : « ...J'aime mieux que mon cadavre serve de trône à un ambitieux plutôt que de devenir, par mon silence, le complice de ses forfaits !... » Des manifestations tardives de bravoure jaillissent alors un peu partout, en particulier des rangs de la Montagne. Panis, Bentabole, Charlier, Amar, Bourdon questionnent, protestent et accusent. D'abord acceptée, l'impression du discours de l'Incorruptible est finalement refusée. Cet échec révèle aux Conventionnels et au public la vulnérabilité de Robespierre puisque les débats parlementaires permettaient aux adversaires de l'Exécutif de le défier.

SAINT-JUST CONDAMNÉ A L'EXPLOIT.

Saint-Just en tire immédiatement les leçons. Il sent que son aîné, fatigué de porter la Révolution à bout de bras, a, consciemment ou non, délaissé les habiletés tactiques pour exprimer sa lassitude et son dégoût. Peut-il remonter le courant et calmer les inquiets en demeurant fidèle à l'ami et à l'idéal commun ? Ayant la nuit devant lui pour y parvenir, il s'isole au pavillon de Flore.

Au même moment, d'autres emploient la même énergie à sauver leur vie. Fouché sait qu'il a, comme il l'écrira, « l'honneur d'être inscrit sur les tablettes [de Robespierre] à la colonne des morts » ; Tallien se bat pour lui-même et pour Thérésa Cabarrus, qu'il a sortie des cachots de Bordeaux, mais qui, arrêtée de nouveau en prairial, attend d'un jour à l'autre sa comparution devant le Tribunal révolutionnaire. Ils font le siège des hommes les plus influents de la Plaine : Boissy d'Anglas, Durand-Maillane et Palasne-Champeaux qui se font prier. A la troisième visite de leurs solliciteurs, ceux-ci mesurent l'isolement de l'Incorruptible, les avantages politiques qu'ils pourraient tirer de l'opération et finissent par les assurer de leur concours.

Robespierre, de son côté, cherche le réconfort aux Jacobins où il relit son discours. Il reconnaît tous ses amis venus manifester leur attachement. Saint-Just, absent pour les raisons que l'on sait, a envoyé Thuillier dont on dira que « le 8 thermidor [il] fit beaucoup de bruit aux Jacobins ». Quand Maximilien évoque sa mort prochaine, ses fidèles vocifèrent et se retournent vers Billaud et Collot, les conspuent, les empêchent de s'expliquer et les jettent dehors en criant : « A la guillotine ! » Il est environ minuit. Revenus au Comité, ils apostrophent Saint-Just, voulant lui faire avouer qu'il prépare leur acte d'accusation. Comme il répond qu'il vient d'envoyer son texte à la copie, ils redoublent d'invectives, le traitent d'espion à la solde de Robespierre. Collot se précipite pour le fouiller ; Saint-Just, dédaigneux, vide alors ses poches. Une

fois le calme revenu, il s'engage à leur soumettre son discours et se remet au travail. A deux heures du matin, il
rejoint ses collègues dans la salle des délibérations.

Avertis par Cambon et Lecointre qu'une insurrection de
la Commune sous l'impulsion de Fleuriot-Lescot et de
Payan se prépare, les membres du Comité s'affrontent à
nouveau. Billaud-Varenne veut faire arrêter les deux hommes, Saint-Just s'y oppose. Collot se remet à l'invectiver,
l'accuse d'entraver l'action du Comité au profit des factieux. Saint-Just tient bon et se contente d'approuver la
convocation d'Hanriot. Au lever du jour il quitte le pavillon de Flore...

Rentre-t-il alors rue Caumartin, où il vient d'emména-
ger, pour prendre quelques heures de repos ? Termine-t-il
son discours ? Revoit-il Couthon et Robespierre ? Va-t-il,
comme on l'a dit, faire un galop au bois de Boulogne pour
se détendre ? On ne le saura sans doute jamais.

Billaud et Collot avaient de bonnes raisons de considérer Saint-Just comme un affidé de Robespierre. Aux Jacobins, ils venaient de voir Thuillier, son *alter ego,* se démé-
ner en faveur de Maximilien. Restés seuls, ils convoquè-
rent Fleuriot-Lescot et Payan pour les interroger sans relâche, dans l'espoir de désorganiser les préparatifs d'une
éventuelle insurrection. A la fin de la nuit, Fouché leur
faisait savoir que le « ventre » — c'est-à-dire la Plaine —
s'était rallié et participerait le cas échéant à une opération
contre Robespierre.

La méfiance du Comité n'était pas sans fondement.
Alors que Billaud, Barère, Collot et Carnot attendaient
Saint-Just au pavillon de Flore, ils virent arriver Couthon,
qui — faut-il le rappeler ? — habitait dans le même
immeuble que Robespierre. Des propos acerbes furent
échangés. Vers midi, se présenta un huissier porteur d'un
billet : « L'injustice a fermé mon cœur ; je vais l'ouvrir tout
entier à la Convention nationale. » Ainsi Saint-Just manquait à sa parole. Ce n'était sans doute pas les violences de
la nuit qui avaient « fermé son cœur », mais plutôt la
conscience d'avoir été manœuvré le 5 thermidor. Tous
furent surpris et d'autant plus indignés que la présence,

probablement complice, de Couthon accentuait leur malaise. Derrière Billaud, ils se précipitèrent alors à l'Assemblée.

Saint-Just venait d'y arriver élégamment vêtu d'un habit chamois et d'un gilet blanc. Robespierre, frisé et poudré comme jamais, avait passé le bel habit bleu qu'il n'avait porté qu'une seule fois, le jour de la fête de l'Être suprême. Quand ils les virent entrer côte à côte, vivante image d'une amitié et d'une communion de pensée dont certains avaient douté, les députés les plus perspicaces, au courant des tractations nocturnes, comprirent que la bataille était imminente.

Saint-Just savait que son isolement de la veille était aggravé par le billet griffonné à l'intention des membres du Comité. Il avait compris que l'expérience du Grand Comité touchait à son terme et venait témoigner sa foi, parler de l'amitié, confirmer ses principes. Il dirait qu'il avait accepté le départ de quatre compagnies de canonniers sans en voir la nécessité ; contrairement à sa promesse, il évoquerait la Providence, « seul espoir de l'homme isolé » ; il mettrait en cause Collot, Billaud et Carnot et leur demanderait de se justifier. Enfin, il proposerait des garanties contre l'arbitraire en accélérant la mise en place des institutions. Si on voulait bien encore l'écouter, sa modération permettrait, espérait-il, de ne pas briser la Révolution. Croit-il encore à la réconciliation qu'il va proposer quand il monte à la tribune peu après midi ? Le silence se fait. « Je ne suis d'aucune faction, je les combattrai toutes », commence-t-il. Une salve d'applaudissements... saluant l'entrée de Billaud, l'interrompt. Il reprend : « Vos Comités de sûreté générale et de salut public m'avaient chargé de vous faire un rapport sur les causes de la commotion sensible qu'avait éprouvée l'opinion publique dans ces derniers temps. La confiance des deux Comités m'honorait ; mais quelqu'un cette nuit a flétri mon cœur et je ne veux parler qu'à vous. J'en appelle à vous de l'obligation que quelques-uns semblaient m'imposer de m'exprimer contre ma pensée. On a voulu répandre que le gouvernement était divisé : il ne l'est pas ; une altération politique, que je vais vous rendre, a seulement eu lieu. »

C'est exactement à ce moment que Tallien l'interrompt : « Hier un membre du gouvernement s'en est isolé et a prononcé un discours en son nom particulier ; aujourd'hui, un autre fait la même chose... je demande que le rideau soit entièrement déchiré... ! » Billaud-Varenne bondit : « ...Je m'étonne de voir Saint-Just à la tribune après ce qui s'est passé. Il avait promis aux deux Comités de leur soumettre son discours avant de le lire à la Convention et même de le supprimer, s'il leur semblait dangereux... » Le Bas tente d'intervenir ; on ne le laisse pas parler. Billaud s'en prend maintenant à Robespierre et, lorsque celui-ci veut répondre, les cris de « A bas le tyran ! » couvrent sa voix. Quant à Saint-Just, Barras écrira, résumant tous les témoignages : « Immobile, impassible, inébranlable, il semblait tout défier par son sang-froid. » Il ne dit plus un mot, il ne lutte pas. Aujourd'hui qu'il ne s'agit que de survivre, il se contente de regarder.

Il voit Billaud, Tallien se démener avec l'énergie de ceux que la mort effraie, Collot, au fauteuil de la présidence, agiter frénétiquement sa clochette pour mieux couvrir la voix de Robespierre. Il aperçoit plusieurs Montagnards, naguère ses amis, gesticuler, vociférer. Il souffre à la vue de Robespierre pris au piège et impuissant, implorant les « hommes purs » de la Plaine. Il a lu dans le regard de Durand-Maillane et des siens ce que celui-ci écrira dans ses *Mémoires* : Robespierre « espérait cette récompense de sa protection envers nous. Mais notre parti était pris ; point de réponse et grand silence jusqu'à la délibération pour le décret d'arrestation de Robespierre et de ses complices, auquel nous donnâmes notre suffrage, ce qui rendit la délibération unanime ». La « protection », le mot est lâché. Hormis quatre ou cinq, les députés ne reconnaissent pas Robespierre, avec son spiritualisme et ses idées sociales, comme l'un des leurs. Ils l'ont toléré pour son aptitude à tenir la barre dans la tempête mais, passé l'orage, ils le rejettent.

Le spectacle, pourtant, se prolongeait. Alors Louchet, un

obscur député de l'Aveyron siégeant à la Montagne, saisit cette occasion pour se hisser un instant au premier plan de l'histoire : « Je demande le décret d'accusation contre Robespierre. » Après un moment de stupeur, l'Assemblée défère à cette demande qui, peu avant, eût paru exorbitante. Augustin Robespierre prend alors la parole : « Je suis aussi coupable que mon frère, je partage ses vertus ; je demande aussi le décret d'accusation contre moi. » Aucun courage, aucune générosité ne pouvaient décidément, ce jour-là, émouvoir la Convention.

Lorsque Le Bas, à son tour, déclare : « Je ne veux pas partager l'opprobre de ce décret ! Je demande aussi l'arrestation », il y a un moment d'hésitation. On le croyait sans ennemis, mais plusieurs députés réclament à grands cris son arrestation qui est décrétée en même temps que celle de Couthon et de Saint-Just. Barère aurait pourtant recommandé : « Robespierre seul, ni Couthon, ni Saint-Just ! » Même Couthon, cloué sur sa chaise roulante, proteste. A Fréron qui le traite de « tigre altéré de sang » et l'accuse de vouloir se faire des cadavres des représentants « autant de degrés pour monter au trône », Couthon montre ses jambes mortes : « Je voulais arriver au trône, oui ! »

Saint-Just, pendant quatre ou cinq heures, assiste toujours à la marée des passions déchaînées, sans mot dire, sans bouger. Collot d'Herbois demande que le texte de son discours soit remis à l'Assemblée : il le dépose docilement sur le bureau et se laisse emmener avec ses compagnons.

INACTION.

Les Robespierristes, on l'a vu, n'avaient pas envisagé de coup de force préventif. Mais on pouvait croire qu'ils avaient au moins préparé un dispositif pour les secourir : dès que leur arrestation fut connue, la Commune convoqua son conseil général à l'Hôtel de Ville et siégea sans désemparer de 17 h 30 à 2 h 30. Elle vota une motion d'insurrection, fit sonner le tocsin pour appeler les patriotes aux armes et interdit aux concierges des prisons d'accepter de nouveaux détenus tandis qu'Hanriot était envoyé au secours des cinq députés.

Ceux-ci avaient été conduits au Comité de sûreté générale. C'est là qu'Hanriot, qui venait les délivrer, fut saisi par les gendarmes, garrotté et enfermé avec eux. On a peine à croire qu'il n'ait pas pu rassembler une troupe fidèle au cours des heures précédentes. Manifestement, les cinq n'avaient ni prévu leur arrestation, ni préparé une riposte populaire.

Ils perdirent alors espoir lorsqu'ils virent Hanriot partager leur sort. On ne saura jamais ce qu'ils se dirent au cours du dernier repas qu'ils prirent dans un bureau du Comité. Si l'on en juge par la suite des événements, ils semblent avoir décidé de se laisser traduire devant le Tribunal révolutionnaire et de s'y défendre. Ils étaient bien placés pour mesurer les minces garanties dont bénéficiaient les inculpés, mais Marat n'en était-il pas sorti triomphalement en avril 1793 ? Vers 19 heures, ils furent transférés dans des lieux de détention séparés : Augustin à la Force, Le Bas à la maison de justice du département, Saint-Just aux Écossais et Couthon à la Bourbe. Robespierre devait aller au Luxembourg, mais la consigne de la Commune fut observée et il n'y fut pas reçu ; il fut alors conduit à la mairie.

La situation évoluait en faveur des insurgés. De nombreuses sections, en particulier à l'est et au sud, répondaient à l'appel ; gardes, cavaliers et canonniers se massaient sur la place de Grève. Il fut décidé d'aller libérer Hanriot, toujours détenu au Comité de sûreté générale, et les cinq députés.

Un premier groupe confié à Coffinhal, vice-président du Tribunal révolutionnaire, se dirigea vers les Tuileries. Les gardes n'opposèrent pas de résistance et, pendant un moment, la petite troupe tint la Convention sous sa menace. Certains députés eurent parfaitement conscience du danger ; Billaud-Varenne se fit rassurant mais Collot d'Herbois perdit son sang-froid au point de demander à ses collègues de s'apprêter à mourir sur place. Au moment où la nouvelle de ce coup de main parvenait à l'Hôtel de Ville, Robespierre le Jeune, premier des cinq à être libéré, venait

d'y arriver. Il était à peine 21 heures. Si Hanriot avait pris
l'initiative d'investir la Convention, il y serait parvenu
sans difficulté et aurait ainsi donné aux Robespierristes le
temps de s'organiser. Certains historiens ont attribué cette
passivité à l'incompétence, sinon à l'ivrognerie. Mais ce
n'était pas rien que de priver la représentation nationale de
liberté. Coffinhal, un juriste, qui était là, ne s'y décida pas
non plus et, pendant ce temps, au conseil général de la
Commune, Robespierre le Jeune rendait un vibrant hommage à la Convention. Enfin, Maximilien, accueilli à la
mairie de son ami Fleuriot-Lescot aux cris de « Vive la
République, vive Robespierre ! », et parfaitement libre de
ses mouvements, se refusa à rejoindre l'insurrection.

La libération des cinq députés, opération en apparence
la plus facile, se fit mal, peut-être à cause de la résistance de
certains geôliers, mais surtout en raison de la réticence des
prisonniers eux-mêmes à suivre leurs libérateurs... Une
délégation de la Commune vint prier Robespierre de
rejoindre le conseil général où son frère se trouvait déjà.
Son chef, Lasnier, ayant rencontré Hanriot et Coffinhal,
tous trois tentèrent en vain de le convaincre. Mais Maximilien voulait rester à la mairie alors qu'il avait, peu auparavant, conseillé à l'insurrection de fermer les barrières, de
museler la presse et de faire arrêter les « députés traîtres ».
Il n'entendait pas ouvertement sortir de la légalité pour
diriger le soulèvement, mais sans doute espérait-il que,
comme le 31 mai, celui-ci s'accomplirait sans lui et qu'on
viendrait à lui comme à un recours ; dans ce cas, il aurait
surestimé les forces et les capacités de ses partisans et surtout sous-estimé les possibilités de riposte de la Convention.

La vulnérabilité de cette dernière n'avait, en effet, duré
que quelques heures. Rentrée en séance à 19 heures, elle
s'était affairée en destitutions, dénonciations, proclama-
tions où le plus souvent les mots tenaient lieu d'initiatives.
L'incursion de Coffinhal au Comité de sûreté dégrisa les
plus lucides. Sous l'impulsion de Billaud-Varenne et de
Voulland, l'Assemblée confia alors le commandement de
la Garde nationale et l'organisation de la riposte à Barras et

mit les députés rebelles et les insurgés hors la loi. Chacun savait que la mise hors la loi équivalait à une condamnation à mort sans la moindre procédure.

La Commune se rendit compte de ses difficultés quand un canonnier de la section du Bon Conseil vint annoncer que les Comités opéraient des rassemblements pour marcher sur l'Hôtel de Ville. « Le comité d'exécution nommé par le conseil a besoin de tes conseils. Viens-y sur-le-champ. Voici les noms des membres : Châtelet, Coffinhal, Lerebourg, Grenard, Legrand, Desboiseaux, Arthur, Payan, Louvet », écrivirent Payan et Fleuriot-Lescot à Robespierre. Celui-ci, au reçu de ce billet empreint d'anxiété, sortit de son attitude légaliste et rejoignit ceux qui s'étaient compromis pour lui. Il était près de 23 heures. Le Bas et Saint-Just, libérés, rallièrent l'insurrection par la suite.

On ne sait à quelle heure exactement Saint-Just arriva à l'Hôtel de Ville et si, comme Robespierre, il fut réticent pour sortir de prison. Il y était, en tout cas, bien avant Couthon (qui quitta la Bourbe entre minuit et une heure), puisqu'il contresigna l'appel de Robespierre le Jeune : « Couthon, tous les patriotes sont proscrits, le peuple tout entier est levé ; ce serait le trahir que de ne pas te rendre avec nous à la Commune, où nous sommes actuellement. » Le reflux avait déjà largement commencé ; les Jacobins multipliaient les résolutions, mais n'agissaient pas. L'École militaire de Mars était passée sous le contrôle de la Convention et de nombreuses sections basculaient maintenant dans le même sens. Au moment où la Commune décida de faire arrêter les principaux membres des deux Comités, il était sans doute trop tard. Les émissaires du pouvoir légal, souvent ceints de leur écharpe officielle, retournaient d'autant plus aisément les sections que l'Hôtel de Ville manquait de volonté et de poigne. Les hommes rassemblés par la Commune battaient la semelle en place de Grève. Travaillés par les agents de la Convention, ils finirent par quitter les lieux.

L'inertie d'un homme d'action comme Saint-Just surprend. Lui qui a tant fréquenté les armées, suggéré des plans de campagne et même parfois commandé aux états-majors, reste passif. Pourtant, même si la situation s'est dégradée quand il s'y trouve mêlé, il dispose encore de troupes nombreuses, armées de canons, qui, bien guidées, pourraient vaincre. Or, il ne tente rien.

« Tout homme revêtu de fonctions publiques, s'il propose [*l'insurrection*], est hors la loi et doit être tué sur l'heure comme usurpateur de la souveraineté et comme intéressé aux troubles pour faire le mal ou pour s'élever », avait dit Saint-Just. Le droit à l'insurrection était pour lui un droit populaire contre un pouvoir tyrannique et non un droit individuel au service d'ambitions personnelles. Les cinq hommes se sont comportés en proscrits. Condamnés par l'unanimité de leurs collègues pouvaient-ils se targuer de représenter le peuple français contre son émanation ? De plus, au cours d'une carrière politique brève mais pleine, Saint-Just a donné le meilleur de lui-même avec le sentiment de lutter contre l'injustice et d'aider les plus humbles. Après tant de peine que reste-t-il ? Les députés concussionnaires parlent haut ; les fonctionnaires, les magistrats trahissent l'État impunément ; ses compatriotes de Blérancourt s'impatientent et certains pétitionnent en faveur de ses adversaires. Entre lui et Tallien, les Conventionnels choisissent Tallien, vomissent des insultes. « Quoi, pouvait-il se demander, l'amitié s'est-elle envolée de la terre ? » Bien avant que Robespierre, épuisé de fatigue, ne murmure : « Les brigands triomphent », il a renoncé.

La fin.

Le 10 thermidor, vers deux heures du matin, Bourdon arriva sur une place de Grève presque déserte. Ses hommes s'infiltrèrent facilement dans l'Hôtel de Ville ; dans les instants qui suivirent, Le Bas se suicida d'une balle dans la tête, Augustin Robespierre se précipita d'une fenêtre, Couthon fut retrouvé au bas d'un escalier grièvement blessé, Maximilien reçut une balle dans le visage sans qu'il soit possible de préciser si le coup de pistolet avait été tiré par lui-même ou par le gendarme Merda. Seul, Saint-Just se rendit à ses adversaires sans avoir subi de violence ni s'être mutilé.

Silencieux, son message demeure sans doute l'un des plus forts. Promis à une mort certaine, il n'a pas cherché à esquiver les heures douloureuses qui le séparaient de son exécution.

Le supplice.

Vers trois heures du matin, les captifs furent transférés au Comité de salut public, où deux officiers de santé vinrent un peu plus tard panser Robespierre. A onze heures, les « grands coupables » furent transférés à la Conciergerie.

Tout hors-la-loi était passible de la peine de mort sans jugement, après que son identité eut été attestée par deux témoins. La formalité fut accomplie dès le début de l'après-midi par le tribunal présidé par Scellier, assisté de Fouquier-Tinville, de l'avocat Guillot commis d'office et du juré Tirard. Le dénommé Saint-Just, âgé de vingt-six ans et demi, né à Decize, sans état avant la Révolution, étudiant, ex-député à la Convention était parmi eux.

Les vainqueurs ne manquèrent pas de transformer l'exécution en journée de liesse populaire pour montrer à Paris et au monde le déchaînement des haines contre les « triumvirs » et leurs complices. Il importait davantage de déconsidérer ces hommes à principes que de les tuer. Aussi avait-on réinstallé, place de la Révolution, l'échafaud précédemment transféré à la Barrière du Trône. Les beaux quartiers, lassés du passage des charrettes communes, s'excitaient à la perspective de voir défiler celle de Robespierre et de Saint-Just. Les meilleurs emplacements se louaient à prix d'or.

Vers six heures du soir, vingt-deux condamnés prirent place dans trois charrettes. Le Bas reposait déjà au cimetière Saint-Paul. Les deux Robespierre et Couthon, blessés, souffraient à chaque cahot du trajet. Saint-Just était calme et digne ; cent-vingt jours plus tôt (s'en souvenait-il ?), il avait déclaré contre Danton : « On peut arracher à la vie les hommes qui, comme nous, ont tout osé pour la vérité, on ne peut point leur arracher les cœurs, ni le tombeau hospitalier sous lequel ils se dérobent à l'esclavage et à la honte d'avoir laissé triompher les méchants. » Au moment où les charrettes prirent la rue, commença pour les condamnés un calvaire d'une heure et demie entrecoupé des stations qu'exigeait la curiosité de la foule. Antoine l'affronta, en pleine conscience.

Cent-quatre jours plus tôt, il avait dit à la Convention : « Je sais que ceux qui ont voulu le bien ont souvent péri. Codrus mourut précipité dans un abîme ; Lycurgue eut l'œil crevé par les fripons de Sparte, que contrariaient ses lois dures, et mourut en exil. Phocion et Socrate burent la ciguë ; Athènes même ce jour-là se couronna de fleurs. N'importe, ils avaient fait le bien ; s'il fut perdu pour leur pays, il ne fut point caché pour la divinité. »

La foule hurlante se pressait sur le passage, des grappes humaines vociférantes s'accrochaient aux fenêtres des immeubles, se faisaient désigner les « tyrans » et les insultaient. Saint-Just les regardait, sans haine ni hauteur. Il avait écrit dans ses notes : « Je méprise la poussière qui me compose et qui vous parle ; on pourra la persécuter et faire mourir cette poussière ! Mais je défie qu'on m'arrache cette vie indépendante que je me suis donnée dans les siècles et dans les cieux. »

Une femme se précipita, s'accrocha à la charrette qui transportait Robespierre et lui cria : « Monstre, au nom de toutes les mères, je te maudis. » Antoine prit probablement pour lui une part de ces malédictions. Se souvenait-il que vingt-six jours plus tôt, à propos d'une dame Fleury qu'on lui dénonçait il avait écrit : « Quelle est cette Fleury... n'est-ce point une pauvre femme ? »

Lorsque les charrettes arrivèrent à la hauteur de la maison Duplay le cortège fut arrêté et un enfant aspergea la porte avec du sang de bœuf.

Un jour plus tôt, Saint-Just avait prévu de dire : « Le bien, voilà ce qu'il faut faire, à quelque prix que ce soit, en préférant le titre de héros mort à celui de lâche vivant. »

Le cortège arriva place de la Révolution. Les exécutions se succédèrent dans le redoublement des vivats. Le tour d'Antoine vint enfin, juste avant celui de Maximilien et de Fleuriot-Lescot. Moment de vérité. Comme l'écrit Jean-Philippe Domecq dans son ouvrage *Robespierre, derniers temps*, « devant le couperet on tenait son dernier rôle, qui pouvait être le meilleur avec, pour toile de fond, la postérité historique... La question n'est pas simple : un pas sur l'escalier, la vie perd son sens ; au pas suivant, la mort en prend un autre, qui se perd à la marche d'après si on trébuche »... Le jeune homme a-t-il songé à son exceptionnel destin ? Il venait de confier à ses notes : « Je n'ai plus devant les yeux que le chemin qui me sépare de mon père mort et des degrés du panthéon. » A l'ultime moment, il escalada l'échafaud sans trébucher et offrit son supplice en gage de sincérité.

Le Conventionnel Le Carlier, ancien président du district de Chauny, élu comme Saint-Just sous les voûtes de l'église Saint-Gervais de Soissons et qui, comme lui, dix-huit mois plus tôt, avait voté sans réserve la mort du roi, amena son fils à la mise à mort. On ignore quel souvenir en garda le jeune garçon, mais on sait que d'autres enfants eurent bien des raisons de s'étonner. Michelet raconte dans un passage célèbre que « peu de jours après Thermidor, un homme, qui vit encore et qui avait alors dix ans, fut mené par ses parents au théâtre, et à la sortie admira la longue file de voitures brillantes qui, pour la première fois, frappaient ses yeux. Des gens en veste, chapeau bas, disaient aux spectateurs sortants : " Faut-il une voiture, *mon maître* ? " L'enfant ne comprit pas trop ces termes nouveaux. Il se les fit expliquer, et on lui dit seulement qu'il y avait eu un grand changement par la mort de Robespierre. »

A Chauny, comme ailleurs, on applaudit à la chute des tyrans, on flétrit la noirceur de l'âme de ce « nouveau Catilina » et on félicita la Convention d'avoir déjoué le complot et purgé l'humanité. L'ancien agent national, Hébert, incarcéré comme ex-noble et royaliste, fut libéré le 23 thermidor et reçu triomphalement dans sa bonne ville. Très ému, il remercia en s'indignant contre « l'infâme Saint-

Just..., le futur roi du Nord qui... craignait la vertu parce qu'il était pétri de vices ». A Blérancourt, la Société populaire, animée par Thorin fils, insista dans une adresse au département pour que fût nommé à la Convention un successeur au « traître Saint-Just »...

Thorin, qui avait divorcé d'avec Thérèse Gellé le 9 juillet 1794, se remaria le 23 juillet 1795 et choisit comme témoin Lessassière, parrain de sa première femme. Sa nouvelle épouse lui donna, le 28 octobre 1797, une petite Louise, Henriette, Aurore, filleule de « la citoyenne Louise Saint-Just épouse Decaisne ». Les alliances naturelles, un moment perturbées par les effervescences d'Antoine, se reconstituaient sereinement.

Decaisne perdit ses fonctions d'administrateur du district, mais reprit son étude de notaire, qui devint bientôt impériale après avoir été royale et républicaine. Avec Louise de Saint-Just il eut encore de nombreux enfants. L'aîné, qui avait vu le jour sous la monarchie, s'appelait Louis. Le troisième, né dans les bourrasques de l'an II, le jour même où son oncle arrivait en mission à Strasbourg, avait été prénommé Désiré-Brutus ; bien plus tard, en 1807, naquit Napoléon-Auguste ! Cette année-là, David, qui avait juré le 8 thermidor de boire la ciguë avec Robespierre, peignait *le Sacre de Napoléon*...

Lauraguais, assigné à résidence à Manicamp par le Directoire, continua à faire des mots : « Si mon constant amour pour la liberté, se plaignait-il à Barras, me fit exiler cinq fois par un roi, il peut bien me faire déporter une fois par cinq directeurs ! » Il poursuivit aussi ses expériences, décapitant des troupeaux de canards pour, ensuite, tenter de leur rendre vie. Non, le pétulant vieillard n'avait pas tout à fait oublié la Révolution...

Sur la butte Monceau, un bal public avait été installé à l'emplacement du cimetière des Errancis, où reposait Saint-Just. Aux environs de sa vingtième année, il avait écrit :

> *Le héros dort sous sa tombe flétrie*
> *Et les amours viennent danser dessus !*

CONCLUSION

« Saint-Just, dès longtemps, avait embrassé la mort et l'avenir, écrit Michelet. Il mourut digne, grave et simple. La France ne se consolera jamais d'une telle espérance ; celui-ci était grand d'une grandeur qui lui était propre, ne devait rien à la fortune et seul il eût été assez fort pour faire trembler l'épée devant la loi. » Ce n'est pas l'avis de Marguerite Yourcenar : « Tout homme mort jeune porte devant l'histoire sa jeunesse comme un masque : nul ne peut savoir si l'homme d'État eût émergé en Saint-Just de l'adolescent infecté d'idéologies violentes et de rhétorique conventionnelle. »

Ces deux regards opposés expriment bien les interrogations que pose cette si courte vie. Lejeune parle d'un « des personnages où les bigarrures de l'esprit humain se sont manifestées de la manière la plus frappante ». Apparemment Saint-Just est un être de contradiction ; il préconise le laconisme au moment où l'histoire le hisse au premier plan de l'éloquence ; il appelle de ses vœux une législation douce et, au pouvoir, instaure la rigueur la plus extrême. Il ne fait pas ce qu'il dit et la plupart de ses paroles, comme l'a remarqué Quinet, pourraient être retournées contre lui. L'historien A. Soboul exprimait sa perplexité à l'égard de ce libertin qui devint une des meilleures têtes politiques de la Convention.

En fait, Saint-Just fut un homme à la personnalité mal

affermie. L'enfant doué et difficile n'a pas trouvé dans son entourage l'être aimé et admiré qui l'eût aidé. Ni le père, tôt disparu, ni aucun de ses maîtres n'a tenu ce rôle. Les livres furent longtemps ses seuls compagnons. L'engagement et la réussite politiques lui permirent d'exprimer l'aspect profondément sérieux de sa nature, dès lors qu'en Robespierre il trouva l'autorité d'un père et le prestige d'un maître.

Des influences intellectuelles composites accentuèrent les effets d'une position sociale indécise. Les terres à Nampcel et à Morsain, le titre d'écuyer du père et la maison de Blérancourt acquise avec les propres de la mère témoignent d'héritages disparates mêlant la terre, l'épée et la robe. L'ascendance bigarrée de Saint-Just le place dans une situation de mutant social à la croisée de la paysannerie, de la bourgeoisie et de la petite noblesse. La transplantation en Picardie et la mort du père fragilisent ces assises précaires et isolent encore un enfant sur lequel la mère, éloignée de son propre milieu, n'a guère de prise.

Il n'appartient pas au monde de la terre picarde, mais il y entre en quelque sorte par adoption : chez lui les raisons du cœur ont toujours beaucoup compté. Pour les humbles de Blérancourt, il a été quelqu'un et parmi eux, il s'est senti heureux. Ce sont eux qui ont satisfait ses ambitions et donné un sens à sa vie. Issu d'une bourgeoisie qui se poussait vers la noblesse, il prône des réformes en faveur de la petite paysannerie. Moins encore que Robespierre, il n'est représentatif du courant bourgeois qui anime la Révolution.

Son âge joua aussi un rôle déterminant : ce n'est pas un hasard si les Montagnards avaient en gros dix ans de moins que les Girondins et si lui-même était le benjamin des Montagnards. Cette jeunesse explique, au moins en partie, son sens aigu de l'injustice et de l'humiliation, son impatience et sa générosité, son goût du merveilleux et ses intuitions. Il a lu Montesquieu, Rousseau et Mably avec la psychologie de ses vingt ans : faute de maturité, il n'en a pas toujours perçu la part de sagesse. Mais sans doute en prit-il finalement conscience : « L'homme ne s'instruit guère que par sa propre expérience et profite peu des fautes des autres hommes ou parce qu'il les croit plus malheureux ou parce qu'il les croit moins sages que soi-même. »

Mais les problèmes personnels de Saint-Just seraient restés anecdotiques si, dans ce Noyonnais, la situation sociale n'avait été explosive. Il n'était pas nécessaire d'avoir vingt ans pour s'indigner quand Lauraguais, une semaine avant la prise de la Bastille, écrivait : « Les habitants de Manicamp n'ont d'autre moteur que la crainte de la justice et de l'intendant de leur seigneur. »

Dans cette courte période où les événements allaient plus vite que la pensée des hommes, Saint-Just ne cessa de concevoir l'avenir. On ne peut toutefois le considérer comme un théoricien. Ses idées sans originalité sont une sorte d'éclectisme puisant aux pensées de Robespierre et de Marat. Ses projets, par exemple, de redistribuer les terres sont tournés vers le passé. Le rôle de régulateur économique de l'État est une idée féconde mais floue, voire contradictoire dans sa présentation. Saint-Just n'est ni Barnave ni Babeuf. Sa grandeur est ailleurs.

Acteur de la révolution de l'an II, il exerce un étonnant charisme. A la Convention il parle, on l'écoute, il persuade. Son discours est action. Sa fermeté victorieuse aux armées se nourrit d'intransigeance patriotique : ce n'est pas un hasard si Ollivier et Malraux l'ont vu gaullien et si les résistants du réseau « Combat », en 1942, signaient leurs éditoriaux *Saint-Just*. Ses coups de boutoir, enfin, au Comité de salut public sont autant d'efforts pour soulager les plus pauvres. A Blérancourt il écrivait déjà : « Je n'aime pas les médecins qui parlent, j'aime ceux qui guérissent. »

Cette attitude n'était pas sans danger car elle incitait à sacrifier les moyens aux fins. Ainsi approuve-t-il la proscription de certains Conventionnels et accumule-t-il contre eux des griefs imaginaires où les amalgames tiennent lieu de preuves et les moutons, opportunément sortis des prisons, de témoins à charge. Avec une mauvaise foi évidente, il porte la responsabilité de ces parodies de procès où les délits n'étaient le plus souvent que des délits d'opinion. Mais faut-il rappeler qu'une telle ligne se confond avec celle du Grand Comité dont le rôle historique n'est pas réductible aux fantaisies individuelles ni aux aspérités de caractère de tel ou tel de ses membres ? Il serait artificiel d'envisager l'action de Saint-Just aux armées, à la Convention et au Comité sans la pratique de la répression : il s'appuie sur elle, s'identifie à elle et tombe avec elle. On ne saurait toutefois le travestir en dictateur au sens commun du terme.

Il reste que bien des petits, des humbles et des humiliés ont cru qu'il allait changer la nature du temps et leur donner dans l'immédiat ce que seuls les ans et les siècles peuvent apporter lentement. Saint-Just n'est pourtant pas qu'un mythe. En dépit des erreurs, il a vécu son mandat politique dans l'intégrité, le courage, l'abnégation. A tous les hommes de responsabilité, il a légué une haute conception du service, du sens de l'État. A tous les citoyens, il a cherché à inculquer la mesure de leurs droits et la conscience de leurs devoirs communautaires. Persuadé par l'expérience que sans vertu les lois sont impuissantes, il a tenté d'intégrer à son dessein les stimulants de l'amitié, le prestige du respect dû à la vieillesse et le secours d'un principe spirituel.

L'histoire de Saint-Just n'est donc pas uniquement l'histoire d'un échec. Son issue tragique, en dépit de tant de générosité passionnée, montre qu'une élite, même forte de sa valeur et de son dévouement, ne saurait imposer par la violence un régime démocratique, qu'on ne saurait en même temps écraser les droits de l'homme et prétendre par ailleurs les promouvoir.

C'est un vaste héritage. Qui saura jamais en définir la portée exacte dans la mémoire des peuples et des hommes ? Mais, au hasard des circonstances, s'en souviendront de jeunes énarques au moment de baptiser leur promotion *, des résistants de toutes tendances en songeant au

* La promotion Saint-Just est entrée en février 1961 et sortie en mai 1963.

châtiment des traîtres et à l'approche de temps nouveaux, des hommes politiques en méditant sur le pouvoir. Certains comme Ferhat Abbas, le temps d'une confidence, établiront de surprenants rapprochements. « Ma culture est française et je ne parle que l'arabe populaire, écrit le leader algérien. Or, on ne passe pas sa jeunesse avec Pascal, Corneille, Racine, Danton, Saint-Just, Pasteur, Hugo, sans acquérir un certain civisme, avec le sens du devoir et le respect de soi !... »

La silhouette de Saint-Just est assez ample pour inspirer à chacun sa vérité.

ANNEXE

Saint-Just et l'histoire

L'histoire de Saint-Just s'intègre intimement aux grands courants d'interprétation de la Révolution. Depuis près de deux siècles, deux grands fleuves s'écoulent parallèlement, grossissent ou se réduisent selon le temps, amalgament intimement histoire et actualité, émotions figées et passions effervescentes. Depuis près de deux siècles, s'affrontent contempteurs et hagiographes.

Le courant défavorable l'a toujours largement emporté. Il a drainé des forces hétérogènes et de sensibilités diverses, voire opposées. A côté des contre-révolutionnaires, on y trouve des libéraux, ouverts aux « principes de 89 » mais hostiles aux « excès » de 93, des rationalistes rebutés par le spiritualisme des Robespierristes et enfin des « démocrates ultra » déçus et frustrés. Inversement, tous ceux qui sont sensibles à l'idéal d'une république sociale moins inégalitaire ne peuvent rester indifférents aux efforts de Saint-Just en l'an II. Deux séries d'événements influencent les regards portés sur son action : au XIXe siècle l'échec de la révolution de 1848 et celui de la Commune en 1871 mettent un terme à la curiosité, parfois sympathique, qui s'esquissait ; au XXe siècle le socialisme et le succès de la révolution bolchevique orientent au contraire les historiens vers une recherche plus ouverte.

1794-1848 : LE TEMPS DES CONTROVERSES.

Au début du XIXe siècle, la Révolution et ses acteurs prennent valeur de mythes. Tantôt épouvantails, tantôt porte-drapeaux, les Robespierristes trouvent néanmoins peu d'avocats. L'image la plus commune est déformée par la haine. Thermidorien, le rapporteur

Courtois avait donné le ton : « Un étourdi de vingt-six ans, à peine échappé de la poussière de l'école, tout gonflé de sa petite érudition, avait lu dans un grand homme [*Montesquieu*] qu'il n'entendait point, qu'un peuple s'était laissé corrompre par le luxe, enfant des arts et du commerce ; il avait lu encore qu'un autre grand homme [*Lycurgue*], qu'il entendait un peu moins sans doute, avait, dans l'enceinte de quelques milliers de stades, formé un peuple de braves ; et, tout de suite, notre maladroit copiste de l'Antiquité, sans examen des localités, des mœurs et de la population, appliquant ce qui était inapplicable, nous venait dire ici d'un ton de suffisance qui n'eût été que comique s'il n'eût point été atroce : " Ce n'est pas le bonheur de Persépolis, c'est celui de Sparte que nous avons promis. " »

Le mouvement contre-révolutionnaire, de son côté, a tenté d'accréditer la thèse du complot : la subversion serait le résultat d'une conspiration ourdie de longue date dans les salons du « philosophisme » et dans les loges de la franc-maçonnerie. Si fragmentaire qu'elle paraisse, l'explication connut de tout temps une grande fortune. Dès le début de la Révolution, des succès d'édition la popularisèrent. L'abbé Barruel en fit une synthèse ; les *Mémoires pour servir à l'histoire du jacobinisme* constituent un classique. S'il était facile d'affirmer que Saint-Just avait été impressionné par la réflexion philosophique des « Lumières », il était plus ardu de démontrer sa filiation maçonnique. Certains le firent, sans preuves, et cette interprétation compte encore des partisans.

Quant au courant libéral, il a donné, lui, des événements, une vision plus nuancée. La publication posthume des *Considérations sur la Révolution française* de Mme de Staël (1818) est, à cet égard, capitale. Le livre porte en épigraphe cette réflexion de Sully : « Les révolutions qui arrivent dans les grands États ne sont point un effet du hasard ni du caprice des peuples. » La fille de Necker cherche donc les causes profondes de la Révolution mais déplore en même temps la perversion dans laquelle s'est abîmée la liberté ; elle définit et impose pour longtemps l'idée d'une révolution à deux faces : l'une libérale, bénéfique et estimable, l'autre dictatoriale, sanglante et catastrophique.

Par la suite, la honte de la défaite de 1815, l'occupation étrangère et l'humiliation des traités éveillent un sentiment national qui rapproche le peuple français des révolutionnaires. La diffusion du *Mémorial de Sainte-Hélène*, en 1823, permit d'entrevoir un certain nombre d'hommes dont Napoléon était l'héritier. Thiers et Mignet écrivirent des *Histoires de la Révolution* à succès, justifiant les « principes de 89 », mais osant aussi parler de la Montagne. Sans absoudre les Montagnards, ils tentèrent d'expliquer les excès de « la vile populace » (Thiers) ou les errements d'un Saint-Just, « monstre peigné » (Mignet). Ces œuvres subissent la marque du temps. Écrites par des opposants libéraux à la réaction, elles présentaient la violence terroriste comme l'écume de l'Histoire, un mal nécessaire au salut de la nation.

Avec les romantiques, l'attitude envers les grands révolutionnaires est plus positive, à part celle de Vigny, toujours fidèle à la royauté : dans *Stello* il évoque, avec une ironie grinçante, les *Institutions républicaines* de Saint-Just, « ces lois de l'âge d'or auxquelles ce béat cruel voulait ployer de force notre âge d'airain. Robe d'enfant dans laquelle il voulait faire tenir cette nation grande et vieillie. Pour l'y fourrer, il coupait la tête et les bras ». Mais l'*Histoire des Girondins* de Lamartine (1847) est dédiée à tous les acteurs de la Révolution et surtout à ses martyrs : de Vergniaud à Robespierre en passant par Charlotte Corday. L'auteur cherche à absoudre les violences, à convaincre que le sang humain féconde l'Histoire, à réaliser l'unanimité dans la grandeur de la patrie. Il avoue ses sympathies pour la Convention et Chateaubriand lui reproche d'avoir « doré la guillotine ». En dépit de son aversion pour les massacres de Septembre, ses préférences vont à Danton plus qu'à ses bourreaux : « Ce jeune homme, dit-il de Saint-Just, muet comme un oracle et sentencieux comme un axiome, semblait avoir dépouillé toute sensibilité humaine pour personnifier en lui la froide intelligence et l'impitoyable impulsion de la Révolution. Il n'avait ni regards, ni oreilles, ni cœur pour tout ce qui lui paraissait faire obstacle à l'établissement de la République universelle. Rois, trônes, sang, femmes, enfants, peuples, tout ce qui se rencontrait entre ce but et lui disparaissait ou devait disparaître. Sa passion avait, pour ainsi dire, pétrifié ses entrailles. Sa logique avait contracté l'impassibilité d'une géométrie et la brutalité d'une force matérielle... La Convention le contemplait avec cette fascination inquiète qu'exercent certains êtres placés aux limites indécises de la démence ou du génie. »

Ce portrait ambigu marquera à jamais les historiens. Tous, même les plus grands, y puiseront. L'image de Saint-Just en porte, de nos jours encore, la marque indélébile.

L'expérience de l'an II suscita pendant longtemps peu de sympathies. Babeuf lui-même attaqua violemment le régime terroriste au lendemain de Thermidor ; il lui attribuait la responsabilité de l'échec de la Révolution. La misère populaire de l'hiver suivant le fit changer d'idée ; il se rangea alors aux vues de Buonarroti qui ne cessait d'exalter les idéaux de 93 et, à aucun moment, ne médit des victimes de Thermidor : « Fier ennemi des rois et des Grands, ami généreux du peuple, écrivait-il de Saint-Just, il défendit Robespierre dont il

avait partagé les desseins et il en partagea le supplice. » D'autres,
ainsi l'historien Laponneraye, partageaient ces idées. Celui-ci plaçait, avec Jésus et Rousseau, Robespierre dans une « trinité sainte »
dont l'exemple ouvrait la voie à un socialisme communiste. C'est
probablement lui qui publia la première édition, anonyme, des
Œuvres complètes de Saint-Just, à Paris en 1834.

Mais il eut infiniment moins d'impact sur les contemporains que
le lyrisme des romantiques et surtout que l'autorité de Michelet.

MICHELET ENTRE DEUX ÉPOQUES.

Pour la première fois, un spécialiste, chef de section aux Archives
nationales, parle de la Révolution française. Il entend l'expliquer par
la misère populaire (« Venez voir, je vous prie, ce peuple couché par
terre, pauvre Job ») devenue insupportable à la suite d'une crise de
conjoncture. Le peuple en est l'acteur principal, frustré de sa victoire
par quelques hommes. Pour Michelet, le temps de la Terreur fut une
tyrannie civile qui « précéda la tyrannie militaire » ; il ne pardonne
pas aux Robespierristes leur conception monarchique, religieuse et
« antisocialiste » du pouvoir et va jusqu'à employer un vocabulaire
zoomorphique pour désigner l'Incorruptible comme un « coq de sa
province » qui « devint chat ».

Saint-Just n'est guère mieux traité : « Tout lui était bon pour
tuer. » L'historien le présente à la Convention intervenant dans le
procès de Louis XVI. « L'atrocité du discours eut un succès d'éton-
nement. Malgré les réminiscences classiques qui sentaient leur écolier (Louis est un Catilina, etc.), personne n'avait envie de rire. La
déclamation n'était pas vulgaire ; elle dénotait chez le jeune homme
un vrai fanatisme. Ses paroles, lentes et mesurées, tombaient d'un
poids singulier, et laissaient de l'ébranlement, comme le lourd couteau de la guillotine. »

Cette hostilité, d'abord insidieuse, s'affirmit à l'épreuve du temps.
En 1869, Michelet conclut, après quinze ans de réflexion : « Je juge
aujourd'hui et je vois. Et voici mon verdict de juré : sous sa forme si
trouble, ce temps fut une dictature. » Il devait dire plus tard : « Je
n'aurais pas été Jacobin. » Violemment anticlérical, il rejetait tout
spiritualisme religieux ; républicain sincère et foncièrement attaché
aux libertés, il était hanté par le césarisme. Les capacités militaires
de Saint-Just l'inquiétaient : « Saint-Just apparut [*à Strasbourg*] non
comme un représentant, mais comme un roi, comme un dieu. Armé
de pouvoirs immenses sur deux armées, cinq départements, il se
trouva plus grand encore par sa haute et fière nature. Dans ses écrits,

ses paroles, dans ses moindres actes, en tout éclatait le héros, le grand homme d'avenir, mais nullement de la grandeur qui convient aux républiques. »

Le spectacle des barricades sanglantes de juin 1848 et de la Commune ne fut probablement pas étranger à l'évolution du grand historien.

DE LA DROITE A LA GAUCHE : L'HOSTILITÉ.

C'est en 1851 que paraît le livre d'E. Fleury *Saint-Just et la Terreur,* première biographie consacrée au Conventionnel. L'auteur prétend faire toute la vérité à une époque où « les successeurs... s'agitent violemment, reprennent en sous-œuvre l'entreprise politique et idéologique de Saint-Just, osent nier l'histoire et glorifier leur horrible idole ». Le programme est tracé : les frasques de jeunesse, véritables ou supposées, sont étalées avec complaisance. Puis on montre combien les errements d'une vie politique sont dans le droit fil d'une jeunesse débauchée.

Dans la seconde moitié du XIXᵉ siècle, les dénonciations idéologiques s'accompagnent d'attaques personnelles. Saint-Just redevient alors une cible privilégiée. On dénonce sa cruauté, son insensibilité, son goût du sang ; tantôt mauvais ange, tantôt homme-fauve ou oiseau de proie. Sainte-Beuve, qui le qualifie de « jeune homme atroce et théâtral », croit déceler en lui « un fond de volupté sombre », « une prédisposition instinctive à la cruauté ». Il en trouve la cause, comme Courtois, dans son absence de maturité : « Je vois en lui l'écolier d'abord, et puis aussitôt le tigre ; dans l'intervalle il n'avait pas eu le temps de devenir un homme. » Tout un courant exploite, d'ailleurs avec efficacité, le thème de la violence populaire et du sang versé, et établit une subtile distinction entre *peuple* et *populace* en décrivant complaisamment les massacres de prisonniers désarmés, les têtes promenées à bout de piques, le sang qui gicle sous le couteau de la guillotine.

Venant de l'auteur des *Causeries du lundi,* ces attaques n'étonnent guère ; qu'elles soient, en revanche, reprises par Taine peut surprendre davantage. Pourtant, personne, à la fin du XIXᵉ siècle, n'a su comme lui souligner avec autant de relief la répugnance pour les excès sanglants. Il présente la Révolution comme l'œuvre d'une multitude jaillie des bas-fonds, entraînée par quelques meneurs, « nullités énergiques », intoxiqués par une abstraction philosophique mal assimilée. Parmi les Montagnards les plus odieux s'élève « un jeune monstre au visage calme et beau, Saint-Just... qui, à vingt-cinq ans, nouveau venu, sort tout de suite des rangs et à force d'atrocité se fait sa place... Rhéteur sentencieux et surchauffé, esprit factice et d'emprunt... élève de Robespierre comme Robespierre est lui-même élève de Rousseau, écolier exagéré d'un écolier appliqué, toujours dans l'outrance, furieux avec calcul, violentant de parti pris les idées et la langue, installé à demeure dans le paradoxe théâtral et funèbre, sorte de vizir, avec des poses de moraliste pur et des échappées de berger sensible. »

Ce rude censeur assimile volontairement action politique et crime de droit commun. « A l'endroit... [de ses... *adversaires*], toute corde de potence lui suffit... pourvu qu'elle étrangle... Supposez un glaive vivant qui sente et veuille conformément à sa trempe et à sa structure... on dirait que, pareils aux conquérants tartares, il mesure la grandeur qu'il se confère à la grandeur des abattis qu'il fait : nul autre n'a fauché si largement à travers les fortunes, les libertés et les vies. » Ces charges moralisantes sont entendues jusque dans les rangs de la gauche.

Tout est loin, cependant, d'être négatif chez Taine, qui a su, le premier, souligner la complexité des mouvements populaires agités par l'interférence des intérêts de groupes, des ambitions personnelles et des passions collectives. C'est un libéral authentique qui semble avoir perçu, à la différence de certains de ses devanciers, que le concept de Tiers état recouvrait une réalité constituée d'éléments sociaux aux intérêts souvent opposés et contradictoires. La hantise des drames de 1870-1871 et la perspective de la lutte des classes, telle qu'elle a été présentée par Marx, l'amène à définir la révolution comme un « transfert aux pauvres de la propriété des riches », à la rejeter en bloc et, dès lors, à utiliser les thèmes traditionnels de la contre-révolution. Cela explique que le courant maurrassien, au XXe siècle, y puisera largement. Cette argumentation s'intègre dans un combat politique où seule compte la fin : le retour à un certain ordre social.

Mais voilà qu'une autre cause d'hostilité resurgit. Dès la Révolution, les conceptions déistes des Robespierristes avaient contribué à les déconsidérer aux yeux de leurs collègues antireligieux dont beaucoup se joignirent à la meute du 9 thermidor. Les héritiers de ce courant, longtemps assoupi, trouvent dans le comtisme, au milieu du XIXe siècle, une nouvelle énergie. La contribution de Quinet est ici décisive. C'est un républicain libéral et anticlérical, et la tolérance des Robespierristes lui paraît une erreur : « Saint-Just, voulant ramener Sparte et conservant le catholicisme en principe, mettait la tête du Moyen Age sur le corps de l'Antiquité. Ce monstre-là ne pouvait vivre. » Quinet voit aussi dans le terrorisme politique une résurgence de l'Ancien Régime. « Saint-Just promène l'épouvante sur tous les partis. Comme l'épervier qui paraît immobile et n'a pas encore trouvé la proie sur laquelle il veut fondre, il tient pendant deux heures la Convention sous sa vague menace. Il ne conclut pas. Il met chacun en présence de lui-même... Personne n'excelle mieux que lui à tenir le glaive suspendu sur toutes les têtes avant de frapper. Quand il a fini, nul n'ose l'interroger. Chacun se demande en secret : de qui veut-il parler ?... Est-ce moi ?... Et si l'on rencontre Saint-Just on s'efforce de sourire à l'exterminateur. »

L'influence de Quinet sur l'idéologie de la IIIᵉ République est capitale. Elle est à l'origine d'un regroupement qui rassembla, progressivement, des orléanistes, des républicains authentiques, des républicains du lendemain ou simplement des modérés pour construire le régime qui les divisait le moins. La République du possible s'affirme dans la subversion symbolique et les audaces formelles. Le 14 juillet devient fête nationale, *la Marseillaise* choisie comme hymne et, en 1885, une chaire de la Révolution française est créée à la Sorbonne. Le radical Aulard, son premier titulaire, s'assigne comme mission la promotion des principes de 89. Éprouvant du mépris pour Robespierre (« le moindre obstacle est pour ce myope un mur infranchissable ») et une certaine admiration pour Saint-Just qui « est adroit et y voit clair... tourne prestement les écueils quand il ne les pulvérise pas », il consacra une quarantaine d'années à réhabiliter Danton, plus conforme à l'idéal de cette république bourgeoise. Le destin des Dantonistes accablait leurs bourreaux du Comité de salut public et particulièrement leur rapporteur : « Saint-Just va parler, écrit Jules Claretie dans son *Camille Desmoulins,* il semble qu'un archange de la mort se dresse à la tribune et au milieu du silence fasse entendre des paroles de deuil... Je ne sais rien de comparable à la perfidie de ce rapport de Saint-Just, arme meurtrière, d'un acier redoutable et bien trempé. Tout ce dont on accuse les Dantonistes... était faux mais [*était*] présenté par Saint-Just avec une habileté sinistre et une conviction féroce et inébranlable. »

Cette ligne officielle influence fortement les mentalités et les comportements. En 1887 et en 1891, Danton est statufié à Arcis-sur-Aube et à Paris. En revanche, en 1881, le projet du conseil municipal de Decize d'ériger une statue à Saint-Just sombre dans l'indifférence sinon l'hostilité : la souscription organisée par la presse régionale n'a aucun succès.

Ces républicains arrivés, hostiles aux Robespierristes, trouvent même, le temps d'un combat, des alliés à l'extrême gauche. Certains Communards révèrent le souvenir d'Hébert, de Chaumette ou de Cloots : leurs bourreaux sont vilipendés, rejetés, accusés d'avoir

dévoyé la Révolution : « Châtré par la vertu de l'Incorruptible, caté-
chisé par la morale de Saint-Just, voué pour tout avenir aux joies de
l'ascétisme, le génie de la Révolution râlait et Catherine Théot,
devançant Buchez, annonçait au monde le nouveau messie », écrit
G. Tridon, membre de la Commune.

Quelques voix, dont celle de Louis Blanc, ne se joignirent point à
ce concert. Affirmant ses préférences pour l'an II, il manifeste de
l'indulgence à l'égard de Saint-Just, minimise ses frasques d'adolescence et les écarts de sa vie privée. Pourtant, il s'inspire manifestement de Lamartine et Michelet lorsqu'il le présente dans son réquisitoire contre le roi : « Cette éloquence brève, sauvage et forte,
l'imprévu de ces maximes débitées avec raideur et sang-froid ; tant
d'inflexibilité dans un tout jeune homme ; l'attitude même de Saint-
Just à la tribune, son regard fixe, la rigidité métallique de son maintien, le contraste qu'il y avait entre ces dures paroles et la beauté
féminine de son visage, tout cela présentait un caractère extraordinaire et nouveau. L'Assemblée resta un moment comme pétrifiée. »
Blanc admet à regret qu'un bourreau ait été nécessaire « pour tuer le
bourreau ». Et, comme le sang de la guillotine le gêne, il ne résiste pas
à la tentation de faire de Saint-Just un bouc émissaire plein de
« cruauté », instigateur de la Terreur et mauvais génie de Robespierre : « Plusieurs, que la contagion n'aurait point gagnés peut-être,
subirent l'influence de ce nouveau venu. Robespierre lui-même ne
put s'en défendre, à demi transformé qu'il était déjà par les persécu-
tions de la Gironde ; et chacun remarqua combien son sang s'aigrit et
s'altéra dans ses veines, dès qu'il fut enveloppé dans cette robe de
Déjanire, l'amitié de Saint-Just. »

Avec Hamel, un de ses parents, Saint-Just aura enfin un biographe
chaleureux. Le député de l'Aisne apparaît comme « une de ces puissances de création que la nature enfante dans ses jours de prodiga-
lité ». Hamel entendait répondre à Fleury. Hagiographie contre
pamphlet. Cette *Histoire de Saint-Just* pouvait-elle annuler les effets
de *Saint-Just et la Terreur* ? Malgré les mérites d'un sérieux travail
de recherche, les accents constamment exclamatifs, les interprétations tendancieuses et les pieuses omissions desservent plus qu'elles
ne servent le héros. « Saint-Just devient un Télémaque, un Grandis-
son », ricane Michelet. De toute façon, la censure du Second Empire
saisit et détruisit le livre six semaines après sa sortie. A la fin du
siècle, un projet de réédition ne fut jamais réalisé.

DE JAURÈS A MALRAUX.

Avec le xxᵉ siècle, l'historiographie robespierriste est marquée par le socialisme et une certaine forme de résistance nationale. L'image de Saint-Just en profite doublement. Pour les uns, il fut l'instigateur des lois sociales et, pour les autres, le défenseur des frontières ou encore l'opprimé révolté, l'oppresseur.

La révolution industrielle et l'émergence du prolétariat avaient été les faits majeurs de la seconde moitié du xixᵉ siècle. Marx contribua à engager les historiens vers une nouvelle recherche fondée sur les faits économiques et sociaux. C'est ce que tente Jaurès dans son *Histoire socialiste de la Révolution française,* publiée entre 1901 et 1904. Il réserve une place importante à Saint-Just : « Cet homme tout jeune, fanatique admirateur de Robespierre, avait un esprit singulier et puissant, à la fois lumineux et trouble. Il s'éblouissait parfois lui-même de fausses clartés, il s'ingéniait à donner à des idées simples une fausse profondeur, mais parfois aussi son esprit avait de grands éclairs jaillissants qui découvraient de vastes étendues. » La sympathie de Jaurès procède sans doute d'une même préoccupation pour les problèmes économiques et sociaux. Le chef socialiste le présente d'ailleurs, non pas, comme la plupart des historiens, au moment du procès du roi mais lors de son discours sur les subsistances le 29 novembre 1792 : « Il avait, bien plus que Robespierre, le sens et le souci des problèmes économiques. Il ira bien plus loin que lui dans les revendications sociales. Et tandis que Robespierre étudie surtout dans l'abstrait les rapports de la propriété et les Droits de l'homme, Saint-Just s'inquiète des conditions matérielles d'existence de la Révolution... Sous leur apparence d'idéologues, les Robespierristes mais surtout Saint-Just ont le sens aigu de la réalité : " un peuple qui n'est pas heureux n'a point de patrie... On n'a point de vertus patriotiques sans orgueil, on n'a point d'orgueil dans la détresse. " Admirable parole qui fait de l'universel bien-être le ressort de la liberté. »

Homme politique, Jaurès souligne le caractère bourgeois de la Révolution française. Son histoire ouvre une brèche où s'engouffrent des hommes comme Mathiez. Cet historien associe les personnages historiques aux idées qu'ils représentent. Il impose une nouvelle vision du gouvernement révolutionnaire, en refusant de restreindre la Révolution à la Terreur. Il familiarise l'opinion avec des hommes qui, jusque-là, n'étaient perçus qu'à travers un écran de malveillance.

A la même époque, des révoltés triomphaient en Russie. Lorsqu'ils imposèrent l'ordre bolchevique, ils réactualisèrent la Révolution française et ses controverses. Lénine, homme de doctrine et homme d'action, apparut comme une sorte de Robespierre et de Saint-Just réunis qui aurait réussi. La Société des études robespierristes, fondée par Mathiez en 1908, souhaitait dans une Adresse que la Révolution russe puisse trouver « des Robespierre et des Saint-Just, grâce auxquels elle éviterait le double écueil de la faiblesse et de l'exagération ». Les succès du régime soviétique et les espoirs qu'il porta rejaillirent positivement sur les illustres Pères de « l'Église jacobine ». Partout, dans les quartiers et les municipalités où ils étaient en force, leurs sympathisants immortalisèrent le souvenir de ces glorieux ancêtres. Ainsi la municipalité communiste de Montreuil donnera-t-elle, en 1936, le nom de Robespierre à une station de métro... Mais, ironie de l'histoire, le Conventionnel de l'Aisne portait le nom d'un évangélisateur déjà largement honoré. Dans le monde entier, des localités sont appelées *Saint-Just,* et la France en compte plusieurs dizaines ! On substitua alors de nouvelles reliques aux anciennes, d'autant plus facilement que cette double étrangeté onomastique imposait à l'esprit l'idée de justice sociale dont s'étaient réclamés les Jacobins...

Inversement, la Révolution de 1917 réactiva toute une école, sous l'impulsion de Gaxotte, qui pérennisa l'argumentation des libéraux du XIXe siècle. Pour elle, Robespierre et Saint-Just furent avant tout des hommes de sang.

De même, l'évolution du régime soviétique ne fut pas sans conséquences sur l'appréciation portée sur les hommes de l'An II. Un siècle et demi plus tard, dans des conditions souvent similaires, resurgissaient l'avilissement de la représentation populaire, la liquidation des adversaires dans des procès iniques et le mépris de la vie humaine. Un totalitarisme plus efficace encore puisait son inspiration dans le précédent Montagnard et le prolongeait. Saint-Just en fut éclaboussé. Beaucoup furent confortés dans l'idée que le couteau de la guillotine, le 9 thermidor, avait mis un terme à un régime stalinien avant la lettre.

Cependant, ces réactions ne sont pas l'essentiel. La réflexion marxiste, tout en saluant le caractère à bien des égards positif de l'action jacobine, souligne sa nature foncièrement bourgeoise. Elle féconde et impose quasi universellement cette idée que partagent, au milieu du XXe siècle, des historiens de sensibilités très différentes. Daniel Guérin oppose les prolétaires ou « bras nus » aux « bourgeois », et n'établit guère de distinction idéologique entre Girondins et Montagnards : « Des hommes comme Maximilien de Robespierre, de Saint-Just de Richebourg, Barère de Vieuzac, Hérault de Séchelles... avec leurs manières aristocratiques, leur mise impeccable, avaient aussi peu de tempérament plébéien que les Brissot et les Vergniaud. » S'il croit déceler un embryon de révolution prolétarienne dans la révolution bourgeoise, ce n'est pas le fait des Robespierristes.

Albert Soboul intègre, lui aussi, Saint-Just dans sa classe d'origine : « Ni utopiste ni initiateur d'une révolution nouvelle, il fut, contre l'aristocratie, le combattant de la révolution bourgeoise. » Il souligne toutefois la « grandeur historique de Saint-Just » à la Convention, au Comité de salut public, à la tête des armées qui défendaient la nation révolutionnaire. Mais il marque aussi ses limites. Le Conventionnel « s'est trouvé désarmé devant les réalités sociales de son temps ». Appliqué à concilier les intérêts de la bourgeoisie et ceux des couches populaires, il s'est épuisé dans cette position insoutenable.

Cette situation en porte-à-faux, Denis Richet la dénonce également mais il la voit plus métaphysique que politique : « Pour Robespierre et pour Saint-Just, la révolution bourgeoise, dont ils sont les accoucheurs, porte en elle le mal absolu, ce luxe, cette aisance, cet athéisme, cet individualisme de l'intérêt qu'ils détestent. » Et la logique d'une telle contradiction ne pouvait déboucher que sur des rêves utopiques et le pessimisme.

Si les tentatives de révolution sociale menées par Saint-Just ont divisé les Français, son action aux armées a, en revanche, presque toujours rallié les esprits, même les plus hostiles. On aurait pu attendre, à la charnière des XIXᵉ et XXᵉ siècles, période de nationalisme frémissant, que quelque voix s'élevât pour évoquer le souvenir du jeune commissaire en Alsace. Celle de Barrès, par exemple, lui qui prétendait assumer toute l'histoire de France, y compris la Révolution, et assurait : « En politique, je n'ai jamais tenu profondément qu'à une seule chose : la reprise de Metz et de Strasbourg. » Sut-il gré à Saint-Just d'avoir, en son temps, sauvé Strasbourg ? Il exprime seulement son écœurement devant « cette source sanglante », cette « lampe dans un tombeau ».

La révolte de Saint-Just n'a-t-elle pas rencontré plus d'écho ? Camus consent bien à la disséquer, mais avec d'infinies précautions. C'est une opération pratiquée sans sympathie, sans chaleur. Saint-Just n'en sort pas grandi.

Il aura fallu Malraux, qui partagea la révolte populaire des républicains espagnols et de la Résistance, pour éclairer différemment la figure de Saint-Just et l'intégrer dans la gloire d'une continuité historique porteuse d'épisodes légendaires. La lutte contre l'occupant auréolait ceux qui avaient dit « non » et grandissait les rebelles. Malraux fait de Saint-Just un héros national, un héros fondateur même : « Les forces de Saint-Just se conjuguent pour découvrir dans la confusion des événements l'étoile fixe qu'il appelle République. Napoléon l'appellera la sienne ; Lénine, le prolétariat ; Gandhi, l'Inde ; le général de Gaulle, la France. » Quant aux « crimes », Malraux les ennoblit à sa façon : « Ce somnambule souverain traverse la terreur... hanté seulement par la République, et tendant ses mains sanglantes comme des mains de justice. » C'est plus que la raison d'État, c'est une ardente obligation d'État.

Pour toute une frange de l'opinion, jusque-là hostile, Saint-Just devient alors de bonne compagnie. L'École nationale d'administration pourra, sans provocation, donner son nom à l'une de ses promotions et Decize, sa ville natale, lui ériger un buste.

Ainsi, le mythe de Saint-Just, mais cette fois retourné, survit. L'archange de la mort est devenu une sorte d'archange de vie pour la République.

Le Conventionnel est dissimulé sous ce foisonnement d'images où chacun — dût-il revenir sur son choix — peut puiser. Marguerite Yourcenar confesse, dans ses *Souvenirs pieux,* être passée du « culte » à la « pitié tragique », d'un Saint-Just à un autre en quelque sorte. Elle doute de l'existence de la personne : « Je crois en des confluences de courants, avoue-t-elle, des vibrations si vous voulez, qui constituent un être. Mais celui-ci se défait et se refait continuellement. (...) Le " moi " est une commodité grammaticale, philosophique, psychologique. Mais quand on y pense un peu sérieusement, de quel " moi " s'agit-il ? A quel moment ? » *

La vie de Saint-Just est assurément une succession de moments soumis à tous les déferlements. L'un, souvent, explique l'autre. Certains semblent se contrarier, mais tous, plus ou moins, marquent de leur influence cette personnalité troublante.

---

* *Marguerite Yourcenar s'explique,* « Lire », juillet 1976, pp. 16-17.

Repères chronologiques

6 mai 1758 : naissance de Robespierre à Arras (Pas-de-Calais).
25 août 1767 : naissance de Saint-Just à Decize (Nièvre).
11 juillet 1775 : sacre de Louis XVI.
*Octobre 1776 : les Saint-Just quittent Decize et s'installent à Bléran-
court (Aisne).*
*8 septembre 1777 : mort de Louis Jean de Saint-Just de Richebourg,
père du futur Conventionnel.*
*1779-1786 : Saint-Just fait ses études au collège des Oratoriens de
Soissons. C'est probablement vers la fin de cette période qu'il
recopie une étude d'un bénédictin sur le château de Coucy.*
3 septembre 1783 : traités de Versailles et Paris. Indépendance des
États-Unis d'Amérique.
1786-1787 : Saint-Just détenu à Paris pendant six mois.
*1787-1788 : Saint-Just fréquente peut-être la faculté de Droit de
Reims.*
8 août 1788 : convocation des États généraux.

1789

Fin avril : parution clandestine du poème *Organt*.
5 mai : ouverture des États généraux.
17 juin : le Tiers état se constitue en Assemblée nationale ; serment
du Jeu de paume.
11 juillet : le roi renvoie Necker.
13 juillet : Desmoulins harangue le peuple au Palais-Royal.
14 juillet : Prise de la Bastille.
16 juillet : rappel de Necker.

22 juillet : massacres de Foulon, un financier, et de Berthier, intendant de Paris.
Fin juillet : début de la Grande Peur ; *Saint-Just assiste aux événements de juillet à Paris.*
4 août : abolition du régime féodal.
26 août : déclaration des Droits de l'homme et du citoyen.
5-6 octobre : les Parisiennes marchent sur Versailles et ramènent la famille royale à Paris.
2 novembre : les biens du clergé sont mis à la disposition de la nation.
7 décembre : une émeute à Blérancourt impose un prix maximum des grains.

1790

15 janvier : division de la France en 83 départements.
31 janvier : renouvellement de la municipalité de Blérancourt. Louis Honnoré devient maire.
7 février : Thuillier le jeune, ami de Saint-Just, nommé secrétaire greffier de la commune de Blérancourt.
Mars : plusieurs actions, inspirées par Saint-Just, sont menées contre Gellé, régisseur de la seigneurie de Blérancourt.
14 mai : décret décidant la vente aux enchères des biens nationaux.
15 mai : Saint-Just brûle en place publique de Blérancourt un « libelle infâme ».
17-20 mai : réunion des électeurs de l'Aisne à Chauny pour choisir le chef-lieu de département. Discours public de Saint-Just.
6 juin : le greffier Thuillier qualifie son ami Saint-Just de « lieutenant-colonel » de la Garde nationale de Blérancourt.
24 juin : tentative de fédération avec la garde de Vassens.
14 juillet : fête de la Fédération à Paris. *Saint-Just y représente le district de Chauny.*
Juin-juillet : Saint-Just et les siens perdent la bataille des municipalités.
19 août : appel au secours à Robespierre.
7 novembre : Saint-Just perd la bataille de la justice de paix.
27 novembre : l'Assemblée constituante exige un serment de fidélité à la Constitution civile du clergé.

1791

2 mars : suppression des corporations de métiers.
2 avril : mort de Mirabeau.
14 juin : loi Le Chapelier interdisant les coalitons et les grèves.
20 juin : fuite du roi.
21 juin : l'Assemblée constituante suspend Louis XVI.
23 juin : le Moniteur annonce la parution de l'Esprit de la Révolution *et de la Constitution de France par Louis-Léon de Saint-Just.*
17 juillet : massacre du Champ-de-Mars.
27 août : augmentation du cens électoral.
7 septembre : Saint-Just est exclu de l'assemblée électorale de Laon chargée de désigner les députés à la Législative.
1er octobre : Réunion de l'Assemblée législative.

1792

Année 1792 : Saint-Just commence un essai politique : De la Nature...
2 janvier : discours de Robespierre aux Jacobins contre la guerre.
Février-mars : Conspiration royaliste de La Rouërie dans l'Ouest.
20 avril : déclaration de guerre au « roi de Bohême et de Hongrie ».
13 mai : fête patriotique animée par Saint-Just à Blérancourt en souvenir de Mirabeau.
20 juin : « journée » révolutionnaire à Paris : le peuple envahit les Tuileries.
Juin-juillet : Saint-Just achète des biens nationaux.
10 août : chute de la royauté.
2 septembre : chute de Verdun livrée par trahison aux Autrichiens.
2-5 septembre : massacres dans les prisons parisiennes.
5 septembre : élection de Saint-Just à la Convention.
18 septembre : arrivée de Saint-Just à Paris.
20 septembre : réunion de la Convention et victoire de Valmy.
21 septembre : abolition de la royauté.
22 septembre : « An I de la République. »
22 octobre : premier discours de Saint-Just aux Jacobins.
13 novembre : premier discours de Saint-Just à la Convention : le roi doit être jugé en ennemi étranger.

20 novembre : découverte de l'armoire de fer.
29 novembre : discours de Saint-Just sur les subsistances.
11 décembre : début du procès de Louis XVI.
16 décembre : intervention de Saint-Just contre les Bourbons.
24 décembre : Saint-Just élu président du club des Jacobins.
27 décembre : nouveau discours de Saint-Just contre le roi.

1793

20 janvier : assassinat de Le Peletier de Saint-Fargeau.
21 janvier : exécution de Louis XVI.
28 janvier : discours de Saint-Just sur les attributions du ministre de la Guerre.
1er février : déclaration de guerre à l'Angleterre et à la Hollande.
12 février : discours de Saint-Just sur la réorganisation de l'armée.
24 février : décret sur la levée de 300 000 hommes.
7 mars : déclaration de guerre à l'Espagne.
9 mars : mission de Saint-Just et Deville dans l'Aisne et les Ardennes.
10 mars : création du Tribunal révolutionnaire.
11 mars : début de l'insurrection en Vendée.
18 mars : défaite de Neerwinden.
31 mars : aux Jacobins, Saint-Just accuse Beurnonville de trahison.
5 avril : Dumouriez passe à l'ennemi.
9 avril : création du Comité de salut public.
11 avril : l'assignat reçoit cours forcé.
24 avril : discours de Saint-Just sur la constitution à donner à la France.
4 mai : première taxation des grains.
24 mai : discours de Saint-Just sur le maximum de population des municipalités.
30 mai : Saint-Just adjoint au Comité de salut public.
31 mai-2 juin : chute de la Gironde.
7 juin : révolte « fédéraliste » dans le Calvados et à Bordeaux.
24 juin : vote de la constitution de 1793.
8 juillet : rapport de Saint-Just contre les « 32 ».
10 juillet : Saint-Just élu au Comité de salut public.
13 juillet : assassinat de Marat. Défaite des « fédéralistes » à Pacy-sur-Eure.
18 juillet : Saint-Just désigné pour une mission dans l'Aisne, l'Oise et la Somme.

27 juillet : Robespierre entre au Comité de salut public.
4 août : la constitution est ratifiée par 1 800 000 voix contre 17 000.
23 août : levée en masse.
27 août : les royalistes livrent Toulon aux Anglais.
4-5 septembre : journée populaires à Paris. La Convention met « la Terreur à l'ordre du jour ».
6 septembre : création de l'armée révolutionnaire.
6-8 septembre : victoire de Hondschoote.
17 septembre : loi des suspects.
29 septembre : Maximum général des denrées et des salaires.
5 octobre : adoption du calendrier républicain.
9 octobre : reprise de Lyon par les républicains.

An II (fin 1793)

19 vendémiaire (10 oct.) : Saint-Just demande à la Convention de décréter le gouvernement de la France révolutionnaire jusqu'à la paix.
25 vendémiaire (16 oct.) : exécution de Marie-Antoinette.
25 vendémiaire : Saint-Just lit à la Convention son rapport sur la loi contre les Anglais.
26 vendémiaire (17 oct.) : Saint-Just part en mission à l'armée du Rhin.
20 brumaire (10 nov.) : fête de la Liberté et de la Raison à Notre-Dame de Paris.
14 frimaire (4 déc.) : décret sur l'organisation du gouvernement révolutionnaire.
14-20 frimaire (4-10 déc.) : retour d'Alsace, Saint-Just passe une semaine à Paris.
29 frimaire (19 déc.) : Reprise de Toulon aux Anglais et aux royalistes.
3 Nivôse (23 déc.) : défaite vendéenne à Savenay.
8 nivôse (28 déc.) : déblocage de Landau.
10 nivôse (30 déc.) : retour de Saint-Just à Paris.

An II (1794)

23 nivôse (12 janv.) : débat à la Convention sur l'affaire de la Compagnie des Indes.
3 pluviôse (22 janv.) : départ de Saint-Just à l'armée du Nord.

16 pluviôse (4 fév.) : la Convention décrète la suppression de l'esclavage dans les colonies.

*16 pluviôse : Saint-Just décide l'incarcération de tous les nobles
domiciliés dans les départements du Pas-de-Calais, du Nord, de
la Somme et de l'Aisne.*

25 pluviôse (13 fév.) : retour de Saint-Just à Paris.

1ᵉʳ ventôse (19 fév.) : Saint-Just président de la Convention.

*8 ventôse (26 fév.) : rapport de Saint-Just sur les personnes incarcé-
rées. Premier « décret de ventôse ».*

*13 ventôse (3 mars) : rapport sur l'exécution du décret du 8 ventôse.
Second « décret de ventôse ».*

*23 ventôse (13 mars) : rapport de Saint-Just sur les factions de l'étran-
ger.*

*25 ventôse (15 mars) : rapport de Saint-Just sur l'arrestation
d'Hérault de Séchelles.*

4 germinal (24 mars) : exécution d'Hébert et des dirigeants des Cordeliers.

10 germinal (30 mars) : arrestation des Dantonistes.

*11 germinal (31 mars) : rapport de Saint-Just contre les Dantonis-
tes.*

*15 germinal (4 avril) : rapport de Saint-Just sur une nouvelle conju-
ration.*

16 germinal (5 avril) : exécution des Dantonistes.

*26 germinal (15 avril) : rapport de Saint-Just sur la police géné-
rale.*

*4 floréal (23 avril) : ouverture du Bureau de police. Saint-Just annote
les premières dénonciations.*

*10 floréal-12 prairial (29 avril-31 mai) : Saint-Just en mission à
l'armée du Nord.*

18 floréal (7 mai) : décret de la Convention reconnaissant l'Être
suprême et l'immortalité de l'âme.

3 prairial (22 mai) : tentative d'assassinat de Collot d'Herbois par
Admirat.

4 prairial (23 mai) : attitude menaçante de Cécile Renault contre
Robespierre.

12 prairial (31 mai) : retour de Saint-Just à Paris.

*18 prairial (6 juin) : arrêté du Comité de salut public envoyant Saint-
Just à l'armée.*

20 prairial (8 juin) : fête de l'Être suprême.

22 prairial (10 juin) : départ de Saint-Just sur la Sambre.

22 prairial : réorganisation du Tribunal révolutionnaire. Début de la
Grande Terreur.

7 messidor (25 juin) : prise de Charleroi.

8 messidor (26 juin) : victoire de Jourdan à Fleurus.

11 messidor (29 juin) : retour de Saint-Just à Paris.

17 messidor (5 juillet) : conspiration du Luxembourg.

20 messidor (8 juillet) : entrée des troupes françaises à Bruxelles.

5 thermidor (23 juillet) : tentative de réconciliation aux deux Comités : Saint-Just dupé.

8 thermidor (26 juillet) : dernier discours de Robespierre à la Convention et aux Jacobins.

9 thermidor (27 juillet) : discours commencé par Saint-Just. Les deux Robespierre, Saint-Just, Couthon et Le Bas décrétés d'arrestation.

10 thermidor (28 juillet) : exécution de Robespierre, de Saint-Just, de Couthon et de dix-neuf de leurs partisans.

Sources et bibliographie

Dans le cadre de ce livre, les sources et études ne peuvent être présentées que succinctement. Le lecteur qui souhaiterait disposer d'une bibliographie plus complète et de références précises pourra consulter, à l'Institut d'histoire de la Révolution française, Université de Paris I ou aux archives départementales de l'Aisne à Laon, notre thèse de doctorat *Saint-Just : son milieu, sa jeunesse et l'influence de sa formation sur sa pensée et son action politiques*, 969 pp. dact. 1984.

Abréviations :

A.H.R.F. : « Annales historiques de la Révolution française »
A.R. : « Annales révolutionnaires »
R.F. : « Révolution française »
R.E.H. : « Revue des Études historiques »
R.H.R.F. : « Revue historique de la Révolution française ».

I. Archives manuscrites.

— *Archives nationales :*
Série C : 125, 273, 292, 293.
Série D : D III 2 *bis*, D III 4, D III 6, D IV 15.
AF^{11} : notamment 20-25, 31, 37, 58, 60, 235, 249.
F^7 : 3821, 3822, 4436, 4437, 4551, 4620, 4701, 4716, 4723, 4775^{30}.
F^{10} : 230, 232.
Séries M 225, 226, 228^b et MM 572, 592, 617.
Séries S 6795 A ; Y 11518 ; W notamment 115, 161, 351.

— *Bibliothèque nationale (manuscrits) :*
N^{lles} Acq. fr. 312 : Lettre de la main de Saint-Just.
N^{lles} Acq. fr. 12947 : Manuscrit *De la Nature...*
N^{lles} Acq. fr. 22995 : Inventaire de la bibliothèque de Saint-Just.
N^{lles} Acq. fr. 24136 : *Fragments d'Institutions républicaines.*
N^{lles} Acq. fr. 24158 : Notes de Saint-Just (papiers Barère).
FM^2 : Fonds maçonnique.

— *Archives du ministère des Affaires étrangères :*
Fonds Bourbon, 321 à 325 ; 628 à 643.

— *Archives de l'Oratoire :*
Dossiers Bonnardet et Mss 8° 185

— *Archives de la Préfecture de Police :*
A 373 B : A.A. / 33.427.

— *Archives du Service Historique des Armées :*
Dossiers Saint-Just de Richebourg, Mésange et Jean Alexandre
  Renault.
Y^b 71, B^1 34.

— *Archives du musée national de Blérancourt :*
Fonds Saint-Just.

— *Bibliothèque municipale de Laon :*
Deux lettres autographes de Saint-Just et fonds Lauraguais.

— *Archives départementales de l'Aisne :*
Notaires : 157 E ; 183 E ; 49 E ; 47 E.
Supplément série E : p. 343, p. 349 et *sqq.*
Contrôle des actes, C 2212, C 2218.
Registres paroissiaux, notamment ceux de Blérancourt.
Cahiers de doléances, notamment ceux de Besmé Camelin et
  Trosly.
Série Q : 431, 445.
Série D : 20.
Série C : 13, 28, 86, 195, 580, 583, 910, 929, 942, 1023, 1024,
  1356.
Série L : 230, 242, 628, 640, 642, 644, 796, 1104, 1110, 1114, 1115,
  1684, 1685, 1711, 1712, 1718, 1720, 1737, 1752, 1753, 2117,
  2669, 2670.

— *Archives départementales du Doubs :*
Série L : 57.

— *Archives départementales de la Marne :*
J 571 ; 22 B 92 ; fonds Gustave Laurent ; 1 L 338, 2 L 32, 10 L
  38.

— *Archives départementales de la Nièvre :*
Registres paroissiaux de Saint-Aré, Saint-Privé et AC 95/6.

— *Archives départementales de l'Oise :*
1 Q^3 205 ; L 20 ; registres paroissiaux de Nampcel.

II. Œuvres et éditions des œuvres de Saint-Just.

« Monographie du châtau de Coucy », 1785 (original au musée de Blérancourt).

Épigramme sur le comédien Dubois, 1786, *A.H.R.F.* 1934.

Arlequin-Diogène, 1787-88, pièce peut-être reprise plus tardivement. Publiée dans « Revue bleue », 1907.

Organt, poème en 20 chants, Paris, 1789.

Dialogue entre M. D. et l'auteur d'Organt, 1789, publié dans « le Rouge et le Bleu », 1941.

Rapport sur l'affaire des communaux de Blérancourt, 1790.

Esprit de la Révolution et de la Constitution de France, 1791.

Mémoire pour les habitants de Blérancourt contre le sieur Grenet, 1791.

De la Nature, de l'état civil, de la cité ou les Règles de l'indépendance du gouvernement, de 1792 à 1794.

Essai de constitution, 1793.

Correspondance privée, 1786-1794.

Discours et Rapports, 1792-1794.

Fragments d'Institutions républicaines, 1792-1794

Principales éditions

Fragments d'Institutions républicaines.

La première édition, publiée chez Fayolle, remonte à 1800. Bien qu'elle ne soit pas totalement fidèle aux originaux, elle a servi de base à toutes les éditions suivantes jusqu'à la publication scientifique que Soboul a faite de cet ouvrage dans les *A.H.R.F.* 1948, puis celle de Liénard *in : Saint-Just, théorie politique*, Paris, Le Seuil, 1976.

Le manuscrit original provient de la collection de Charles W. Clark qui en a fait don à la Bibliothèque nationale, où il est conservé sous la cote N.A.F. 24 136. Il est constitué de 59 feuillets de papiers de plusieurs natures qui ont été assemblés selon un ordre arbitraire. En y regardant de près, on peut y distinguer :

1) Des brouillons anciens du *De la Nature...*, remontant probablement à la période blérancourtoise ;

2) Des fragments de brouillons de discours ;

3) Des notes originales plus ou moins élaborées, quelquefois déjà recopiées, qui sont les ébauches d'un traité ou d'un rapport sur les institutions auquel Saint-Just fait allusion le 9 thermidor.

Il faut ajouter que certaines notes sont jetées sur le verso de feuilles dont le recto a été écrit, quelquefois, plusieurs mois plus tôt.

On comprend, dans ces conditions, que toute tentative de datation d'ensemble pour ce que l'on appelle les *Fragments d'Institutions républicai-*

nes soit vaine, puisqu'ils regroupent des papiers de plusieurs origines rédigés sur une période qui va de 1791-1792 jusqu'à Thermidor.

L'écriture, très différente d'un feuillet à l'autre, est généralement celle de Saint-Just sauf les feuillets 36 à 39 inclus qui, à l'exception d'une dizaine de lignes de la main de Saint-Just, ont été écrits par Thuillier. L'une des maximes du feuillet 23 est également d'une écriture étrangère (peut-être Gateau).

L'édition Fayolle, reprise par Nodier, Vellay et d'autres, censure les noms de Marat et Chalier, rétablit l'orthographe et la ponctuation, regroupe certaines idées par thèmes et présente quelquefois même un texte légèrement différent de l'original conservé. Par exemple Saint-Just a écrit de sa main : « Les cimetières seront de magnifiques paysages et toutes les tombes seront recouvertes de fleurs » (feuillet 41), ce qui est transcrit : « Les cimetières sont de riants paysages : les tombes sont couvertes de fleurs, semées tous les ans par l'enfance. » (Ch. Vellay : *Œuvres complètes* de Saint-Just, t. II, p. 527). Ce genre de modification est exceptionnel. Mais dans ce cas, il n'est pas possible de savoir si l'édition Fayolle a été établie d'après des papiers que nous n'avons plus aujourd'hui ou si le texte a été volontairement modifié. Certains fragments, particulièrement ceux qui sont consacrés à la censure (édités avec les *Papiers* trouvés chez Robespierre, Saint-Just...) ne figurent pas dans les originaux conservés.

Papiers inédits trouvés chez Robespierre, Saint-Just, Payan, etc. supprimés ou omis par Courtois, précédés du rapport de ce député à la Convention nationale..., Paris, Baudouin, 1828 (quelques pièces).

VELLAY (Charles) : *Œuvres complètes de Saint-Just,* Paris, 1908. *Discours et Rapports.* Introduction et notes d'A. Soboul, Paris, 1957. *Saint-Just. Théorie politique.* Textes établis par A. Liénard avec introduction, Paris, Le Seuil, 1976. *Saint-Just, Œuvres complètes,* édition établie par M. Duval, Paris, Lebovici, 1984.

III. BIOGRAPHIES

ÆGERTER (Emmanuel) : *la Vie de Saint-Just,* Paris, Gallimard, 1929.

CENTORE-BINEAU (Denise) : *Saint-Just,* Paris, Payot, 1936.

CHARMELOT (Madeleine-Anna) : *Saint-Just ou le chevalier Organt,* Paris, 1957.

CURTIS (Eugène-Newton) : *Saint-Just, colleague of Robespierre,* New York, 1935.

DEROCLES (Pierre) (pseud.) SOBOUL (Albert) : *Saint-Just, ses idées politiques et sociales,* Éd. sociales, 1937.

DOMMANGET (Maurice) : *Saint-Just,* Paris, éd. du Cercle, 1971.

FLEURY (Édouard) : *Saint-Just et la Terreur,* Paris, 1851.

GIGNOUX (Claude) : *Saint-Just,* Paris, 1947.
HAMEL (Ernest) : *Histoire de Saint-Just député à la Convention nationale,* Paris, 1859.
IKOR (Roger) : *Saint-Just,* Paris, Bureau d'édition, 1937.
JOXE (Pierre) : « Saint-Just » in *Les grands révolutionnaires,* éd. Martinsart, Romorantin, 1976.
KERMINA (Françoise) : *Saint-Just. La Révolution aux mains d'un jeune homme,* Paris, Lib. Ac. Perrin, 1982.
KORNGOLD (Ralph) : *Saint-Just,* Paris, Grasset, 1937.
LENÉRU (Marie) : *Saint-Just,* Paris, Grasset, 1922. Préface de M. Barrès.
MICHALON (Yves) : *la Passion selon Saint-Just,* Paris, A. Michel, 1981.
MORTON (John Bingham) : *Saint-Just,* Londres, 1939.
OLLIVIER (Albert) : *Saint-Just et la force des choses ;* préface d'A. Malraux, Paris, Gallimard, 1954.
VIDAL (Gaston) : *Saint-Just,* Paris, Lechevalier, 1923.

IV. ÉTUDES.

1. *Ouvrages généraux :*

Actes du colloque Girondins et Montagnards, Paris, Clavreuil, 1980.
Actes du colloque Saint-Just, Paris, Clavreuil, 1968.
AGULHON (Maurice) : *Marianne au combat : l'imagerie et la symbolique républicaine de 1789 à 1880,* Paris, 1979.
Archives parlementaires : première série.
AULARD (Alphonse) : *Histoire politique de la Révolution française,* Paris, 1901.
— : *la Société des Jacobins. Recueil de documents pour l'histoire du club des Jacobins,* Paris 1889-1897.
— : *Recueil des actes du Comité de salut public avec la correspondance officielle des représentants en mission,* 1889-1897.
BABEUF (François) : *Du système de la dépopulation ou la Vie et les crimes de Carrier,* Paris, an III.
BARNAVE (Antoine) : *Introduction à la Révolution française,* in *Œuvres complètes,* Paris, 1843.
BAUDOT (Marc-Antoine) : *Notes historiques sur la Convention nationale, le Directoire, l'Empire et l'exil des votants,* Paris, 1893.
BLANC (Louis) : *Histoire de la Révolution française,* Paris, 1864.
BOULOISEAU (Marc) : *la République jacobine du 10 août 1792 au 9 thermidor an II,* Paris, Seuil, 1972.

BUCHEZ (Philippe) et ROUX (Prosper) : *Histoire parlementaire de la Révolution française, ou Journal des Assemblées nationales, depuis 1789 jusqu'en 1815,* Paris, 1834-1838, 40 vol. in 8°.

CARNOT (Hippolyte) : *Mémoires sur Carnot,* Paris, 1861-1863.

CARNOT (Hippolyte) et DAVID-D'ANGERS (Pierre-Jean) : *Mémoires de Barère,* Paris, 1842.

CHAUNU (Pierre) : *la Civilisation de l'Europe des Lumières,* Paris, 1971.

CLARETIE (Jules) : *Camille Desmoulins,* Paris, 1875.

DALINE (Victor) : *Gracchus Babeuf 1785-1794,* Moscou, 1976.

FURET (François) et RICHET (Denis) : *la Révolution française,* Paris, 1965.

GAUTHIER (Florence) : *la Voie paysanne dans la Révolution française. L'exemple picard,* Maspero, 1977.

GAXOTTE (Pierre) : *la Révolution française,* Paris, 1922.

GÉRARD (Alice) : *la Révolution française, mythes et interprétations,* Paris, 1970.

GODECHOT (Jacques) : *les Révolutions (1770-1799),* Paris, P.U.F., 1963.

— *les Institutions de la France sous la Révolution et l'Empire,* Paris, P.U.F., 1951 ; rééd. 1968.

GUÉRIN (Daniel) : *Bourgeois et bras-nus,* rééd. Gallimard, 1973.

JAURÈS (Jean) : *Histoire socialiste de la Révolution française,* Paris, 1901-1904 ; rééd. avec des notes d'A. Soboul, Éd. soc., 1968.

KUSCINSKI (Auguste) : *Dictionnaire des Conventionnels,* Paris, 1916-1919.

LABROUSSE (Ernest) : *Esquisse du mouvement des prix et des revenus en France au XVIIIᵉ siècle,* Paris, 1933.

— *la Crise de l'économie française à la fin de l'Ancien Régime et au début de la Révolution,* Paris, 1944.

LAMARTINE (Alphonse de) : *Histoire des Girondins,* Paris, 1847.

LAMOTHE-LANGON (Étienne-Léon de) : *Histoire pittoresque de la Convention,* Paris, 1833.

LEFEBVRE (Georges) : *la Révolution française,* rééd., Paris, 1963.

— : *Études sur la Révolution française,* Paris, P.U.F., 1963.

LEVASSEUR (René) : *Mémoires,* Paris, 1831.

MABLY (Gabriel BONNOT DE) : *Œuvres complètes,* Paris, Desbrière, an III.

MANFRED (Albert) : *la grande Révolution française au XVIIIᵉ siècle,* Moscou, Éd. en langues étrangères, 1961.

MASSIN (Jean) : *Robespierre,* Club français du livre, rééd., 1970.

MATHIEZ (Albert) : *la Révolution française,* Paris, 1922-1927.

— : *la vie chère et le mouvement social sous la Terreur*, Paris, 1927.

MICHELET (Jules) : *Histoire de la Révolution française*, Paris, 1847-1853.

MONTESQUIEU (Charles Louis de) : *De l'esprit des lois*, éd. Garnier, 1962.

OZOUF (Mona) : *la Fête révolutionnaire ; 1789-1799*, Paris, Gallimard, 1976.

— : *l'École de la France. Essais sur la Révolution, l'utopie et l'enseignement*, Paris, Gallimard, 1984.

PAGANEL (Pierre) : *Essai historique et critique sur la Révolution française. Ses causes, ses résultats.* Paris, 1815.

QUINET (Edgar) : *la Révolution*, Paris, 1865.

ROBESPIERRE (Maximilien) : *Œuvres complètes*, Paris, 1910-1967.

ROUSSEAU (Jean-Jacques) : *Œuvres complètes*, éd. La Pléiade, Gallimard.

STÉPHANE-POL (pseud. de Paul COUTANT) : *Autour de Robespierre. Le Conventionnel Le Bas d'après des documents inédits et les mémoires de sa veuve*, Paris, 1901.

SOBOUL (Albert) : *la Révolution française*, Paris, Éd. soc., 1948.

— : *les sans-culottes parisiens en l'an II. Mouvement populaire et gouvernement révolutionnaire. 2 juin 1793 — 9 thermidor an II*, Paris, 1958.

SURATTEAU (Jean-René) : *la Révolution française, certitudes et controverses*, Paris, P.U.F., 1973.

TAINE (Hippolyte) : *les Origines de la France contemporaine*, 1876-1893.

THIERS (Adolphe) : *Histoire de la Révolution française*, Paris, 1834.

TOCQUEVILLE (Alexis de) : *l'Ancien Régime de la Révolution*, Paris 1856.

TOULONGEON (François-Emmanuel) : *Histoire de France depuis la Révolution de 1789, écrite d'après les mémoires et manuscrits contemporains recueillis dans les dépôts civils et militaires*, 4 vol., 1801-1810.

VOVELLE (Michel) : *la Chute de la monarchie*, Paris, Le Seuil, 1972.

2. *Enfance et adolescence de Saint-Just :*

ALLAIN (Ernest) : *Instruction primaire en France avant la Révolution*, Paris, 1875.

ARIÈS (Philippe) : *l'Enfant et la Vie familiale sous l'Ancien Régime*, Paris, 1973.

BABEAU (Albert) : *l'Instruction primaire dans les campagnes avant 1789*, Troyes, 1875.

BARRUOL (Jean) : *Un précepteur provençal de Montalembert chef d'une conspiration royaliste en 1792 : l'abbé Monier de Viens*, Forcalquier, 1922.

BÉGIS (Alfred) : *Saint-Just et son emprisonnement sous Louis XVI en exécution d'une lettre de cachet*, Paris, 1892.

BOUTANQUOI (O.) : *la Famille du Conventionnel Saint-Just à Nampcel*, Beauvais, 1913.

— : *le Conventionnel Saint-Just et sa famille*, Compiègne, 1927.

BRISSOT (Anacharsis) : *Mémoires de Brissot... sur ses contemporains et la Révolution française publiés par son fils*, Paris, 1830-1832.

COMBIER (Amédée) : *Études sur le bailliage du Vermandois et siège présidial de Laon*, Paris, 1874.

— : *Mémoire instructif sur la pension du collège des prêtres de l'Oratoire à Soissons*, s.d., in *les Anciens palmarès*, Laon, 1883.

DARNTON (Robert) : *Bohème littéraire et Révolution. Le monde des livres au XVIIIᵉ siècle*, Paris, 1983.

DAUNOU (Claude) : *Plan d'éducation présenté à l'Assemblée nationale au nom des instituteurs publics de l'Oratoire*, Paris, 1790.

DOYEN (Henri) : *Histoire des collèges de Soissons*, Soissons, 1974.

HANOTEAU (Jean) : *les Ascendances nivernaises de Saint-Just*, Nevers, 1935.

JOANNIDÈS (A.) : *la Comédie-Française de 1690 à 1900. Dictionnaire général des pièces et des auteurs*, Paris, 1901.

LALLEMAND (Paul-Joseph) : *Histoire de l'éducation dans l'ancien Oratoire de France*, Paris, 1888.

LAURENT (Gustave) : « Figures champenoises. Les relations de Saint-Just à Reims », *A.R.*, 1923.

— : « la Faculté de Reims et les hommes de la Révolution », *A.H.R.F.*, 1929.

MARMONTEL (Jean-François) : *Mémoires d'un père*, Paris, 1827.

MERLE (Marcel) : *Decize ; son histoire*, Decize, 1974.

SNYDERS (Georges) : *la Pédagogie en France aux XVIIᵉ et XVIIIᵉ siècles*, Paris, P.U.F., 1965.

THÉVENEAU DE MORANDE (Charles) : *la Gazette noire par un homme qui n'est pas blanc*, Londres, 1784.

TORJUSSEN (Serena) : *les Œuvres littéraires de Saint-Just*, thèse pour le doctorat ès Lettres, Besançon, 1980.

VATEL (Charles) : *Charlotte Corday et les Girondins*, Paris, 1872.

VIDAL-NAQUET (Pierre) : préface à FINLEY (M.) in *Démocratie anti-que et démocratie moderne*, Paris, 1976.

3. *La période blérancourtoise :*

BOUTANQUOI (O.) : *l'Assemblée municipale de Nampcel*, Compiègne, 1929.

BRAYER (Michel) : *Statistiques du département de l'Aisne*, Laon, 1824.

CHARMELOT (Madeleine) : « Autour de Saint-Just », *A.H.R.F.*, 1966.

CANNOT (A.) : *le Village de Saint-Aubin*, Montdidier, 1914.

DESSIN (Charles) : *le Bourg de Blérancourt. Ses environs, son histoire, ses monuments*, Saint-Quentin, 1926.

DOMMANGET (Maurice) : « Saint-Just acquéreur de biens nationaux dans le Noyonnais », *A.R.*, 1922.

— : *État ecclésiastique et civil du diocèse de Soissons*, Compiègne, 1728.

EXPILLY (Jean) : *Dictionnaire géographique, historique et politique des Gaules et de la France*, 1762-1770.

FROMAGEOT (Paul) : « les Fantaisies littéraires, galantes, politiques et autres d'un grand seigneur : le comte de Lauraguais », *R.E.H.*, 1914.

HENNEQUIN (René) : *la Formation du département de l'Aisne en 1790, étude sommaire de géographie politique*, Soissons, 1911.

LE BIHAN (Alain) : *Francs-maçons parisiens du Grand-Orient de France (fin XVIIIe)*, Paris, 1966.

LEGRAND (Robert) : *Babeuf et ses compagnons de route*, Paris, 1981.

MARTIN (Henri) et JACOB (Paul) : *Histoire de Soissons*, Soissons, 1837.

MELLEVILLE (Maximilien) : *Histoire de Laon*, Laon, 1846.

— : *Histoire de la ville de Chauny*, Laon, 1851.

— : *Histoire du département de l'Aisne pendant la Révolution de 1789*, Vervins, s.d.

SUIN (Victor) : *Blérancourt ; histoire locale ; Lecat, Saint-Just*, Sois-sons, 1853.

VELLAY (Charles) : « Lettres inédites de Saint-Just » (notamment les lettres à Beuvin), *R.H.R.F.*, 1910 ; « Saint-Just en 1790 », *R.H.R.F.* 1911 ; « Saint-Just. Premières luttes politiques (1790-1792), *Revue de Paris*, 1906 ; « La correspondance de Saint-Just », *Mercure de France*, 1906.

4. *Les missions aux armées.*

L'ouvrage fondamental sur cette question est la thèse de doctorat
d'État de Jean-Pierre GROSS : *Saint-Just, sa politique et ses missions*, Paris, B.N., 1976.

a) A l'armée du Rhin.

ALBERT (Jean-Étienne) : *Réponse d'Albert J-E, juge au tribunal cri-
minel du Bas-Rhin, à une plainte adressée à l'accusateur public
Daniel Stamm, agent près le district de Schelestadt*, an III.
BERTAUD (Jean-Paul) : *la Révolution armée, les soldats citoyens et la
Révolution française*, Paris, Laffont, 1979.
BONTOUX (Paul) : *Corps législatif. Conseil des Cinq-cents. Rapport
fait par Bontoux sur les fugitifs des départements des Haut et Bas-
Rhin*, séance du 18 prairial an V.
CAMPAGNAC (Edmond) : *la Langue française en Alsace sous la Révo-
lution ; étude sur une famille d'instituteurs alsaciens à la veille et au
lendemain de la Révolution française (1760-1821)*, Paris, 1928.
CHASSIN (Charles) : *l'Armée et la Révolution. La paix et la guerre,
l'enrôlement volontaire, la levée en masse, la conscription*, Paris,
1867.
CHUQUET (Arthur) : *les Guerres de la Révolution*, Paris, 1886-
1896.
COLIN (Jean) ; *Campagne de 1793 en Alsace et dans le Palatinat*,
Paris, 1902.
DREYFUS (François) : *Histoire de l'Alsace*, Paris, 1979.
HEITZ (Frédéric) : *les Sociétés politiques de Strasbourg pendant les
années 1790 à 1795. Extraits de leurs procès-verbaux*, Strasbourg,
1863.
— : *la Contre-révolution en Alsace de 1789 à 1793 ; pièces et docu-
ments relatifs à cette époque*, Strasbourg, 1865.
HENNEQUIN (Louis) : *la Justice militaire et la discipline à l'armée du
Rhin et à l'armée de Rhin-et-Moselle (1792-1796) ; notes histori-
ques du chef de bataillon du génie Legrand*, Paris, 1909.
JAQUEL (Roger) : « Autour d'Euloge Schneider », *A.H.R.F.*, 1931,
1932 et 1933.
LE BAS (Philippe) : *Correspondance inédite*, Paris, 1837.
LOCHERER (Jean-Jacques) : *Hérault de Séchelles*, Paris, Pygmalion,
1984.
MARX (Roland) : *la Révolution et les classes sociales en Basse-*

Alsace ; structures agraires et ventes des biens nationaux, Paris, B.N., 1974.

MICHON (Georges) : *la Justice militaire sous la Révolution*, Paris, 1922.

NODIER (Charles) : *Souvenirs de la Révolution et de l'Empire*, Paris, 1850.

PARISET (Georges) : « La grande fuite des Alsaciens en 1793 dans la région de Soultz-sous-Forêt », dans *Soultz-sous-Forêt et ses environs*, pp. 78-80.

Recueil des pièces authentiques servant à l'histoire de la Révolution à Strasbourg, ou les actes des représentants du peuple en mission dans le département du Bas-Rhin, sous le règne de la tyrannie des Comités et Commissions révolutionnaires, de la Propagande et de la Société des Jacobins à Strasbourg, Strasbourg an III (dit *Livre bleu*).

REUSS (Rodolphe) : *l'Alsace pendant la Révolution française*, Paris, 1880.

— : *la Cathédrale de Strasbourg pendant la Révolution, études sur l'histoire politique et religieuse de l'Alsace, 1789-1802*, Paris, 1888.

— : *Notes sur l'instruction primaire en Alsace pendant la Révolution*, Paris-Nancy, 1910.

— : *la Grande Fuite de déc. 1793 et la situation politique et religieuse du Bas-Rhin de 1794 à 1799*, Strasbourg, 1924.

ROUSSET (Camille) : *les Volontaires, 1791-1794*, Paris, 1870.

ROUSSEVILLE (P.-H.) : *Dissertation sur la francisation de la ci-devant Alsace*, s.l., n.d. [mais indication : *Strasbourg, 1ᵉʳ ventôse*].

SEINGUERLET (Eugène) : *l'Alsace française, Strasbourg pendant la Révolution*, Paris, 1881.

SOBOUL (Albert) : « Sur la mission de Saint-Just à l'armée du Rhin », *A.H.R.F.*, 1954.

TREUTTEL (Jean) : *Tyrannie exercée à Strasbourg par Saint-Just et Le Bas*, an II.

VELLAY (Charles) : « Un ami de Saint-Just : Gateau », *A.R.*, 1908.

WALLON (Henri) : *les Jacobins à Strasbourg après le rappel de Deutzel et de Couturier*.

WERNER (Robert) : *l'Approvisionnement en pain de la population du Bas-Rhin et de l'armée du Rhin pendant la Révolution (1789-1797)*, thèse, Paris, 1951.

b) A l'armée du Nord.

BARRUCAND (Victor) : *Mémoires et notes de Choudieu*, Paris, 1887.

BOUCHARD (G.) : *Prieur de la Côte-d'Or.*

COUTANCEAU (Henri) : *la Campagne de 1794 à l'armée du Nord,* Paris, 1903-1907.

DESBRIÈRE (Edouard) et SAUTAI (Maurice) : *la Cavalerie pendant la Révolution,* Paris, 1907.

DESCHUYTTER (Joseph) : *la Révolution française en province. L'esprit public et son évolution dans le Nord, de 1791 au lendemain de thermidor an II,* Bourbourg, 1959-1961.

DEVLEESHOUWER (Robert) : *l'Arrondissement du Brabant sous l'occupation française, 1794-1795, aspects administratifs et économiques,* Bruxelles, 1964.

DUPUIS (Victor) : *les Opérations militaires de la Sambre en 1794. Bataille de Fleurus,* Paris, 1907.

FOUCART (Paul) et FINOT (Jules) : *la Défense nationale dans le Nord,* Lille, 1893.

HERLAUT (Philippe) : « les Missions de Saint-Just à l'armée du Nord en 1794 », *Revue du Nord,* 1944.

JACOB (Louis) : *Joseph Le Bon, la Terreur à la frontière (Nord et Pas-de-Calais),* thèse, Paris-Mellotée, s.d.

LYON (Clément) : *le Siège de Charleroy de 1794 d'après un manuscrit original de Pierre Cleys, bourgeois de Charleroy,* Charleroi, 1876.

MARMOTTAN (Paul) : *le Général Fromentin et l'armée du Nord,* Paris, 1891.

MATTON (Auguste) : *Histoire de la ville et des environs de Guise,* Laon, 1797-1798.

Mémoires de DUHESME, Arch. du Serv. Hist. des Armées.

PARIS (Joseph) : *Joseph Le Bon et les tribunaux révolutionnaires d'Arras et de Cambrai,* Arras, 1864.

PASTOORS (abbé A.) : *Histoire de la ville de Cambrai pendant la Révolution 1789-1802,* Cambrai, 1908.

SANGNIER (Georges) : *la Terreur dans le district de Saint-Pol ; 10 août 1792 — thermidor an II,* Blangemont, 1938.

5. Convention et Comité de salut public.

ABENSOUR (Miguel) : « la Philosophie politique de Saint-Just », *A.H.R.F.,* 1966.

AUBERT (Raymond) : *En pantoufles sous la Terreur : réflexions et commentaires sur le « journal d'un bourgeois de Paris » 1791-1796,* Paris, 1974.

BÉGIS (Alfred) : *Curiosités révolutionnaires. Saint-Just et les bureaux* de police générale au Comité de salut public en 1794, notice historique par Augustin Lejeune, chef de bureau, documents inédits publiés par A. Bégis, Paris, 1896.

BELLONI (Georges) : « le Comité de sûreté générale à la Convention nationale », *A.R.*, 1919.

BERNET (Jacques) : *Recherches sur la déchristianisation dans le district de Compiègne (1789-1795)*, thèse, Université Paris I, 1981.

BERTAUD (Jean-Paul) : *les Amis du roi ; journaux et journalistes royalistes en France de 1789 à 1792*, Perrin, 1984.

BLANC (Olivier) : *La dernière lettre*, préface de M. Vovelle, Paris, Laffont, 1984.

CARNOT (Lazare) : *Opinion de Carnot sur l'accusation portée contre Billaud-Varenne, Collot d'Herbois, Barère, Vadier par la commission des 21*, germinal an III.

CARON (Jules) : *Chauny et son église N.-D. pendant la Révolution*, Chauny, 1871.

CARON (Pierre) : *Paris pendant la Terreur*, Paris, 1910-1964.

COLLOT D'HERBOIS (Jean-Marie) : *Discours du 4 germinal an III.*

DAUBIGNY (VILLAIN) (Jean-Marie) : *principaux événements pour et contre la Révolution dont les détails ont été ignorés jusqu'à présent et prédiction de Danton au Tribunal révolutionnaire*, 3e année républicaine.

DUQUESNOY (Adrien) : *Mémoire sur l'éducation des bêtes à laine et les moyens d'en améliorer l'espèce*, s.l., 1792.

DUVAL (Georges) : *Souvenirs de la Terreur de 1788 à 1793*, Paris, 1841-1842.

FAYE (Jean-Pierre) : *Dictionnaire politique portatif en cinq mots*, Gallimard, coll. « Idées », 1982.

FLEURY (Édouard) : *le Clergé du département de l'Aisne pendant la Révolution*, Laon, 1853.

FORTUNET (Françoise) : « *l'Amitié et le droit selon Saint-Just* », A.H.R.F., 1982.

FURET (François) : *Penser la Révolution française*, Paris, Gallimard, 1978.

— : « La Révolution sans la Terreur ? Le débat des historiens du XIXe siècle » in « *Le Débat* », no 13, juin 1981.

GUILAINE (Jacques) : *Billaud-Varenne, l'ultra de la Révolution*, Fayard, 1969.

JACOB (Louis) : *les Suspects pendant la Révolution*, 1952.

JULIA (Dominique) : *les Trois couleurs du tableau noir. La Révolution*, Paris, Belin, 1981.

LAURAGUAIS (Léon Félicité, comte de) : *Recueil de pièces relatives au* gouvernement révolutionnaire et au despotisme de ses Comités avant le 9 thermidor, s.l., n.d.

LECOINTRE (Laurent): *les Crimes des sept membres des anciens Comités*, an II.

LEFEBVRE (Georges): « Rivalités du Comité de salut public et du Comité de sûreté générale », *Revue Historique*, 1933.

LEJEUNE (Augustin): *Conduite politique de Lejeune, natif de Soissons, ci-devant chef des bureaux de Surveillance Administrative et de la Police Générale, près l'ancien Comité de Salut Public*, s.l., n.d.

LUTFALLA (M.): « Saint-Just analyste de l'inflation révolutionnaire », *A.H.R.F.*, 1967.

MATHIEZ (Albert): *Études sur Robespierre*, Éd. soc., rééd., 1973.

MELLIE (Ernest): *les Sections de Paris pendant la Révolution française (21 mai 1790-19 vendémiaire an IV) ; organisation, fonctionnement*, Paris, 1898.

MICHALET (Charles): « Économie et politique chez Saint-Just : l'exemple de l'inflation », *A.H.R.F.*, 1960.

ORDING (Arne): *le Bureau de police du Comité de salut public*, Oslo, 1930.

Réponse aux imputations de Lecointre (par Billaud-Varennes *(sic)*, Collot d'Herbois, Vadier), an III.

RICHARD (Camille): *le Comité de salut public et les fabrications de guerre sous la Terreur*, Paris, 1922.

SALADIN (Jean-Baptiste Michel): *Convention nationale. Rapport au nom de la Commission des Vingt-et-Un créée par décret du 17 nivôse an III, pour l'examen de la conduite des représentants du peuple Billaud-Varennes, Collot d'Herbois et Barère, membres de l'ancien Comité de salut public, et Vadier, membre de l'ancien Comité de sûreté générale, fait le 12 ventôse par Saladin...*, s.l., n.d.

THUILLIER (Guy): « Saint-Just et la cité administrative usurpée », *Revue Administrative*, 1955.

VOVELLE (Michel): *Religion et Révolution : la déchristianisation de l'an II*, Hachette, 1976.

WALLON (Henri): *Histoire du tribunal révolutionnaire de Paris avec le journal de ses actes*, Paris, 1880-1882.

WALTER (Gérard): *Histoire de la Terreur*, Paris, 1937.

— : *Histoire des Jacobins*, Paris, 1946.

6. *Thermidor.*

BARÈRE (Bertrand) : *Rapport* des 2, 3, 9 et 10 thermidor, an II.

COURTOIS (Edme) : *Rapport au nom de la Commission chargée de l'examen des papiers trouvés chez Robespierre et ses complices,* nivôse an III.

— : *Rapport sur les événements du 9 thermidor,* an III.

— : *Ma Catilinaire... ou suite de mon rapport du 16 nivôse an III.*

— : *Réponse aux détracteurs du 9 thermidor, an IV.*

DOMECQ (Jean-Philippe) : *Robespierre, derniers temps,* Paris, Le Seuil, 1984.

DURAND-MAILLANNE (Pierre) : *Histoire de la Convention nationale,* Paris, 1825.

DURUY (George) : *Mémoires de Barras,* Paris, 1895.

DUVAL (Charles) : *Projet du procès-verbal des séances des 9, 10 et 11 thermidor, présenté au nom de la commission chargée de cette rédaction par Ch. Duval,* s.l., n.d.

FOUCHÉ (Joseph) : *Mémoires de Joseph Fouché duc d'Otrante,* Paris, 1824.

HÉRICAULT (Charles d') : *la Révolution de Thermidor. Robespierre et le Comité de salut public en l'an II, d'après des sources originales et des documents inédits,* Paris, 1876.

MATHIEZ (Albert) : « la Division des Comités de gouvernement à la veille du 9 thermidor », *Revue Historique,* 1915.

— : « l'Agitation ouvrière à la veille du 9 thermidor », *A.H.R.F.,* 1928.

— : « Robespierre à la Commune le 9 thermidor », *A.H.R.F.,* 1924.

— : « les Séances des 4 et 5 thermidor aux deux Comités de salut public et sûreté générale », *A.H.R.F.,* 1927.

MICHON (Georges) : « les Séances des 8 et 9 thermidor au club des Jacobins », *A.H.R.F.,* 1927.

ROUX (Louis-Félix) : *Relation de l'événement des 8, 9 et 10 thermidor an II sur la conspiration des triumvirs Robespierre, Couthon et Saint-Just,* an II.

RUDÉ (Georges) et SOBOUL (Albert) : *le Maximum des salaires parisiens et le 9 thermidor,* s.l., 1955.

SOREAU (Edmond) : *A la veille du 9 thermidor. (Les gouvernés et les gouvernants),* Paris, an III.

VILATE (Joachim) : *Causes secrètes de la Révolution des 9 et 10 thermidor,* Paris, an III.

WALTER (Gérard) : *la Conjuration du 9 thermidor,* Paris, 1974.

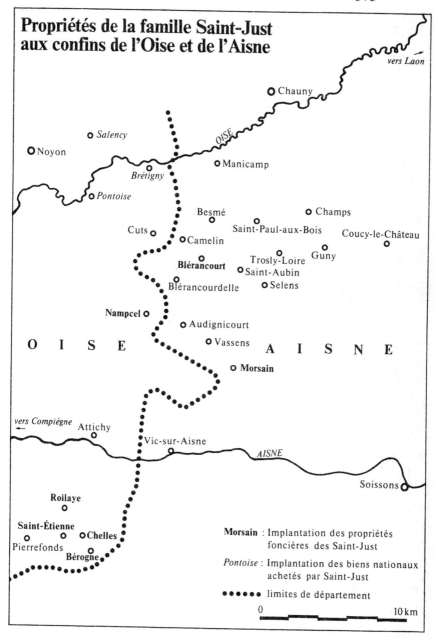

Propriétés de la famille Saint-Just aux confins de l'Oise et de l'Aisne

vers Laon

Chauny

OISE

Salency

Noyon

Manicamp

Brétigny

Pontoise

Besmé

Champs

Saint-Paul-aux-Bois

Coucy-le-Château

Cuts

Camelin

Blérancourt

Trosly-Loire

Guny

Saint-Aubin

Blérancourdelle

Selens

Nampcel

Audignicourt

O I S E

Vassens

A I S N E

Morsain

vers Compiègne Attichy

Vic-sur-Aisne

AISNE

Soissons

Roilaye

Saint-Étienne

Chelles

Pierrefonds

Bérogne

Morsain : Implantation des propriétés foncières des Saint-Just

Pontoise : Implantation des biens nationaux achetés par Saint-Just

•••• limites de département

0   10 km

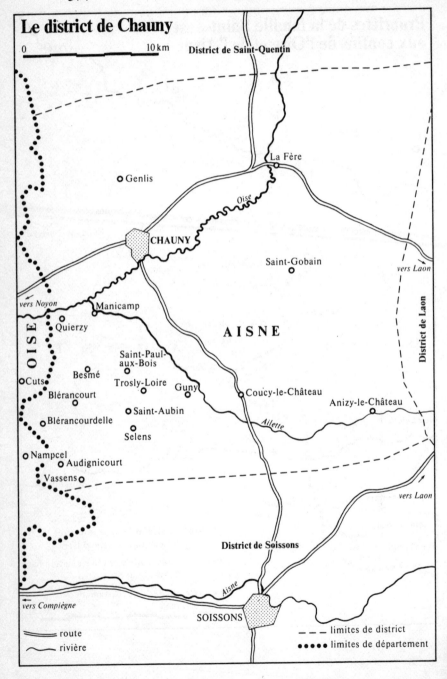

Le district de Chauny

0 ————————— 10 km

District de Saint-Quentin

La Fère

Genlis

Oise

CHAUNY

Saint-Gobain

vers Laon

vers Noyon

Manicamp

AISNE

District de Laon

Quierzy

OISE

Saint-Paul-
aux-Bois

Besmé

Trosly-Loire   Guny

Cuts

Coucy-le-Château   Anizy-le-Château

Blérancourt

Saint-Aubin

Blérancourdelle

Ailette

Selens

Nampcel

Audignicourt

Vassens

vers Laon

District de Soissons

Aisne

vers Compiègne

SOISSONS

——— route

——— rivière

——— limites de district

●●●● limites de département

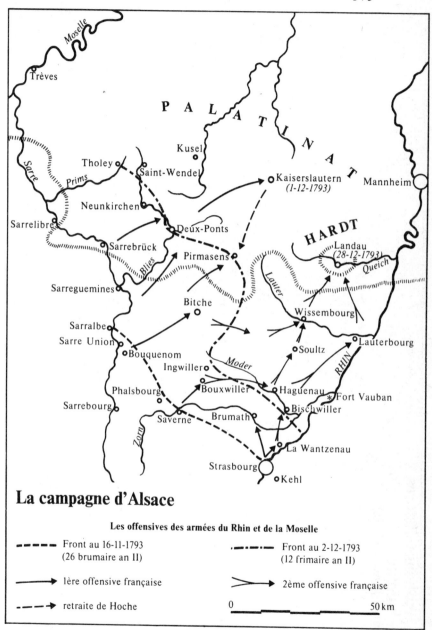

La campagne d'Alsace

Les offensives des armées du Rhin et de la Moselle

- - - - - Front au 16-11-1793
(26 brumaire an II)

.—.—.— Front au 2-12-1793
(12 frimaire an II)

⟶ 1ère offensive française

⟩⟶ 2ème offensive française

- - ⟶ retraite de Hoche

0   50 km

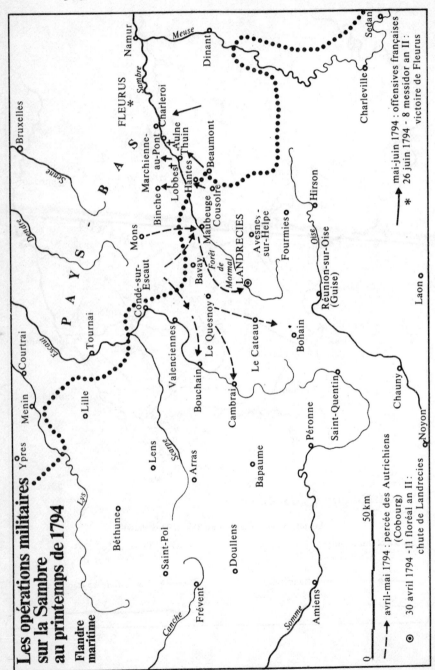

Les opérations militaires sur la Sambre au printemps de 1794

Flandre maritime

PAYS - BAS

FLEURUS *

Namur
Meuse
Dinant
Charleville
Sedan
Bruxelles
Senne
Sambre
Charleroi
Aulne
Marchienne-au-Pont
Thuin
Beaumont
Lobbes
Hantes
Binche
Maubeuge
Cousolre
Hirson
Mons
Bavay
Avesnes-sur-Helpe
Fourmies
Dendre
Forêt de Mormal
LANDRECIES
Condé-sur-Escaut
Tournai
Courtrai
Menin
Ypres
Escaut
Valenciennes
Le Quesnoy
Le Cateau
Bohain
Réunion-sur-Oise (Guise)
Oise
Lille
Scarpe
Bouchain
Cambrai
Péronne
Saint-Quentin
Chauny
Noyon
Laon
Lens
Arras
Bapaume
Lys
Béthune
Saint-Pol
Doullens
Canche
Frévent
Somme
Amiens

50 km
0

→ avril-mai 1794 : percée des Autrichiens (Cobourg)

--- 30 avril 1794 - 11 floréal an II : chute de Landrecies

◉

→ mai-juin 1794 : offensives françaises 26 juin 1794 - 8 messidor an II : victoire de Fleurus

*

Index

Table des matières

ACHEVÉ D'IMPRIMER
LE 30 MAI 1985
SUR LES PRESSES DE
L'IMPRIMERIE HÉRISSEY
À ÉVREUX (EURE)

Imprimé en France
Nº d'édition : 7129
Nº d'impression : 36913
Dépôt légal : mai 1985